COLEÇÃO VIAGENS DO BRASIL

1. VIAGEM PELAS PROVÍNCIAS DO RIO DE JANEIRO E MINAS GERAIS — Auguste de Saint-Hilaire.
2. VIAGEM AO ESPÍRITO SANTO E RIO DOCE — Auguste de Saint-Hilaire
3. VIAGEM À PROVÍNCIA DE GOIÁS — Auguste de Saint-Hilaire
4. VIAGEM A CURITIBA E SANTA CATARINA — Auguste de Saint-Hilaire
5. VIAGEM AO RIO GRANDE DO SUL — Auguste de Saint-Hilaire
6. VIAGEM À PROVÍNCIA DE SÃO PAULO — Auguste de Saint-Hilaire
7. VIAGEM AO TAPAJÓS — Henry Coudreau
8. VIAGEM DE CANOA, DE SABARÁ AO OCEANO ATLÂNTICO — Richard Burton
9. VIAGEM PELAS PROVÍNCIAS DO RIO DE JANEIRO E MINAS GERAIS — Auguste de Saint-Hilaire
10. VIAGEM PELO DISTRITO DOS DIAMANTES E LITORAL DO BRASIL — Auguste de Saint-Hilaire
11. VIAGEM ÀS NASCENTES DO RIO SÃO FRANCISCO — Auguste de Saint-Hilaire.
12. VIAGEM AO BRASIL — Spix e Martius
13. SEGUNDA VIAGEM DO RIO DE JANEIRO A MINAS GERAIS E A SÃO PAULO (1822) — Auguste de Saint-Hilaire
14. DUAS VIAGENS — Hans Stadem

VIAGEM À PROVÍNCIA DE SÃO PAULO

Diretor editorial
Henrique Teles

Produção editorial
Eliana Nogueira

Arte gráfica
Ludmila Duarte

Revisão
Eduardo Satlher Ruella

EDITORA GARNIER
Belo Horizonte
Rua São Geraldo, 67 - Floresta - Cep.: 30150-070 - Tel.: (31) 3212-4600
e-mail: vilaricaeditora@uol.com.br

AUGUSTE DE SAINT-HILAIRE

VIAGEM À PROVÍNCIA
DE SÃO PAULO

GARNIER
desde 1844

Dados Internacionais de Catalogação na Publicação (CIP) de acordo com ISBD

Sant-Hilaire, Auguste de

S234v   Viagem à Província de São Paulo / Auguste de Sant-Hilaire. - 2. ed. - Belo Horizonte - MG : Garnier, 2020.

314 p. ; 16cm x 23cm.

Inclui índice.
ISBN: 978-65-86588-15-6

1. Relato de viagem. 2. Província de São Paulo. 3. Brasil. 4. Literatura Francesa. I. Título.

2020-983

CDD 910.4
CDU 913

Índice para catálogo sistemático:

1. Relato de viagem 910.4
2. Relato de viagem 913

Copyright © 2020 Editora Garnier.

Todos os direitos reservados pela Editora Garnier.
Nenhuma parte desta publicação poderá ser reproduzida
sem a autorização prévia da Editora.

SUMÁRIO

NOTA INTRODUTÓRIA 9
PREFÁCIO 13

CAPÍTULO I – DADOS SUMÁRIOS SOBRE A PROVÍNCIA DE SÃO PAULO 15

CAPÍTULO II – INÍCIO DA VIAGEM À PROVÍNCIA DE SÃO PAULO. O ARRAIAL DE FRANCA, HOJE A CIDADE E SEDE DE COMARCA 111

CAPÍTULO III – DE FRANCA A MOGI MIRIM 123

CAPÍTULO IV – MOGI MIRIM E CAMPINAS 143

CAPÍTULO V – JUNDIAÍ – CHEGADA A SÃO PAULO 155

CAPÍTULO VI – DESCRIÇÃO DA CIDADE DE SÃO PAULO 169

CAPÍTULO VII – ESTADA DO AUTOR EM SÃO PAULO. ALGUMAS PALAVRAS SOBRE A CIDADE DE SANTOS E A ESTRADA DE CUBATÃO 193

CAPÍTULO VIII – VIAGEM DE SÃO PAULO À CIDADE DE ITU 215

CAPÍTULO IX – A CIDADE DE ITU. A CIDADE DE PORTO FELIZ. A NAVEGAÇÃO DO RIO TIETÊ 229

CAPÍTULO X – A CIDADE DE SOROCABA. AS FORJAS DE IPANEMA 251

CAPÍTULO XI – A CIDADE DE ITAPETININGA 271

CAPÍTULO XII – VIAGEM DE ITAPETININGA AOS CAMPOS GERAIS. A CIDADE DE ITAPEVA. INDÍGENAS 283

CAPÍTULO XIII – A CIDADE DE ITAPEVA. – OS ÍNDIOS BUGRES E OS GUANHANÃS 299

NOTA INTRODUTÓRIA

Por influência do Conde de Luxemburgo veio Saint-Hilaire ao Brasil em 1816 e aqui permaneceu até 1822.

Durante esse período viajou por muitos lugares: Rio de Janeiro, Espírito Santo, Minas Gerais, Goiás, Mato Grosso, São Paulo, Paraná, Santa Catarina e Rio Grande do Sul.

Viajou também, até a Província Cisplatina e às Missões do Paraguai.

Não foi o primeiro a ter sua curiosidade científica despertada pela Natureza brasileira, após a descoberta.

Já Pero Vaz de Caminha, em sua "Carta a El-Rey Dom Manoel", escrita de "Porto Seguro, da Ilha de Velha Cruz... sexta-feira, primeiro de maio de 1500" informa sobre o que viu em nossa terra, em sua breve permanência, merecendo os indígenas e seus costumes especial atenção.

Na excelente edição da Editora Sabiá, com versão de Rubem Braga e desenhos de Carybé, lê-se o que Caminha informa a El-Rei sobre esses indígenas: "Eles não lavram, nem criam, nem há aqui nem boi, nem vaca, nem cabra, nem ovelha, nem qualquer outra alimária, que costumada seja ao viver dos homens".

Em outro trecho, refere-se a hábitos dos indígenas: "Também andavam entre eles quatro ou cinco mulheres moças, assim nuas, que não pareciam mal; entre as quais andava com uma coxa, do joelho até o quadril, e a nádega, toda tinta daquela tintura preta; e o resto de sua própria cor. Outra trazia ambos os joelhos, com as curvas assim tintas, e também os colos dos pés; e suas vergonhas tão nuas com tanta inocência descobertas, que não havia aí nenhuma vergonha".

Mais tarde vieram Nóbrega e Anchieta, Hans Staden, Jean de Léry, Thevet, Gândavo e Gabriel Soares de Sousa, cada qual contribuindo a seu modo para o conhecimento do nosso País, descrevendo sua Natureza, seus habitantes, seus costumes.

Piso e Marcgraff vieram mais tarde ainda ao Brasil de Nassau.

Nos três séculos seguintes (XVIII a XX) muitos outros eminentes cientistas visitaram nossa Pátria por período maior ou menor. Alguns aqui se radicaram e permaneceram até sua morte. Desses naturalistas mencionamos, a seguir, alguns de proeminência: Langsdorff, Sellow, o Príncipe Maximiliano de Wied Newied, Saint-Hilaire, Spix, Martius, Schott, Raddi, Pohl, Burchell, Gardner, Lund, Warming, Regnell, Malme, Frits Müller, von Eschwege, Lindman, Schwacke, Glaziou, Ule, Taubert, Huber, von Ihering, Pilger, Dusén, Loefgren, Schenck, Wettstein, Usteri, Schlechter, Massart.

Muitos outros poderiam, e, talvez devessem ser mencionados por sua contribuição ao conhecimento de nossa Natureza. Mas o Prefácio de um livro não parece o lugar adequado para uma lista exaustiva de naturalistas ilustres que visitaram o Brasil. Assim, mencionaremos apenas mais alguns nomes que, na primeira metade deste século para cá vieram e tiveram notável influência sobre o desenvolvimento das Ciências Naturais em nosso País: Félix Rawitscher, Theodosius Dobzhansky, Ernest Marcus.

Ao lado dos naturalistas viajantes, muitos brasileiros se notabilizaram por seus estudos de nossa Natureza: Alexandre Rodrigues Ferreira, Arruda Câmara, Frei Veloso, Barbosa Rodrigues, são alguns exemplos dignos de menção.

Dentre os mencionados naturalistas viajantes que mais contribuíram para o conhecimento de nosso País, Martius e Saint-Hilaire logo se sobressaem. Do primeiro basta citar, dentre suas inúmeras obras, a "Flora Brasiliensis", em 40 volumes "infólio", nos quais estão descritas 20.000 espécies, sendo 6.000, na ocasião, desconhecidas. Mais de 3.000 estampas ilustram essa notável obra que levou 66 anos para publicar, sob a direção sucessiva de Martius, Eichler e Urban, e a colaboração de 65 botânicos de diversos países.

Saint-Hilaire escreveu inúmeros relatórios de viagens a diversas partes do Brasil. Figuram entre suas mais notáveis obras, a "Flora Brasiliae Meridionais", em colaboração com Jussieu e Cambessedés, publicada em Paris, de 1824 a 1833.

Durante suas viagens Saint-Hilaire coletou muito material botânico e zoológico, e fez inúmeras observações que interessam à Geografia, à História, à Etnografia, sem contar as de importância para as Ciências Naturais, especialmente a Botânica.

Publicados primeiro na França, seus relatórios foram traduzidos para o português e publicados no Brasil, alguns mais de uma vez.

Há muitos anos esgotadas essas publicações, era necessário republicá-las, pois o interesse pela obra de Saint-Hilaire é imorredouro.

O material botânico que aqui colocou é representado por 30.000 espécimes de mais 7.000 espécies das quais umas 4.500 eram desconhecidas dos cientistas, na época.

No presente livro, "Viagem pela Província de São Paulo", depois de esboçar a história da Província, Saint-Hilaire indica-lhe os limites, refere-se às suas principais montanhas, aos cursos d'água, ao clima, à vegetação, à população, à administração geral, à divisão da Província, à sua Justiça criminal e às suas finanças.

Descreve o arraial de Franca, sua viagem daí até São Paulo passando por Mogi Mirim, Campinas e Jundiaí. De São Paulo vai a Cubatão e Santos depois visita Itu, Porto Feliz, Sorocaba, Itapetininga e Itapeva.

Esses pontos de referência permitem avaliar a extensão do território paulista visitado por Saint-Hilaire. Nessa época esse território era coberto de matas, em mais que 80%, em contraste com os 8% de hoje.

E São Paulo era diferente; bem diferente! Saint-Hilaire não poderia dizer hoje o que então disse: "Não somente é encantadora a localização de São Paulo como aí se respira um ar muito puro."!

Não nos furtamos ao desejo de, novamente, expressar nossos cumprimentos à Editora da Universidade de São Paulo e à Livraria Itatiaia Editora que inseriram mais esta obra de Saint-Hilaire na Coleção Reconquista do Brasil. E, como sempre, felicitamos ao público, o grande beneficiado com este empreendimento.

São Paulo, junho de 1976.

MÁRIO GUIMARÃES FERRI

PREFÁCIO

O autor seguiu neste novo relato – que é uma continuação dos livros Viagem às Nascentes do Rio S. Francisco*, e Viagem à Província de Goiás**, – o mesmo plano dos precedentes. Em consequência, não lhe resta senão repetir o que havia dito antes. O leitor encontrará descritos aqui, com a mesma exatidão, não somente os lugares que o autor visitou, mas também as mudanças ocorridas depois de sua viagem e registradas por outros escritores. Este trabalho é uma espécie de esboço de uma monografia das regiões que ele percorreu. Nele o autor faz as mesmas observações críticas e procura retificar os numerosos erros que se acham espalhados nos livros sobre a geografia e a etnologia do Brasil. Tem, também, o cuidado de citar todos os autores aos quais recorreu em busca de alguma informação. Para esse fim esforçou-se por consultar todas as obras publicadas sobre o Brasil.

Em várias ocasiões serão encontrados, neste trabalho, os números que se referem ao catálogo descritivo das plantas características de cada região. As circunstâncias ainda não permitiram que essa parte do trabalho esteja terminada. Essas descrições farão parte – assim espera o autor – do final do livro Viagem ao Rio Grande do Sul.***

---

* Vol. 7 desta coleção.
** Vol. 8 desta coleção.
*** Vol. 10 desta coleção.

Capítulo I
DADOS SUMÁRIOS SOBRE A PROVÍNCIA DE SÃO PAULO

HISTÓRIA

O português Pedro Álvares Cabral embarcou em Lisboa no ano de 1500 para dirigir-se às Índias Orientais. Ventos contrários, porém, levaram-no para o oeste, e o Brasil foi descoberto.

Na época o rei de Portugal achava-se inteiramente ocupado com as conquistas que seus generais haviam feito nas Índias e que seus sucessores em breve iriam perder. Em consequência, deu pouca atenção ao Brasil, cujas imensas riquezas foram carreadas, durante dois séculos, para Portugal.

A costa setentrional do Brasil, foi entretanto, explorada, e alguns grupos de colonizadores nela se estabeleceram por sua própria conta. Quanto à que se estende desde a Baía de Todos os Santos até o Rio de la Plata, mal era conhecida. O Rei D. João III quis, finalmente, assegurar os direitos que Portugal julgava ter sobre essas terras e encarregou Martim Afonso de Sousa de tomar posse delas em caráter definitivo. Não podia ter feito melhor escolha. Tratava-se, diz um historiador, do mais honesto dos cortesãos, do mais sábio dos conselheiros, do mais hábil dos generais.

Martim Afonso partiu de Lisboa no fim do ano de 1530 e, a 30 de abril[1] de 1531 chegou à baía do Rio de Janeiro, que os indígenas chamavam de Ganobará ou Nithoy. Uma vez que os Tamoios – índios desconfiados e belicosos – não permitiram que ele ali se estabelecesse, Martim

---

[1] Todos os historiadores são unânimes em afirmar que Martim Afonso entrou na Baía do Rio de Janeiro no dia 1º de janeiro. Mas o diário de bordo escrito por seu irmão Pero Lopes de Sousa e publicado, com oportunas notas, por Francisco Adolfo de Varnhagen, prova suficientemente que essa data está errada.

Afonso continuou viagem até o Rio de la Plata. Em seguida, retornando na direção norte, entrou a 20 de janeiro de 1532 numa baía que, protegida por duas ilhas muito próximas da terra firme, oferecia o melhor ancoradouro de toda essa parte do litoral. Ele havia recebido ordem de seu soberano para estabelecer uma colônia no sul do Brasil. Foi esse o local que escolheu, lançando na Ilha de São Vicente os fundamentos da cidade do mesmo nome. Assim teve origem a Capitania de São Vicente, cuja história está praticamente ligada a toda história do Brasil, e que mais tarde se transformou na Capitania de São Paulo.

É inexata a descrição feita dos primeiros habitantes da nova colônia como sendo compostos de um punhado de facínoras. Entre os companheiros de Martim Afonso havia até mesmo membros da nobreza de Portugal e da Ilha da Madeira. É evidente, porém, que todos deviam compartilhar dos mesmos vícios e das mesmas qualidades comuns em sua época. Eram semelhantes a todos os portugueses dos meados do século XVI. A um tempo inteligentes e pouco esclarecidos, de uma generosidade que chegava às raias da imprevidência, eles juntavam a um espírito empreendedor e aventureiro uma enorme intrepidez, uma grande dose de orgulho e audácia, o amor à glória, o desejo de acumular riquezas para poder esbanjá-las e fazer boa figura, e principalmente uma rudeza de costumes contra a qual lutava em vão a inefável doçura do cristianismo. Nenhum povo europeu se achava, nessa época, isento dessa rudeza, e se os paulistas a conservaram por mais tempo é porque a alimentavam com suas prolongadas incursões pelas matas e a incessante caça que fizeram aos índios durante longos anos.

Quando Martim Afonso aportou à Ilha de São Vicente, essa parte do Brasil pertencia aos pacíficos índios guaianeses, que habitavam o planalto situado ao norte da cadeia marítima mas que, numa certa época do ano, costumavam descer até o litoral para procurar ostras e outros moluscos.

Na ocasião em que os portugueses entraram na baía, alguns índios do planalto pescavam à beira da praia. Assustados pelo tamanho dos navios europeus, eles se puseram em fuga, indo relatar aos seus companheiros da aldeia que haviam visto canoas enormes, as quais, comparadas com as suas, eram como as mais altas árvores da floresta em relação à grama dos campos, e que homens de pele branca tinham desembarcado delas, parecendo dispostos a se estabelecer ali.

O chefe dos índios considerou um insulto a conduta dos homens brancos e mandou avisar todos os caciques das vizinhanças sobre o que se passava. Acima de tudo, apressou-se a comunicar o fato a Tebyreçá, que chefiava as aldeias dos campos de Piratininga e por quem toda a nação dos guaianases tinha grande respeito, pois nenhum outro chefe era tão poderoso e tão valente guerreiro.

Martim Afonso não era o primeiro europeu a desembarcar nesse litoral. Entre os guaianases vivia há muito tempo um português, provavelmente salvo de algum naufrágio, a quem Tebyreçá havia dado a filha por esposa. Esse homem, chamado João Ramalho, que nunca tinha visto um navio de sua pátria naquelas paragens, concluiu que as embarcações mencionadas pelos indígenas tinham sido arrastadas até ali por uma tempestade, quando a caminho das Índias Orientais. Tomado de compaixão pela triste sina de seus compatriotas, ele conseguiu convencer o sogro de que lhe adviriam grandes vantagens se acolhesse os portugueses como amigos. Tebyreçá, acompanhado pelo genro, pôs-se a caminho de São Vicente com trezentos homens armados de flechas. Quando João Ramalho avistou de longe os portugueses começou a gritar-lhes, na língua materna, que não tivessem receio, assegurando-lhes que os guaianases não vinham como inimigos. Os dois grupos confraternizaram e fizeram uma aliança contra as tribos indígenas que lhes viessem perturbar a paz. Em sinal de regozijo, os europeus juntaram o estrondo de sua artilharia aos sons dos instrumentos que acompanhavam as danças dos selvagens[2].

Nada mais tendo a temer destes últimos, Martim Afonso dedicou-se ativamente à construção da nova cidade. Deu permissão a seus companheiros que fizessem plantações na Ilha de São Vicente, nomeou oficiais de justiça e garantiu, através de sábios regulamentos, os direitos e as propriedades dos novos colonos.

Esse homem ilustre não se contentou, como tantos outros donatários portugueses, em explorar o litoral; quis também conhecer o interior. Enfrentando mil perigos, ele escalou a cadeia marítima que os índios denominavam *Paranapiacaba*[3]. Do alto dessas elevadas montanhas pôde ter uma ideia exata da soberba região de que acabava de tomar posse em nome da coroa portuguesa. Chegou também até a

---

[2] O abade Manuel Aires de Casal, apoiando-se no historiador espanhol Herrera, acha (*Corog. Bras.*, I) que antes da chegada de Martim Afonso a S. Vicente já existia aí uma fábrica. Conclui que os Índios, acostumados a ver navios europeus, não devem ter tido nenhuma surpresa quando as embarcações do ilustre português se aproximaram da costa. Diante desse raciocínio, ele se julga autorizado a rejeitar o que acabo de relatar. A pouca credibilidade do fato narrado por Herrera parece, na minha opinião, enfraquecer singularmente a sua argumentação.

[3] Essa palavra significa *lugar de onde se vê o mar*. É de supor que se origine de *paraná*, mar, e *cepiacá*, ver (*Dic. Port. Bras.*, 51, 78).

planície de Piratininga (1532), onde se situavam os domínios de seu fiel aliado, o cacique Tebyreçá.

O Rei D. João III acabara por reconhecer que o Brasil possuía um certo valor, mas, para se desembaraçar dos problemas que iria criar-lhe a colonização de uma região tão vasta, ele a dividiu em várias capitanias hereditárias, doando-as a membros da nobreza de Portugal, os quais tinham por obrigação defendê-las e cuidar do seu desenvolvimento. Martim Afonso era um dos que mais mereciam essa recompensa. D. João doou-lhe 100 léguas do litoral, a partir do Rio Macubé até a Baía de Paranaguá. Dessa vasta extensão de terras, entretanto, fazia parte um território de 50 léguas concedido a Pero Lopes de Sousa, irmão de Martim Afonso[4]. As terras deste último receberam o nome de Capitania de São Vicente e as de Pero Lopes de Sousa foram denominadas, mais tarde, Capitania de Santo Amaro.

A estada de Martim Afonso no Brasil foi, infelizmente, muito breve, tendo ele sido obrigado a voltar a Portugal no correr do ano de 1533. Ao desembarcar nas margens do Tejo, tão distante da América, ele não esqueceu, porém, a capitania de que se tinha tornado donatário. Por iniciativa sua, as mulheres de seus companheiros foram juntar-se aos maridos, e novos colonos foram aumentar o número dos já existentes. Introduziu em São Vicente diversas espécies de animais domésticos europeus, mandou levar da Ilha da Madeira a cana-de-açúcar e providenciou a instalação do primeiro engenho de açúcar que houve no Brasil[5].

---

[4] Desde a cidade de S. Sebastião até a Ponta de Taipu, vizinha de S. Vicente, o litoral da província de São Paulo se dirige mais ou menos do oriente para o ocidente. Das duas ilhas que cercam o porto de Santos, a mais oriental ou, se se preferir, a menos distante do Rio de Janeiro, chama-se S. Amaro e é separada da terra firme por um canal que tem o nome de Barra da Bertioga. Entre essa ilha e a de S. Vicente, mais ocidental, encontra-se o braço de mar denominado Barra Grande, Barra Larga, ou ainda Barra de Santos, através do qual os navios entram no porto desse nome. Finalmente, chama-se Rio S. Vicente o canal mais profundo e mais estreito que separa a ilha desse nome do continente. São esses os nomes usados geralmente hoje em dia. Mas não era assim no tempo de Martim Afonso (Casal. *Corog. Bras.*,I). Esse grande capitão acreditava que os três braços de mar que acabo de mencionar eram as embocaduras de um mesmo rio e dava a todos os três o nome comum de Rio de S. Vicente. A barra de Bertioga era, pois, o limite dos domínios dos dois irmãos e não, como se acreditou, o Rio S. Vicente atual (Gaspar Madre de Deus, *Mem. S. Vicente,* I, II). Se não fosse assim, forçoso seria admitir que D. João III teria tomado a Martim Afonso a porção de território que por justiça lhe devia pertencer, e que este teria construído uma cidade e distribuído terras numa região que não lhe pertencia.

[5] Vasconcelos, *Crônica,* I, 61. – Sob o nome de *Affonsea,* dediquei à memória de Martim Afonso um belo gênero brasileiro da família das Leguminosas, identificado pela pluralidade de seus ovários e por seus cálices vesiculosos (ver *Viagem ao distrito dos Diamantes,* I). Gostaria de

Os inteligentes esforços de Martim Afonso fizeram florescer a nova colônia. Não tardou que a agricultura prosperasse ali de maneira notável e fosse estabelecido um comércio regular com Portugal, favorecido pela fundação de uma segunda cidade, a de Santos, cujo porto tinha capacidade para receber navios de grande calado. É bem verdade que o dinheiro, no princípio, era extremamente raro. Pagavam-se, porém, com o açúcar as mercadorias recebidas da Europa, tornando esse produto a única moeda corrente.

Apesar dos visíveis progressos que acabamos de assinalar, a nova colônia não tardou, entretanto, a se ressentir da ausência de seu ilustre proprietário. Ele sabia perfeitamente que, se os portugueses cedessem ao desejo de mudar de lugar e deixassem o litoral, dispersando-se no interior, não teriam mais a mesma força e não poderiam enviar seus produtos para a Europa. Em vista disso, proibiu os homens brancos de penetrarem na planície de Piratininga, abrindo uma exceção unicamente para João Ramalho. Mas quando partiu para a Índia, cujo governo lhe havia sido confiado, sua mulher, D. Ana Pimentel, revogou essa proibição. Os portugueses se misturaram, então, com os índios – e aos vícios de uma civilização ainda atrasada eles não tardaram a juntar os que adquiriram dos selvagens.

Enquanto davam aos índios o nome de compadres, um título respeitável na época, os brancos iludiam-nos com um despudor revoltante, e para impedir que os indígenas descobrissem a verdade os administradores – eles próprios cúmplices de seus administrados – proibiam a qualquer cristão, sob a ameaça de graves penas, que falasse mal, diante de um índio, de outro cristão ou de suas mercadorias. Não era unicamente em suas relações com os indígenas que os portugueses violavam todas as leis da decência mais elementar: mostravam-se igualmente inescrupulosos quando negociavam entre si, e a falta de confiança era tão acentuada que os homens livres, ao se empregarem nos engenhos de açúcar, eram obrigados a jurar diante do conselho municipal, como garantia de sua fidelidade, que não roubariam seus patrões[6].

A ausência de um chefe honesto e enérgico não foi o único mal que se abateu sobre os colonos de São Vicente. Um outro fator de corrupção

---

preterir aqui as palavras que usei nessa dedicatória: *In honorem dixi ilustrissimi ducis Martim Affonso de Souza qui, máximo incolarum benefício, saccharum officinale in Brasiliam introduxit. Monumentum spledidus grati consecrent Brasilienses!* Que eu saiba, até o presente os meus votos ainda não se realizaram.

[6] Gaspar Madre de Deus, *Mem. S. Vicente.*

surgiu entre eles desde os primeiros dias de sua fundação: havia sido permitida a escravização dos índios. Embora defendessem a liberdade dos índios, as leis portuguesas permitiam que ela lhes fosse tirada em determinadas circunstâncias – e os agricultores sempre achavam boas razões que justificassem a sua escravização. Pouco interessados, eles próprios, em se instruírem nos preceitos cristãos, deixavam seus escravos mergulhados na mais profunda ignorância. Estes, ao perderem os seus hábitos selvagens, tornavam-se ainda mais embrutecidos, e seus amos se embruteciam junto com eles, mostrando-se cada vez mais cruéis.

Muitos vicentinos – denominação que a princípio receberam os habitantes de São Vicente – casavam-se com índias, outros as tomavam como amantes ou tinham, mesmo legítimas esposas. Dessas inúmeras uniões nasceu um grande número de mestiços, e foi a eles, conhecidos por seus costumes bárbaros, que foi dado o odiado nome de mamelucos, tomado à milícia muçulmana que dominava o Egito[7].

As províncias setentrionais do Brasil achavam-se, nessa mesma época, numa situação ainda mais lamentável do que a da Capitania de São Vicente. Seus donatários, fracos e isolados, mal conseguiam defender-se dos ataques dos índios. Ao mesmo tempo, aproveitavam-se da ilimitada autoridade de que eram revestidos para exercer sobre os colonos um intolerável despotismo.

O Rei D. João III mostrou-se, finalmente, sensível às queixas de seus súditos, enviando ao Brasil um governador geral, Tomé de Sousa, homem de grande prudência e firmeza, que devia representá-lo em todos os setores e a quem confiou os mais amplos poderes.

Com Tomé de Sousa chegaram à Baía de Todos os Santos, no ano de 1549, cinco religiosos da Companhia de Jesus, chefiados por Manuel da Nóbrega, seu provincial, que à sua origem nobre unia as mais altas virtudes, uma prodigiosa capacidade de trabalho e um grande talento administrativo. Esses corajosos padres dedicaram-se sem reservas a promover a felicidade dos indígenas. Mas como o seu número não fosse suficiente para a execução da difícil tarefa que se tinham imposto, quatro anos mais tarde vieram juntar-se a eles sete novos religiosos, entre os quais José de Anchieta, que mereceu o cognome de Apóstolo do Brasil. "Anchieta foi ao mesmo tempo poeta, guerreiro e naturalista; para se tornar útil, desdobrava-se em várias atividades – ensinava as primeiras

---

[7] Ver alguns interessantes trabalhos escritos pelo Pe. Anchieta e publicados na notável *Revista Trimensal de História e Geografia*, Rio de Janeiro.

letras às crianças, comandava as tropas, compunha cânticos, cuidava dos doentes e não recusava nem mesmo o trabalho mais vulgar. Ele pode ser considerado como um dos homens mais extraordinários do seu tempo"[8].

Tão logo chegou ao Brasil, Nóbrega fundou um colégio em São Vicente. Pouco tempo depois, como dissemos acima, Anchieta foi reunir-se a ele, começando então a capitania de Martim Afonso uma nova era. Os jesuítas empenharam todos os seus esforços no sentido de elevar à dignidade de homens os colonos portugueses, procurando incutir de novo neles os deveres cristãos há longo tempo esquecidos. Combatiam suas injustiças, lutavam corajosamente em favor da liberdade dos indígenas e afastavam da comunidade dos fiéis os opressores dos infortunados selvagens. Foi acima de tudo o desejo de levar os indígenas ao conhecimento da verdade que os fizera deixar suas famílias e sua pátria. E eles nada negligenciavam a fim de cumprirem esse nobre objetivo. Iam procurar os índios no fundo das matas, enfrentavam corajosamente a sua crueldade, atraíam-nos para o seu meio por suas boas ações, consolavam-nos em suas aflições, cuidavam de seus doentes e faziam deles homens cristãos. As crianças, como que fascinadas por seus cantos, seguiam-nos por toda parte, agrupando-se à sua volta. E os padres da Companhia de Jesus ensinavam-lhes os princípios da religião, a leitura, a escrita, a aritmética, a música e todas as artes úteis[9].

Os jesuítas não demoraram a perceber que, para se tornarem verdadeiramente úteis aos índios, não deviam ficar confinados no litoral, habitado unicamente pelos portugueses e seus escravos. Nóbrega decidiu fundar um novo colégio na planície de Piratininga, entregando essa tarefa a Anchieta, então com pouco mais de vinte anos. Em épocas posteriores, os mineiros, atraídos unicamente pela presença de ouro e dos diamantes, prefeririam fixar-se nas regiões montanhosas, no fundo de áridos e tristonhos vales. Os jesuítas, pelo contrário, estabeleciam-se nas terras mais férteis e em lugares mais altos, onde as maravilhas da Natureza se estendiam a perder de vista e incitavam as pessoas a elevarem seus

---

[8] *Viagem ao Dist. Dos Diamantes e Lit. do Brasil*, II.
[9] Ó Nobrega famoso, ó claro Anchieta
 Por meio de perigos e de espantos,
 Sem temer do gentio a cruel seta,
 Todo o vasto sertão tem penetrado,
 E a fé com mil trabalhos propagado.

pensamentos até o Criador[10]. Foi um lugar desse tipo que os discípulos de Santo Inácio escolheram na planície de Piratininga, para ali fundar o seu colégio.

No dia 24 de janeiro de 1554, data da conversão de S. Paulo, foi celebrada a primeira missa no novo estabelecimento, que recebeu o nome de *São Paulo*.

Ali, onde surgiria mais tarde uma encantadora cidade, destinada a representar um papel tão importante na história do Brasil, nada se via, então, a não ser uma choupana de 14 pés de comprimento por 10 de largura, feita de barro e coberta de palha. "É ali", escreveu Anchieta, "que instalamos nossa escola, nosso dormitório, nossa cozinha, nosso refeitório e nossa despensa". Folhas de palmeira serviam de mesa, uma esteira substituía a porta.

A nascente colônia não tardou, entretanto, a se desenvolver. Um grande número de indígenas, mestiços e portugueses veio agrupar-se ao seu redor, e o cacique dos guaianases, Tebyreçá, que recebera no batismo o nome de seu compadre, Martim Afonso, transferiu para as proximidades do colégio dos jesuítas a sua aldeia inteira.

Não obstante, esses progressos em breve deram origem a uma perigosa rivalidade. Desde os tempos em que Martim Afonso de Souza ainda se encontrava em São Vicente, João Ramalho havia formado, à entrada da planície, um povoado a que dera o nome de Santo André e que, pouco mais tarde, foi elevado a cidade. A ele e a seus numerosos filhos, todos mestiços, reuniu-se um grande número de outros mestiços, e até mesmo de portugueses. Esses homens, que se entregavam a toda sorte de vícios e viviam constantemente escravizando índios, não conseguiam ouvir sem irritação as prédicas dos jesuítas contra essa prática infame, e por meio de absurdas calúnias fizeram com que diversas tribos indígenas se revoltassem contra eles. São Paulo foi atacado, mas os índios já catequizados rechaçaram o inimigo. Essa vitória aumentou ainda mais a influência dos jesuítas.

A extensão dessa influência ficou patenteada numa ocasião de grande importância. Começava a chegar à Europa a notícia do valor do Brasil. Os franceses passaram a cobiçar também uma parte da rica colônia, e sob o comando do Cavaleiro de Malta Nicolas de Villegagnon, fundara,

---

[10] Ver os três relatos precedentes do autor.

uma colônia na baía do Rio de Janeiro[11]. Ao invés de oprimir os indígenas, Villegagnon tratava-os com justiça e generosidade[12], e os belicosos Tamoios, que ocupavam toda a região situada entre o Rio de Janeiro e São Vicente, tornaram-se úteis e poderosos aliados seus. A princípio, os portugueses deram pouca atenção às atividades de seus perigosos vizinhos. Mais tarde, porém, Nóbrega abriu-lhe os olhos, e a corte de Lisboa deu ordem ao Governador Mem de Sá para expulsar os recém-chegados. Os colonos portugueses queriam contemporizar, mas Nóbrega refutou com firmeza os seus pusilânimes conselhos. A guerra foi decidida. Os jesuítas convenceram os habitantes de São Vicente a tomarem parte nela, fazendo com que fornecessem a Mem de Sá víveres, canoas e um grande número de homens, entre brancos, mamelucos e índios, todos eles já habituados a lutar contra os Tupinambás e os Tamoios, aliados dos franceses. Estes foram derrotados, e as suas fortificações destruídas. As tropas portuguesas apoderaram-se dos canhões inimigos e se retiraram para Santos, onde o incansável Nóbrega tinha providenciado socorro aos feridos e víveres para todos.

Mem de Sá tinha acompanhado suas tropas até Santos, e os jesuítas se aproveitaram de sua presença para se desembaraçarem de uma vizinhança incômoda. Explicara ao governador que a cidade de Santo André, construída no limite entre as florestas e as montanhas, se achava exposta aos ataques constantes dos selvagens, ao passo que São Paulo, situada em local elevado e em região descampada, pouco tinha a temer nesse particular. Mem de Sá ordenou a destruição de Santo André. São Paulo foi elevado a cidade em 1560, com o nome de São Paulo de Piratininga e os padres da Companhia de Jesus transferiram para lá o colégio que tinham fundado no litoral[13].

---

[11] O judicioso e fidedigno Léry, que fazia parte essa expedição e a descreveu, dá à região onde ela foi levada a efeito o nome de *terra do Brasil, também chamada América*. Mas dois outros autores bem menos dignos de crédito houveram por bem dar ao país o nome de *França Antártica*. Ao narrar esse fato, Southey se volta com azedume contra a *arrogância habitual dos franceses* (Hist. I). Ele esquece que, antes mesmo de terem estabelecido mais insignificante núcleo colonial na costa da América setentrional, os ingleses já tinham consagrado o nome de Virgínia (Robertson, *Virginia*, 25), ridiculamente inspirado numa qualidade de que se vangloriava a sua rainha. Os crimes e os desacertos de que uma nação acusa uma outra quase sempre são encontrados também na sua própria história. Ao invés, pois, de se censurarem mutuamente, todas elas deveriam trabalhar no sentido de serem evitados os erros de que todas são igualmente culpadas.

[12] Mem de Sá, *Lit.*, em Pizarro, *Mem. Hist.*, I.

[13] Os erros do Pe. Charlevoix, relativos à origem da cidade de S. Paulo (*Hist. Paraguai*, I, 307-9) e repetidos por inúmeros compiladores, foram devidamente refutados por Dom Gasper Madre de Deus (*Mem. S. Vicente*, 119 e seg.), e seria desnecessário retornar aqui ao assunto.

Entretanto, uma tempestade ameaçava desabar sobre a capitania de São Vicente. Os Tamoios tinham sido derrotados juntamente com os franceses, seus aliados, mas não tinham sido exterminados. Exasperados com as injustiças dos portugueses e com a sua caça aos índios, eles resolveram vingar-se e se voltarem contra a colônia de Martim Afonso. Em suas incursões, alguns grupos subiam as montanhas e se espalhavam pela planície de Piratininga, enquanto, outros, valendo-se, de suas compridas pirogas, que comportavam até 150 guerreiros, desciam até o litoral, devastavam as plantações do inimigo, destruíam suas casas e resgatavam os escravos.

O sucesso dessas incursões atraiu para junto deles algumas tribos que até então se tinham mantido neutras. Com sua adesão formou-se um numeroso grupo, que passou a atacar São Paulo regularmente. O terror apossou-se de todos os habitantes do lugar, mas Anchieta restituiu-lhes a coragem com os seus sermões. Transformado temporariamente em guerreiro, quando sempre havia sido um homem de paz[14], Anchieta tomou sábias medidas para a defesa da cidade e colocou Tebyreçá no comando dos índios fiéis. Os atacantes foram vigorosamente rechaçados.

Mal havia a cidade de São Paulo escapado desse perigo, quando perdeu seu mais generoso aliado, Martim Afonso Tebyreçá. Embora oriundo de uma raça cuja inconstância era merecidamente censurada, esse nobre cacique jamais deixara de se mostrar amigo e protetor dos portugueses, especialmente dos padres da Companhia de Jesus. Depois de recomendar à mulher e aos filhos que jamais se afastassem dos princípios de justiça que lhes havia ensinado, ele morreu, imbuído até os últimos instantes dos mais puros sentimentos cristãos, e foi amargamente chorado por toda a colônia[15], que ainda esperava contar com ele para novas lutas contra os Tamoios.

Creio, entretanto, dever observar que o último desses autores, num arroubo de patriotismo, deixou-se levar pelo exagero, como aconteceu a Charlevoix, quando afirmou por exemplo o seguinte, ao se referir aos paulistas, impiedosos perseguidores dos índios: "Esses zelosos súditos, longe de se oporem à conversão do gentio, foram talvez o instrumento escolhido por Deus para fazer entrar no seio de sua Igreja esses milhões de almas que os nossos paulistas obrigaram a abandonar suas terras." – O relator da viagem do almirante Anson é ainda mais inexato do que Charlevoix quando se refere à origem da cidade de S. Paulo. Eis aqui como ele se exprime: "Dizem que os paulistas são descendentes dos portugueses que deixaram o norte do Brasil quando os holandeses se apossaram dessa região." (Richard Walter, *Voyager round the world,* 52).

[14] Pereira da Silva, *Plutarco Bras.,* I, 44.
[15] José de Anchieta, *Lit., in Revist. Trimens.,* II, 544. – Vasconcelos, *Crôn.,* I, II, 260.

Esses índios eram muito belicosos e alimentavam contra os portugueses um ódio demasiadamente entranhado[16] para que a derrota sofrida em São Paulo os fizesse renunciar aos seus projetos de vingança. Aliaram-se a um grande número de outros indígenas, e isso teria significado o fim da colônia de São Vicente não fosse a heroica dedicação de Nóbrega e de Anchieta.

Esses homens generosos decidiram ir procurar os Tamoios a fim de lhes incutir ideias pacíficas. Tomaram um barco e se aproximaram do litoral ocupado pelos selvagens. Tão logo avistaram a embarcação inimiga, os índios avançaram em suas pirogas para atacá-los, mas, ao reconhecerem os jesuítas, que consideravam amigos de Deus e protetores dos indígenas, eles baixaram seus arcos. Anchieta dirigiu-lhes a palavra em sua língua, colocando-se em suas mãos juntamente com seu nobre companheiro, e conseguiu persuadi-los a enviar doze jovens da tribo, como reféns, à cidade de São Vicente.

Inteiramente sós entre os Tamoios, os dois religiosos se apressaram a construir uma capela. Os índios, ao assistirem pela primeira vez à celebração dos santos mistérios, sentiram-se dominados por um temor que nunca tinham experimentado no fragor dos combates, e começaram a encarar os seus hóspedes como seres sobrenaturais. A santidade dos dois padres despertava-lhes respeito e admiração, ao mesmo tempo que as constantes provas de dedicação e bondade que deles recebiam iam fazendo nascer neles uma afeição quase filial.

Enquanto os dois jesuítas viviam no meio dos Tamoios, sujeitos aos caprichos muitas vezes cruéis desses homens infantis, expostos a todos os perigos e a todo tipo de desconforto, sofrendo fome e sede, o governador da colônia negociava para obter a paz. Antes de tomar uma decisão, porém, ele mostrou o desejo de conversar com Nóbrega e seu companheiro, mas os selvagens só permitiriam a ida do primeiro, conservando Anchieta em seu poder[17]. Foi então que este último, ainda bastante jovem, prometeu à Virgem compor um poema em sua honra se lhe fosse dado manter intatas as suas virtudes, expostas a constantes tentações. Não dispondo nem de tinta nem de papel, ele traçou os seus versos sobre a areia e os decorou para escrevê-los mais tarde, quando, após cinco meses de negociações, a paz finalmente devolveu-o à sua querida Piratininga[18].

---

[16] Hans Stoden, *Hist. Amer.*, in Ternaux-Compans, *Voyages, relations.*
[17] Southey, *Hist.*, I, 287-293.
[18] "Esse poema" diz João Manuel Pereira da Silva (*Plutarco Bras.*, I, 47), "mostra que Anchieta tinha um conhecimento profundo dos clássicos antigos, que não era estranho à literatura

Enquanto se passavam esses fatos na Capitania de São Vicente, os franceses continuavam a visitar o litoral do Brasil. Traficavam com os Tamoios, cuja estima tinham conquistado, alimentavam o seu ódio contra os colonos portugueses e, pela segunda vez, estabeleceram fortificações na Baía do Rio de Janeiro. A corte de Portugal resolveu, finalmente, desembaraçar-se desses perigosos intrusos e enviou ao Brasil uma frota comandada por Estácio de Sá, sobrinho do governador geral. Estácio de Sá chegou à Bahia em 1564 e, após explorar o litoral, julgou insuficientes as suas forças para um confronto com o inimigo. Esperando obter alguns reforços em São Vicente, ele para lá se dirigiu rapidamente. Todavia, encontrou seus habitantes pouco dispostos a ajudá-lo. Ciente da influência que os jesuítas tinham sobre eles, Estácio de Sá resolveu recorrer a Nóbrega, e este, com suas eloquentes prédicas, reanimou o ardor dos paulistas. Anchieta persuadiu cerca de 800 homens a que o seguissem, embarcando com eles. Eficazmente ajudado por estes e por seu

---

hebraica e havia estudado os Pais da Igreja. Seu estilo é puro, correto e elegante; seus pensamentos, engenhosos e poéticos, estão sempre de acordo com o assunto de que ele trata. Forçoso é convir, entretanto, que adotou um método muito falho. De fato, ele se contenta em enumerar, um após outro, em ordem didática, os eventos que se sucederam na vida da mãe do Salvador, e na verdade o poema inteiro não passa de uma série de cantatas, cada uma das quais dedicada a um desses eventos. O autor não possui nem a imaginação de Milton, nem a sublimidade de Klopstock... É uma alma pura, profundamente religiosa, que se expande em harmoniosas ondulações; os versos de Anchieta parecem fluir de seu coração como uma música suave, a expressão de uma doce melancolia." Encontraremos, sem dúvida, nos que se seguem uma nobre poesia.

> O Deus onnipotens, vasti quem machina mundi
> Auctorem ac Dominum praedicat esse suum,
> Cujus inaccessam tenet ingens gloria lucem,
> Cui velut innatus lumine amictus inest.
> Quem nequit immenso comprendere corpore mundus
> Conclusit ventris te brevis arca mei,
> Egressusque meae tenere penetralibus aldi,
> In vili recubas, lux mea, nate, solo.
> Nonne tua ingentem manus inclyta condidit orbem?
> Nonne polus Domino servit uterque tibi?
> Cur tibi tam vilem nascente deligis aedem
> Cur ortum regia non capit aula tuum?
> Tu coelum stellis, variis animali vilis
> Induis et viridi gramine pingis agros!

chefe, cuja inteligência se igualava às suas virtudes, Estácio de Sá infligiu várias derrotas aos franceses e Tamoios, expulsando-os para sempre da Baía do Rio de Janeiro. E assim, sob o nome de São Sebastião, foi fundada em 1567 a atual capital do império do Brasil.

Os paulistas aproveitaram-se da paz para desenvolver seu comércio, pondo-se a negociar com os ingleses. Dedicaram-se também, com mais afinco, à agricultura, favorecidos pelo clima temperado da região, que lhes permitia cultivar ao mesmo tempo plantas nativas e de origem europeia.

Essa tranquilidade não iria, infelizmente, ter longa duração. Em 1581 Portugal juntou-se à monarquia espanhola. O Brasil não tardou a ter a mesma sorte da mãe-pátria, e os inimigos da Espanha passaram a ser também os seus. Nessa época, o Rei Filipe II se achava em guerra com os ingleses, e os seus corsários passaram a devastar o litoral do Brasil.

O célebre Thomas Cavendish, também chamado Cadenish, que havia espalhado o terror nas costas da América ocidental numa primeira expedição, chegou a 25 de agosto de 1591 à altura de São Vicente e destacou dois de seus navios para se apoderarem de Santos. No momento em que Coke, o vice-almirante inglês, desembarcou na cidade, os seus habitantes se achavam todos assistindo ao ofício divino. Foram cercados e aprisionados, sendo exigido um elevado resgate para a sua libertação. A mais elementar noção de prudência teria preconizado que os corsários exigissem pagamento imediato. Isso nem lhes passou pela cabeça. Entregaram-se a farras e bebedeiras, e os colonos, aproveitando-se do momento em que todos dormiam, fugiram para as matas levando consigo tudo o que tinham de mais precioso. Oito dias depois o próprio Cavendish entrou em Santos. Não encontrou ali nem habitantes, nem provisões. Forçado a se retirar, ele mandou atear fogo, para se vingar, à cidade de São Vicente. Cavendish velejava na direção do Estreito de Magalhães quando uma terrível tempestade afastou seu navio do resto da frota. Vendo-se mais uma vez nas proximidades do litoral brasileiro e precisando de víveres, ele desembarcou vinte homens para que fossem obtê-los pela força das armas. Os homens foram descobertos pelos índios, que caíram sobre eles e mataram todos, à exceção de dois. Em seguida entraram triunfantes na cidade, carregando as cabeças dos vencidos. Enfurecido com essa derrota, Cavendish pôs-se a devastar o litoral brasileiro. Todavia, ao ver que seus ataques eram corajosamente rechaçados pelos habitantes da Capitania do Espírito Santo, ele se retirou, acabando por morrer de desgosto antes de chegar à sua pátria.

Nessa época os limites da Capitania de São Vicente, que desde a sua origem até nossos dias vêm variando singularmente, já não eram os mesmos do tempo de Martim Afonso. No entanto, apenas quarenta anos se tinham passado desde que havia sido desmembrada uma vasta porção do território dessa capitania e anexada à Província do Rio de Janeiro, recém-fundada[19]. Quando, por volta de 1572 ou 574, o governo geral do Brasil foi dividido em dois, o da Bahia e o do Rio de Janeiro, a Província de São Vicente ficou anexa a esta última[20].

Os descendentes de Martim Afonso de Sousa continuaram de posse da região, mas eram obrigados a prestar obediência e homenagem[21] aos governadores do Rio de Janeiro; de resto, continuavam a nomear os chefes militares e as principais autoridades (capitães-mores, ouvidores), e as cidades jamais deixaram de ser administradas por um conselho municipal e por juízes ordinários eleitos pelo povo, segundo os usos e costumes de Portugal[22]. Os vicentinos censuravam frequentemente os governadores do Rio de Janeiro e, posteriormente, os superintendentes das minas de ouro por usurparem a autoridade de seus magistrados[23], mas somos levados a crer que suas queixas nem sempre eram isentas de injustiça e exagero.

Orgulhosos da nobreza de seus ancestrais, animados pelo espírito de liberdade que caracteriza a raça americana, que tinham herdado pelo lado materno, acostumados a comandar numerosos escravos, passando a maior parte de suas vidas embrenhados nas matas e livres de qualquer vigilância, os paulistas nunca tinham sido um povo inteiramente submisso. E sob a dominação espanhola eles se foram tornando cada vez mais independentes[24].

Mal se tinha estabelecido a colônia, eles começaram a reduzir os índios à escravidão. Continuaram com essa prática pelo tempo afora, importando-se tão pouco com os numerosos editos promulgados em Lisboa em favor dos infortunados selvagens[25] quanto com as exortações dos padres da Companhia de Jesus. Mas os índios não são como os negros. Embora tão imprevidentes quanto estes, eles se preocupam seriamente com o presente e sentem mais profundamente as suas misérias; são menos resignados, têm mais apego à liberdade e não possuem o

---

[19] Casal, *Corog. Brasl.*, I.
[20] Pizarro, *Mem. Hist.*, II, 116. – Abreu e Lima, *Sinopse*, 47.
[21] Pìzzarro, *Mem. Hist.*
[22] Gasp. Madre de Deus, *Mem. S. Vicente,* 129.
[23] Diogo de Toledo Lara Ordoñes, *Adn. In Not. Ultram.*, I, 166.
[24] Abreu e Lima, *Sinopse,* 100.
[25] Raynal enumera dez; José de Souza Azevedo Pizarro e Araujo, cerca de vinte.

mesmo vigor para suportar os duros trabalhos da escravidão. Não tardou que se esgotassem as reservas das tribos mais próximas. Os paulistas estenderam, então, a pontos mais distantes a caça aos indígenas, como se se tratasse de animais selvagens, tornando-se os fornecedores habituais dos habitantes do Rio de Janeiro[26] numa época em que estes se viram forçados, quando Angola foi tomada aos portugueses, a renunciar temporariamente ao tráfico de negros.

Nem sempre o interior do Brasil teve fáceis caminhos de acesso ou contou com povoações hospitaleiras. Houve um tempo em que não se encontrava uma única choupana, em que não se via o menor traço de lavoura – um tempo em que os animais ferozes disputavam entre si o império. E agora esse império era percorrido em todos os sentidos pelos paulistas. Esses intrépidos chegaram várias vezes – como se verá mais tarde – até o Paraguai, descobriram a província do Piauí, as minas de Sabará e de Paracatu, embrenharam-se nas vastas solidões de Cuiabá e Goiás, percorreram a Província do Rio Grande do Sul e chegaram, no norte do Brasil, até o Maranhão e o Rio Amazonas. Tendo transposto a Cordilheira do Peru, foram atacar os espanhóis dentro de suas próprias terras[27]. Quando sabemos, por experiência própria, quantos percalços, privações e perigos espera, ainda hoje, o viajante que se aventura nessas regiões longínquas, e em seguida lemos a descrição pormenorizada dessas intermináveis andanças dos antigos paulistas, sentimo-nos de estupefação e quase somos tentados a acreditar que pertenciam a uma raça de super-homens.

Não se deve imaginar que São Paulo fosse uma cidade grande, como as antigas cidades da Grécia, que escoavam o excesso de sua população nas regiões desérticas. É de supor que propriedades rurais bastante numerosas se tenham formado na planície de Piratininga, mas no final do século XVII a capital da Província de São Vicente, propriamente dita, não contava ainda com mais de 700 habitantes[28]. Numa de suas expedições contra o Paraguai, os paulistas não dispunham de menos de 900 homens. De um modo geral, entretanto, não parece que seus bandos errantes fossem muito numerosos. Uma figura qualquer da região, de certo nome e conhecida por sua coragem e perseverança, anunciava que pretendia fazer uma expedição a um lugar distante. Alguns parentes aderiam

---

[26] Southey, *Hist.*, II, 306.
[27] Fernandes Pinheiro, *Anais de S. Pedro*, 2ª ed., 40.
[28] Southey, *Hist.*, II, 668.

ao seu plano, bem como mamelucos, aventureiros e até mesmo forasteiros, engrossando assim as suas tropas[29]. O bando punha-se em marcha, munido de chumbo e pólvora, alguns levando espingardas, outros arcos e flechas - todos, porém, armados de um facão, que servia ao mesmo tempo para a sua defesa, para cortar os ramos das árvores e esquartejar os animais selvagens. Seguiam descalços, com um cinto de couro à altura dos rins e, na cabeça, um chapéu de palha de abas largas, sem outra vestimenta a não ser um calção de algodão grosseiro e uma camisa curta, de fraldas soltas e esvoaçantes. Às vezes se protegiam com uma couraça e perneiras de couro. Cada um levava à tiracolo um saco de couro onde guardava suas provisões, um chifre de boi à guisa de copo e uma cabaça cortada ao meio, que servia de prato. A caça e a pesca forneciam-lhes alimento abundante, e no sul da província encontravam um saboroso fruto fornecido pelos pinheiros do Brasil (*Araucaria brasiliensis*)*. No norte havia outros frutos, os brotos comestíveis de algumas palmeiras e mel silvestre. Quando os sertanistas verificavam que sua viagem se prolongaria por alguns anos, levavam grãos de milho e os semeavam pelo caminho, continuando a marcha. Meses depois voltavam para fazer a colheita[30]. Nada detinha esses homens empreendedores – nem a vastidão dos campos e matas, nem as sombrias florestas emaranhadas de lianas e espinheiros, nem os morros escarpados; nada os assustava, nem a flecha dos selvagens, nem a ferocidade das onças, nem o veneno mortal das cobras. Pela força ou pela astúcia, eles dominavam os índios, acorrentavam-nos e os transportavam às centenas para o mercado de São Paulo. Infelizes daqueles que resistiam! Eram exterminados com inimaginável

---

[29] De acordo com a tradição oral recolhida pelo autor em 1817, na Província de Minas Gerais, havia alguns franceses entre os paulistas que percorriam os sertões (Aug. S. Hil., *Viagem às Províncias do Rio de Janeiro e de Minas Gerais* VII). Unicamente no reinado de Felipe II é que o Brasil foi interditado aos estrangeiros. No desastrado e inexato trabalho publicado em 1736 sob o Título de *Relation des voyages de Fraçois Coreal*, lê-se o seguinte na página 220: "Quando os fugitivos se apresentam com o intuito de se tornarem habitantes da república de S. Paulo, eles são colocados numa espécie de quarentena... para saber que tipo de trabalho podem fazer... Após demorados exames, eles são mandados a percorrer as matas, sendo-lhes exigidos como tributo dois índios por cabeça, os quais eles devem trazer como escravos... Se o resultado do exame não é satisfatório, ou se eles tentam desertar, são mortos sem misericórdia." A história de S. Paulo já está hoje suficientemente estabelecida para que seja necessário refutar essas lendas ridículas, ainda que elas tenham sido transcritas por vários autores, entre outros por Harpe *(Abrégé de l'histoire des voyages*, ed. 1814, V, 150) e por Raynal *(Histoire des établissements, V 142).*

* O nome científico desta espécie, vulgarmente conhecida como pinheiro-do-paraná, é hoje *Haucaria angustifólia (M.G.F.)*

[30] Eschwege *(Pluto bras.*, 6).

atrocidade. Tribos inteiras eram destruídas, como o fogo destrói o capim à medida que avança pelos campos. Nessas expedições, os mamelucos se distinguiam sobretudo por suas crueldades. Procuravam, sem dúvida, fazer esquecer que do lado materno pertenciam à raça condenada[31].

Enquanto os paulistas ao percorrer o interior do Brasil, não tiveram outro objetivo senão a caça aos índios, eles nunca se estabelecem fora de sua província. Todavia, nos fins dos séculos XVI, uma notícia importante espalhou-se no seu meio: havia ouro na selva. A partir desse momento operou-se uma notável mudança.

Preciosas minas de ouro existiam, de fato, bem longe do litoral – e a cupidez e o fascínio pelas coisas maravilhosas exageraram ainda mais a sua importância. Não se sonhava senão com riquezas, com rios transbordantes de palhetas de ouro, com montanhas incrustadas de tesouros inesgotáveis. Era preciso encontrar a cidade de Manoá, onde reluzia por toda parte o metal que era objeto de tanta cobiça. Era preciso encontrar o *lago da madeira dourada* (Lagoa do Pau Dourado), que prometia aos seus possuidores uma fortuna cobiçada até pelos mais poderosos potentados[32]. Homens de todas as condições, pobres e ricos, velhos e moços, brancos e mestiços – todos abandonaram em massa seus lares, suas mulheres e seus filhos e tomaram de assalto as vastas solidões do Brasil. Seguiam, na medida do possível, os misteriosos e lacônicos itinerários deixados pelos mais antigos sertanistas[33], e em toda parte esgravatavam a areia dos córregos e a terra das montanhas. Quando encontravam um terreno aurífero, armavam barracas nas proximidades e iniciavam a exploração. Esses acampamentos (arraiais) transformavam-se em povoações depois em cidades, e foi assim que os paulistas começaram a povoar o interior do país, acrescentando à monarquia portuguesa algumas províncias mais vastas, algumas delas, maiores do que muitos impérios.

Mas enquanto esses homens intrépidos lançavam, bem longe de sua terra, os primeiros fundamentos de um sem-número de cidades, e enquanto, para recompensá-los, os soberanos de Portugal lhes concediam honrosos privilégios, suas lavouras ficavam abandonadas, seus rebanhos se dispersavam, suas propriedades se arruinavam, a discórdia se implantava no seio de suas famílias e sua terra natal entrava em decadência.

---

[31] O que se lê nos próprios autores brasileiros, como José de Sousa Azevedo e Pizarro, José da Cunha Matos e Joaquim Machado de Oliveira, prova suficientemente que estou longe de exagerar quando me refiro à maneira como os índios foram tratados pelos paulistas.
[32] *Viagem às Províncias do Rio de Janeiro e Minas Gerais*, Vol. 4.
[33] Obra citada.

Muitos anos se passaram, então, antes que ela voltasse a adquirir um pouco de seu antigo esplendor[34].

Um pouco mais adiante daremos alguns pormenores sobre as principais expedições dos paulistas.

Esses homens não eram os únicos que se aventuraram pelo sertão adentro. Os jesuítas também percorreram as matas, mas com objetivo diferente, tentando livrar os índios da cupidez e crueldade dos mamelucos. Não era empunhando armas, e sim a cruz do salvador, que eles se apresentavam diante dos selvagens. Não os prendiam com grilhões, mas com palavras de consolo, paz e amor[35].

Furiosos ao verem que lhes tomavam algumas de suas presas, os paulistas decidiram vingar-se e foram atacar o Paraguai, principal reduto dos jesuítas. Tinham ainda um outro propósito. Devotando aos espanhóis um ódio que transmitiram mais tarde aos habitantes do Rio Grande do Sul[36], eles pretendiam expulsá-los e impedir que se fixassem em terras que, na sua opinião, pertenciam ao Brasil[37]. As possessões espanholas e as colônias portuguesas, na América, dependiam na verdade do mesmo rio. Não se havia operado, entretanto, nenhuma fusão, e os paulistas, como já foi dito, embora tendo passado a súditos dos soberanos da Espanha, pouco se preocupavam de incorrer no desagrado de seus novos senhores.

Foi no ano de 1628 que eles começaram a atacar as missões jesuítas espanholas. Chegaram até Guaíra, província que fazia limite com o Brasil, mas como não fossem, provavelmente, muito numerosos, viram-se forçados a recuar.

Mas os paulistas tinham demasiada perseverança e intrepidez para que se deixassem desencorajar por uma primeira derrota. Preparam secretamente uma nova expedição, reunindo 900 homens brancos e mamelucos, além de 2.000 índios. Avançavam todos através de regiões inóspitas e desconhecidas, atravessam vários rios caudalosos, enfrentam mil obstáculos e chegam finalmente, pela segunda vez, a Guaíra.

A missão de Santo Antônio não tardou a ser atacada. O lugar é saqueado e destruído, e seus habitantes aprisionados. O jesuíta Mola atira-se aos pés de Antonio Raposo, chefe dos mamelucos, suplicando-lhe, por

---

[34] Diogo de Toledo Lara Ordoñez, *Adnot. In Not. ultramar,* II.
[35] Southey, *Hist.*, II.
[36] Minha viagem ao sul do Brasil e às margens do Rio de la Plata darão exemplo disso.
[37] Gaspar Madre de Deus, *Mem. S. Vicente,* 120.

tudo que era mais sagrado, que poupasse seus discípulos. "Por várias vezes", diz um historiador, "ele tinha desarmado índios antropófagos com suas preces e lágrimas, e pôde verificar que os cristãos, quando decidem espezinhar as leis divinas e humanas, mostram um coração mais duro que os dos infiéis e dos bárbaros." Nada conseguiu obter a não ser respostas ímpias de índios.

Depois de terem saqueado a missão de Santo Antônio, os paulistas arrasaram três outras e se retiraram, levando consigo um número prodigioso de índios.

Ao ver os seus discípulos acorrentados como os mais vis criminosos, o Padre Maceta correu a abraçá-los. Os invasores moeram-no de pancadas e ameaçaram matá-lo, mas não houve nada que o fizesse recuar. Ele e o Padre Mansilla tomaram a decisão de acompanhar os cativos até o Brasil e ali defender a causa desses infelizes. Caminhavam a uma certa distância da tropa, alimentando-se de raízes e frutos silvestres, e sempre que alguns dos prisioneiros, exauridos pelos sofrimentos e as fadigas, eram abandonados pelos mamelucos, os dois missionários cuidavam deles carinhosamente, dirigindo-lhes doces palavras de consolo e assistindo-os na morte.

Chegaram finalmente a São Paulo. Os índios foram repartidos entre os seus captores e vendidos. Em breve se viram dispersados não só pela Província de São Paulo como também pela do Rio de Janeiro. Em vão os jesuítas Mansilla e Maceta fazem ouvir em favor desses infelizes a voz da humanidade, da justiça e da religião. Ninguém os escuta. Dirigem-se ao Rio de Janeiro, e ali também não lhe dão ouvidos. Embarcam, então, para a Bahia e imploram a misericórdia do governador geral, que pelo menos os acolhe com benevolência. Ocupado, entretanto, com a guerra que estourara entre holandeses e brasileiros, ele pouco interesse demonstra pela sorte dos índios e quase nada faz em favor de seus defensores. De volta a São Paulo, os dois missionários foram metidos na cadeia. Logo, porém, são postos em liberdade e retornam a Guaíra, acabrunhados de dor, depois de terem demonstrado, ainda que inutilmente, quanta dedicação e coragem pode inspirar a caridade cristã.

Enquanto caçavam os índios espalhados no meio das matas, os paulistas só conseguiam capturar um pequeno número de cada vez. Nas missões jesuítas, pelo contrário, eles tinham à sua disposição uma população considerável. E uma vez que o governo espanhol não permitia aos selvagens o uso de armas de fogo, estes não ofereciam praticamente nenhuma resistência. Os paulistas não tinham, pois, outro trabalho a não ser acorrentá-los.

Tão logo, porém, esses incansáveis aventureiros deixaram a terra que lhes tinha fornecido tantos escravos, sentiram-se ansiosos por voltar a ela. Organizaram uma nova expedição e se embrenharam de novo nas matas, atacando de surpresa a missão de São Paulo. Saquearam-na e a destruíram, escravizando os seus habitantes. Em seguida, arrasaram sucessivamente várias outras missões.

Além das povoações fundadas pelos jesuítas existiam ainda, em Guaíra, duas outras cidades, Vila Rica e Ciudad Real, construídas pelos espanhóis e habitadas por seus descendentes. Os índios que tinham escapado ao massacre refugiaram-se em Vila Rica, mas os seus habitantes reduziram-nos à escravidão, como o teriam feito os próprios mamelucos. Em vão os jesuítas se queixaram às autoridades; não conseguiram que a justiça fosse feita. Enviaram um representante ao governador de Assunção, rogando-lhe que lhes mandasse socorros, mas tudo o que receberam foi uma resposta insultuosa.

Duas das missões do Guaíra ainda se achavam intatas, a de Santo Inácio e a de Lorette. Eram as mais antigas e nada ficavam a dever às melhores cidades do Paraguai. Possuíam belas igrejas, e seus habitantes, após muitos anos de civilização, tinham-se tornado excelentes agricultores. Vendo-se abandonados pelos espanhóis, seus compatriotas, os jesuítas persuadiram os habitantes de Lorette e Santo Inácio a fugir, certo de que mais cedo ou mais tarde cairiam também nas mãos do inimigo, como acontecera nas outras missões. Os pobres infelizes, guiados por seus pastores e cheios de confiança na proteção dos santos cujas veneradas imagens levavam consigo, abandonaram sem uma queixa as suas moradas, os templos onde diariamente ofereciam a Deus as suas preces e os campos que tantas vezes lhe haviam propiciado abundantes colheitas. Perseguidos pelos mamelucos, eles atravessaram o Paraná e, após sofrerem grandes baixas devido à fome e a terríveis epidemias, foram fundar bem longe dali duas novas missões, às quais deram os nomes, tão caros a eles, de Santo Inácio e Lorette.

Nesse meio tempo os paulistas, desesperados ao verem escapar-lhes uma presa que iria contribuir para aumentar suas riquezas, e não encontrando outras missões para saquear, nem índios que pudessem escravizar, lançaram-se furiosamente contra as duas cidades espanholas, Vila Rica e Ciudad Real, saqueando-as e reduzindo-as a ruínas. E como não pudessem escravizar os seus habitantes, por pertencerem à sua própria raça, força-ram-nos a se dispersarem. Foi assim que estes últimos se viram punidos por seu egoísmo e indiferença. Se, ao invés de se aproveitarem, como já dissemos, da desgraça dos indígenas, tivessem juntado suas forças às deles, rechaçando os bárbaros estrangeiros que tinham invadido o seu território, eles não teriam morrido no exilio, e Ciudad Real e Vila Rica seriam hoje cidades florescentes. Depois dessa triste época, Guaíra trans-formou-se num deserto.

Ainda que a fuga dos habitantes de Lorette e Santo Inácio tenha acabado com as esperanças dos paulistas, estes conseguiram arrebanhar um grande número de escravos nas missões que haviam destruído no início de sua expedição[38]. Mas os índios cativos não resistiam muito tempo aos rudes trabalhos a que eram condenados, e se tornava necessário substituí-los constantemente. Os paulistas tinham despovoado Guaíra. Em vista disso, foram procurar escravos nas mais longínquas regiões, atacando sucessivamente os índios itatinos, as missões do Paraná, o Tapé e as missões do Uruguai. Em toda parte davam mostras de grande intrepidez e em todos os lugares cometiam as mais bárbaras atrocidades. Saqueavam as aldeias habitadas pelos índios, para se apoderarem desses infelizes, era-lhes indiferente empregar a força ou recorrer à perfídia.

Em 1632 numerosos paulistas, seguidos por uma horda de tupis, seus aliados, surgiram inopinadamente diante de S. José, missão habitada pelos itatinos. Como se achasse ausente o jesuíta que a chefiava, eles se dirigiram à autoridade indígena. Convenceram-no de que tinham vindo para vingar os habitantes da missão das injúrias infligidas a eles pelos selvagens, e o convidaram a ir ao seu acampamento, acompanhado de seus guerreiros. Lá chegando, foram todos acorrentados. Os paulistas não se contentaram em destruir unicamente a missão de S. José. Saquearam três outras, apesar da corajosa resistência que lhes opuseram alguns índios catequizados.

---

[38] Manuel Aires de Casal, ao refutar os erros de alguns autores sobre a pretensa república de S. Paulo, declara que "se os paulistas de agora são de boa gente, não ocorria o mesmo com os seus ancestrais, que tinham uma fama terrível e se orgulhavam de suas riquezas, geralmente adquiridas por meios poucos honestos." Esse geógrafo, entretanto, não parece acreditar que os paulistas, ao invadirem o Guaíra, tenham escravizado os índios. Ele acrescenta que, de acordo com dois manuscritos que tinha em mãos, os invasores só haviam trazido um sino dessa expedição. É bastante conhecido o objetivo das incursões dos paulistas pelas matas para acreditarmos que, após enfrentarem tantos perigos e fadigas, eles se tenham contentado em trazer como troféu unicamente *um sino*. Além do mais, se fosse necessário, poderíamos opor aos manuscritos de Casal os do Barão de S. Leopoldo, onde se lê que os paulistas levaram 15.000 índios do Guaíra para o mercado de S. Paulo, e que somente Manuel Preto possuía 1.000 em sua fazenda (*Anais*, 2ª. ed.).

Nesse mesmo ano, os paulistas avançaram ousadamente até as missões do Paraguai. Tão logo, porém, correu a notícia de que eles se aproximavam, as duas missões mais próximas da fronteira foram evacuadas. Temendo aventurar-se numa região que lhes era inteiramente desconhecida, eles retornaram à sua terra.

Aconteceu-lhes, mesmo, sofrerem algumas derrotas, mas isso não os desencorajou. Tinham renunciado ao cultivo de suas terras, às suas criações e às doçuras do lar. A caça aos índios tornara-se a sua única ocupação. Era uma paixão para eles, e ao mesmo tempo uma fonte de riquezas. Não somente vendiam os cativos aos habitantes do Rio de Janeiro e regiões circunvizinhas, como também tinham estabelecido um mercado no sul do Brasil. Era-lhes necessário, pois, mantê-lo bem suprido.

Se, como já tive ocasião de dizer, os espanhóis se houvessem associado aos índios das missões, teriam sem dúvida conseguido expulsar para sempre os paulistas. Mas a coragem que havia herdado de seus ancestrais tinha degenerado, e eles não eram mais favoráveis à liberdade dos indígenas do que os próprios mamelucos. Sob a denominação de *comandos*, havia sido dado um certo número de índios aos espanhóis considerados pioneiros na região, e apesar dos sábios regulamentos dos reis da Espanha os infortunados selvagens não tardam a ser tratados como escravos. Os habitantes do Paraguai gostariam de poder reduzir a *comandos* os indígenas colocados sob a proteção dos padres da Companhia de Jesus, mas estes defendiam corajosamente os seus protegidos. Daí se originou o ódio que lhes votavam os espanhóis, não menos violento que o dos paulistas, embora o manifestassem menos abertamente.

Em várias ocasiões os jesuítas pediram o apoio dos governantes do Paraguai, mas quase nunca atendidos. Havia a proibição até mesmo de fornecer armas de fogo aos indígenas, que assim não tinham meios de se defender dos mamelucos, sempre bem armados. No mais das vezes, bastava a estes aparecerem simplesmente nas missões para que aprisionassem milhares de indígenas, os quais iam tangendo à sua frente como se não passassem de miserável gado. O Marquês de Grimaldi afirma que, entre 1620 e 1640, os paulistas se apossaram de oitenta mil cabeças de gado pertencentes aos índios guaranis e destruíram vinte e duas missões, número que foi elevado a trinta e um por Gaspar da Madre de Deus e a trinta e dois por Manuel Aires de Casal, dois homens aos quais não pode acusar de parcialidade[39].

---

[39] Posso invocar aqui o testemunho do Casal *(Corografia,* I) e, com maiores razões, o de Gaspar Madre de Deus *(Mem.).* Não citarei, porém, devido aos exageros que contém, a carta que D. Pedro Estevão d'Ávila, governador do Rio da Prata, escreveu ao rei da Espanha em 12 de

Os padres da Companhia de Jesus, vendo que na região onde tinham instalado os seus protegidos estes não poderiam escapar aos seus bárbaros inimigos, reuniram os homens, mulheres e crianças que ainda restavam e os convenceram, não sem dificuldade, a se exilarem para sempre. Levaram-nos para uma região situada entre o Paraná e o Uruguai, no ponto em que esses dois grandes rios se aproximam um do outro[40]. Não há dúvida de que ali os indígenas tinham a poderosa proteção da Natureza contra os ataques dos paulistas. Mas os jesuítas conheciam a intrepidez destes últimos e a sua paixão pela caça aos índios. Quiseram, pois, assegurar-lhes outros meios de proteção.

Seu provincial enviou Diaz Tano a Roma e Ruiz de Montoya a Madri. Chegando à Europa, os dois religiosos pintaram com cores tão negras as misérias dos índios catequizados que conseguiram facilmente comover todos os que os ouviam. O rei da Espanha decretou que os indígenas fossem considerados súditos diretos da coroa e proibiu que fossem forçados a um trabalho escravo. Autorizou, também, os jesuítas a lhes fornecerem armas de fogo, ratificou os decretos que já haviam sido promulgados em seu favor e declarou livres os índios que tinham sido reduzidos à escravidão. Diaz Tano não teve acolhida menos satisfatória em Roma. O Papa Urbano VIII cumulou-o de favores, não só em seu benefício pessoal como no de seus amados discípulos e de seus companheiros de trabalho. Cheio de indignação, ele expediu um breve em que ameaçava com os mais terríveis castigos da Igreja os hereges que atentassem contra a liberdade dos índios catequizados ou mesmo pagãos.

O Padre Tano, portador desse breve, embarcou em Lisboa com destino a Buenos Aires, mas ventos contrários levaram-no ao porto do Rio de Janeiro. Tão logo desembarcou, ele entregou a carta papal aos jesuítas, que a leram no púlpito. Não se imaginava que a cidade tivesse tanta gente interessada na Capitania de São Vicente. Essas pessoas amotinaram o povo, que se precipitou sobre o colégio dos jesuítas, arrombou suas portas e teria matado Tano e seus companheiros, vindos com ele da Espanha,

---

outubro de 1837 e na qual ele diz que, feitas as devidas contas, os paulistas tinham levado das missões mais de 60.000 indivíduos entre 1628 e 1630.

[40] Charlevoix, *Hist. Paraguai*, I. – Southey, *Hist.*, II. – Warden, *Brésil*, I. – Gaspar Madre de Deus admite (*Mem. S. Vicente*) que os relatos de Charlevoix sobre as incursões dos paulistas no Paraguai são exatos, bem mais exatos, mesmo, que alguns dos portugueses. Ele desculpa esses homens aventureiros invocando em seu favor o estímulo que lhes dava o próprio governador e sobretudo as recriminações que este lhes fazia. Se for verdade, porém, como diz Gaspar, que os próprios jesuítas tiranizavam os índios do Maranhão e do Pará, isso vem provar apenas que os paulistas não foram os únicos culpados, e não, segundo me parece, que não tenham tido culpa nenhuma.

não fosse a pronta intervenção do Governador Salvador Correia de Sá e Benevides. Este propôs que se fizesse uma reunião no dia seguinte para discutir o assunto com mais calma. A reunião foi realizada e, a conselho de Salvador Correia, ficou decidido que recorreriam ao próprio Papa, como a pessoa mais indicada para resolver a questão.

O Padre Tano e seus companheiros fugiram imediatamente do Rio de Janeiro, mas uma tempestade ainda mais terrível esperava-os em Santos. Mal tinha o vigário-geral acabado de publicar o breve papal quando foi atacado pelos sediciosos, que o lançaram por terra e lhe encostaram na garganta a ponta de uma espada, ameaçando matá-lo se não revogasse e excomunhão que havia lançado sobre um deles. O vigário se manteve inflexível, e sua coragem desarmou-os.

O superior dos jesuítas, ao tomar conhecimento da revolta, apresentou-se diante dos amotinados com todos os seus paramentos sacerdotais, de cibório em punho, e lhes fez um sermão patético. Alguns dos sediciosos se prosternaram, mas outros se mantiveram de pé, declarando que veneravam sinceramente o corpo de Jesus Cristo, mas que jamais tolerariam que os privassem dos escravos, fonte de toda a sua riqueza. Um deles gritou, no meio da multidão, que o superior devia ser morto, e não se sabe a que extremos chegaria o populacho enfurecido se alguns religiosos de uma outra ordem não tivessem conseguido convencê-los, com ardilosos argumentos, de que o breve papal não tinha nenhum significado para eles, uma vez que se recusavam a aceitá-lo[41].

Os habitantes de São Paulo sabiam que esse rescrito tinha sido dirigido especialmente a eles, e sua vingança não se fez esperar. O povo amotinou-se e todas as cidades da província foram convidadas a enviar delegados a uma assembleia geral. E em consequência de uma resolução aprovada a 13 de julho de 1640, por unanimidade, os jesuítas foram expulsos de todos os colégios[42]. Sessenta anos antes, os paulistas só aceitavam esses religiosos como seus pastores.

Enquanto se passavam essas coisas na América, operava-se uma revolução em Lisboa. O Duque de Bragança tinha sido proclamado rei sob o nome de D. João IV. O povo português recuperava a sua nacionalidade.

A notícia desse acontecimento provocou no Brasil enorme entusiasmo. A Capitania de São Vicente, entretanto, constituiu uma exceção. Sob o domínio dos reis da Espanha os paulistas se tinham tornado, como

---

[41] Charlevoix, *Hist. Paraguai*, I. – Southey, *Hist.*, II.
[42] Pedro Taques de Almeida Pais Leme, *Notícia da expulsão dos jesuítas, in Revist. trim.*, 2ª. ser., V. – Abreu e Lima, *Sinopse*.

já disse, praticamente independentes e haviam concebido a ideia de se aproveitarem do primeiro momento de perturbação para romperem os frágeis laços que ainda os prendiam à dominação europeia. Entre eles se havia estabelecido um grande número de espanhóis, os quais, verificando sem dúvida com pesar que iriam ser forçados a obedecer os soberanos de Portugal, decidiram apoiar os paulistas em seus projetos de independência. Entre os filhos desses estrangeiros havia um homem nobre, poderoso e respeitado, Amador Bueno de Ribeira, que tinha ocupado cargos importantes e cuja família era rica e numerosa. Os paulistas resolveram colocá-lo à frente do movimento. Aglomeraram-se à frente de sua casa, soltando brados de entusiasmo, e o proclamaram o seu rei. Amador Bueno, fiel aos seus deveres, recusou a coroa com firmeza a conclamou o povo a aceitar como seu soberano o homem cujos direitos tinham parecido incontestáveis a todos os outros brasileiros. Os paulistas continuaram a fazer pressão, chegando a ameaçá-lo de morte se não concordasse com o que desejavam. Amador Bueno armou-se de uma espada, saiu por uma porta dos fundos fugiu precipitadamente para o convento dos beneditinos. O povo perseguiu-o aos brados de *"Viva Amador Bueno, nosso rei!"*, mas ele, inflexível, respondia invariavelmente, *"Viva D. João IV, por quem estou pronto a derramar o meu sangue!"* Entrou finalmente no convento e trancou as portas. O abade apresentou-se diante da multidão com os seus monjes, e algumas pessoas importantes juntaram-se a ele. Foram feitas muitas perorações, e nesse mesmo dia D. João IV foi aclamado rei em todas as ruas de São Paulo. A instabilidade demonstrada pelos habitantes da cidade nessa ocasião mostra claramente que Amador Bueno agiu com grande prudência ao recusar a Coroa. Não obstante, São Paulo era tão fácil de ser defendida e seus habitantes tão destemidos que, se o chefe que tinham escolhido possuísse ambição, audácia e energia, eles em breve se teriam tornado – como diz um historiador – um povo independente, e o mais poderoso da América do Sul[43].

Tão logo a ordem voltou a reinar na cidade de São Paulo, seus habitantes escreveram ao novo soberano procurando justificar a expulsão dos jesuítas. Mas o estranho documento que eles lhe dirigiram não pôde deixar de produzir no conselho um efeito contrário ao desejado por seus autores. Jorge Mascarenhas, Marquês de Montalvão, e na época vice-rei do Brasil, refutou-o com moderação. Em consequência, um decreto do rei de Portugal, de julho de 1643, ordenou que fossem restituídos aos

---

[43] Gaspar Madre de Deus, *Mem. S. Vicente.* – Southey, *Hist.*, II.

jesuítas de São Paulo todos os seus bens. Os paulistas procuraram ganhar tempo, e o decreto não foi executado, apesar de novas ordens promulgadas em 1647. Foi somente em 1653 que, após se submeterem às mais duras e humilhantes condições, os padres da Companhia de Jesus recuperaram seus mosteiros e suas propriedades[44].

Depois da expulsão dos religiosos, os paulistas não tinham mais a temer que os censurassem por sua conduta com relação aos índios. A guerra que se deflagrou entre a Espanha e Portugal pelo evento de D. João IV autorizou-os a organizar novos ataques contra as reduções do Paraguai. Já não podiam ser considerados bandidos; eram guerreiros que pegavam em armas para defender os interesses de seu país e de seu soberano. Um considerável número de paulistas, acompanhados de índios tupis, seus aliados, avança então contra as missões do Paraná. Ali chegando, percebem de longe um bando de índios catequizados. Estes supõem que serão aprisionados, como acontecia antes, e levados para São Paulo, a fim de serem vendidos. Mas a permissão concedida pelo rei da Espanha tinha sido posta em prática, e os índios haviam recebido armas. O canhão é posto em funcionamento, causando um grande número de baixas entre os paulistas. Os restantes, surpreendidos por essa defesa inesperada, põem-se em fuga, enquanto seus aliados aderem ao inimigo[45]. Depois dessa época os paulistas ainda voltaram a atacar os itatinos, chegando mesmo até o Chaco, mas não ousaram mais hostilizar as missões do Paraná, que durante longos anos desfrutaram de uma paz absoluta.

Uma vez que os paulistas, apesar de umas poucas derrotas, continuavam a caçar os índios com grande afinco, não era difícil indispô-lo com certas autoridades, quando se desejava que caíssem no seu desagrado. Bastava dizer-lhes que essas autoridades eram a favor de liberdade dos índios. Foi esse o meio de que se valeram os habitantes do Rio de Janeiro para implicar seus vizinhos numa revolta que tinham planejado contra o sábio governador Salvador Correia de Sá e Benevides. O governador tinha partido para Santos no mês de novembro, a fim de inspecionar as minas de Paranaguá. Do Rio de Janeiro foi avisado aos paulistas que ele devia ser seu inimigo, uma vez que era amigo dos jesuítas. Disseram também que ele conhecia perfeitamente a língua dos índios, que iria armar os escravos contra os seus amos e que não era conveniente recebê-lo

---

[44] P. Tanques de Almeida Pais Leme, *Notícia hist. Da expulsão dos jesuítas*, in *Revist. Trim.*, 2ª. ser., V. – Abreu e Lima, *Sinopse*.
[45] Southey, *Hist.*, II.

em São Paulo. Os paulistas deram crédito a essas palavras e decidiram expulsar o governador de sua terra, se por lá aparecesse. Correia ignorou ameaças e levou a cabo a sua viagem. Durante todo o tempo que permaneceu em São Paulo ele prestou aos seus habitantes todos os serviços de que era capaz, abrindo estradas, construindo pontes e mandando colocar barcas nas margens dos rios, agindo sempre com afabilidade, inteligência e coragem.

Os paulistas, que em meio às ações iníquas que viviam praticando não eram totalmente estranhos a sentimentos generosos, sentiram-se comovidos com a nobre conduta de Correia. Testemunharam-lhe vivamente o seu reconhecimento, chegando a oferecer-lhe os seus préstimos no combate aos rebeldes do Rio de Janeiro, que no início tinham conseguido enganá-los[46].

Pouco era conhecidos os paulistas no norte do Brasil[47]. No entanto, não havia ninguém que não tivesse ouvido falar de sua coragem e da habilidade com que levavam avante a sua guerra contra os indígenas. Os habitantes da Província da Bahia, incapazes de se livrarem dos constantes ataques da poderosa tribo dos guerens, resolveram recorrer aos paulistas, chamando em seu auxílio João Amaro, um de seus mais famosos chefes. João Amaro teve primeiramente de reunir a sua tropa e em seguida, para chegar à Bahia, atravessar vastos sertões inabitados, sem trilhas abertas, onde os únicos meios de subsistência eram a caça, as frutas silvestres. Dois anos se passaram sem que ele aparecesse. Finalmente, em

---

[46] *Catálogo dos Governadores*, in Revist. Trim. II. – *Excerto de um Manuscrito*, in Revist. Trim., III. – Pizarro, *Mem. Hist.*, III.

[47] É perfeitamente compreensível que tivéssemos tido durante tanto tempo, na Europa, ideias errôneas sobre os antigos paulistas, pois aqui transcrevo as histórias recolhidas em Pernambuco, em 1667, pelos padres Michel-Ange de Gattine e Denis Carli de Plaisance, de passagem por essa cidade a caminho da África: "A cidade de S. Paulo e as regiões mais remotas do Brasil constituem o que se pode chamar de "país das maravilhas". Qualquer estrangeiro que aí aporte, por mais miserável que seja, é benvindo, e encontra imediatamente à sua disposição uma mulher do seu agrado, contanto que se sujeite a certas condições, ou seja, não pense senão em comer, beber e passear... Se ele der a menor demonstração de que pretende se safar, a mulher não hesita em envenená-lo. Mas se, pelo contrário, se dá bem com a mulher, é muito bem tratado e mimado, para inveja dos outros. A fonte de suas riquezas é como um rio que banha todo o país, e de tal forma inesgotável que pode tirar da indigência o mais miserável dos homens que buscam a sua ajuda. Pois, nesses casos, basta-lhes revolver a areia dos rios e dela retirar o ouro, que dá pra pagar com juros o seu esforço, não devendo eles entregar senão uma quinta parte desse ouro ao seu soberano. Contam-se milhares de outras coisas surpreendentes sobre a região. Todavia... nada deve parecer inacreditável aos que se acham bem informados sobre as maneiras contrárias ao bom-senso e os costumes extravagantes que se acham em uso nessas regiões bárbaras." *(Relation curieuse et nouvelle d'un Voyage de Congo fait ès années 1666 e 1667).*

1675, chegou acompanhado de uma tropa de mamelucos especializados na arte de caçar homens. Levava também um grupo de índios, os quais, embora menos inteligentes que seus amos, eram tão ativos, intrépidos e cruéis quanto eles. Todas as tropas da região reuniram-se à de João Amaro. O bando parte, embrenhando-se em matas até então desconhecidas. Os índios que resistem são sacrificados, milhares de prisioneiros são levados à Bahia e seus habitantes ficam livres, por muitos anos, do temor dos selvagens. Os cativos eram tão numerosos que eram vendidos a 30 francos por cabeça, mas a tristeza, os maus tratos e o desespero causaram a morte de tantos com tamanha rapidez que os seus compradores, apesar do baixo preço, ainda acharam que tinham feito um mau negócio. Além da considerável soma de dinheiro que havia sido prometida a João Amaro, ele recebeu extensas terras e o direito de suserania sobre uma cidade de que tinha sido fundador. Mas para os paulistas, caçadores de homens, o repouso era um suplício. João Amaro vendeu suas terras e voltou a São Paulo, pronto para novas aventuras[48].

Mais ou menos nessa mesma época (1674), Domingos Jorge, outro chefe dos paulistas tão famoso quanto João Amaro, partiu da sua cidade e saiu a percorrer os sertões à caça de índios, acabando por chegar, após terríveis vicissitudes, a uma região situada a grande distância de sua terra, que constitui atualmente a Província do Piauí. Quando se julgava inteiramente isolado do mundo ele viu um bando de homens brancos caminhando na sua direção. Tratava-se de um outro grupo que se embrenhara nas matas sob o comando do português Domingos Afonso, a quem o seu amor à selva atribuíra o cognome de Sertão. Os dois chefes experimentaram uma indescritível alegria ao se verem reunidos. Relataram um ao outro suas aventuras e continuaram juntos o caminho, ajudando-se mutuamente. Aprisionaram um grande número de indígenas e puseram em fuga um número ainda mais considerável; finalmente, após intensa e prolongada atividade, os dois se separaram. Domingos Afonso Sertão tinha ideias mais elevadas do que seu companheiro. Na região que havia conquistado – era essa a expressão que então se usava – ele formou cinquenta fazendas destinadas à criação de gado. Deu algumas, vendeu outras e deixou trinta nas mãos dos jesuítas, para que sua renda fosse empregada em obras úteis. Quanto a Domingos Jorge, voltou para a sua pátria, levando consigo a maior parte dos cativos[49].

---

[48] Southey, *Hist.* II.
[49] Casal, *Corog. Bras.*, II. – Southey, *Hist.*, II. – Ferd. Denis, *Brésil.*

Não me seria possível relatar pormenorizadamente todas as expedições realizadas pelos paulistas no interior da América do Sul durante quase dois séculos. Mas houve uma de tamanhas proporções que eu me censuraria se deixasse de mencioná-la. Sob o comando de Antônio Raposo, sessenta desses intrépidos aventureiros acompanhados de um bando de índios, atravessaram o Brasil do sudeste ao noroeste, transpuseram os Andes e alcançaram o Peru, onde se empenharam em sangrentos combates com os espanhóis. Retiraram-se, em seguida dirigindo-se para o Rio Amazonas ou um de seus afluentes. Ali, construíram jangadas e desceram a corrente, desembarcando na pequena cidade de Gurupá, onde foram recebidos hospitaleiramente por seus maravilhados habitantes. E para voltarem à sua terra, através dos sertões, eles ainda teriam de enfrentar uma viagem de vários anos![50]

Os paulistas sentiam orgulho em acrescentar terras selváticas à monarquia portuguesa. Em breve iriam fazer uma descoberta mais importante – as ricas minas de ouro da vasta região que mais tarde recebeu o nome de Minas Gerais.

A história dessa descoberta, embora recente, é bastante obscura. Os paulistas, como os gregos dos tempos heroicos, viviam à cata de aventuras, enfrentavam todos os perigos guerreavam com valentia, mas não deixavam nada escrito. Sabe-se, entretanto, que em meados do século XVII um homem chamado Marcos de Azevedo, ou Azeredo, ao voltar do Rio Doce trouxe amostras de minas de prata e pedras verdes que foram tomadas por esmeraldas. Azevedo morreu sem que se ficasse sabendo onde tinha feito a sua descoberta. Não tardou, entretanto, que a imaginação dos paulistas alçasse voo e todos os homens de espírito aventureiro quisessem encontrar a *serra das esmeraldas*, de que tinha falado Azevedo. O governo apoiava essas buscas fornecendo recursos e prometendo recompensas.

Desnecessário é dizer que os paulistas foram os primeiros a se pôr em campo. Entre eles havia um velho de oitenta anos que se tinha tornado célebre por seu vigor e por seu entusiasmo na caça aos índios. Ao ouvir os maravilhosos relatos que lhe faziam da serra das esmeraldas e das riquezas nelas encerradas, seu coração começou a bater mais aceleradamente, suas forças se reanimaram; parecia-lhe sentir de novo o ardor da juventude. Tendo obtido do governador geral permissão para organizar por sua própria conta uma grande expedição com o objetivo de encontrar

---

[50] Southey, *Hist.*, II. – José Fel. Fernandes Pinheiro, *Anais*, 2ª. ed.

a tão decantada serra, ele empregou a maior parte de sua fortuna em cuidadosos preparativos e se pôs a caminho. Tinha de atravessar extensas regiões selváticas, eriçadas de montanhas, cobertas de imensas florestas e infestadas de tribos selvagens. Mas nada arrefeceu a sua coragem. Em poucos anos ele explorou uma parte considerável da vasta região denominada hoje Minas Gerais, formando nela vários núcleos de colonização. Finalmente, quando acreditava ter alcançado o objetivo de sua viagem ao chegar à formosa lagoa chamada Vupabuçu, às margens do qual supunha-se que se encontrassem as esmeraldas de Marcos Azevedo, ele foi forçado a tomar o caminho de volta a São Paulo devido à insalubridade da região e à desunião que reinava entre o seus exaustos companheiros. Não conseguiu, porém, chegar a essa cidade, morrendo às margens do Rio das Velhas por volta do ano de 1678. Deixou a seu genro, Manuel Borba Gato, as ferramentas de minerador que tinha levado, a pólvora e o chumbo que lhe restavam, bem como seu itinerário de viagem. Coube-lhe a glória de ter descoberto a província mais importante do interior do Brasil.

Ao que tudo indica, foi Rodrigues Arzão, natural de Taubaté, o primeiro a descobrir ouro nessa província. Ele havia explorado os sertões de Cuiaté e, no ano de 1695, apresentou três oitavas de ouro ao conselho municipal da sede da Província do Espírito Santo. Com esse ouro foram feitas duas medalhas, tendo ele levado uma para São Paulo. Quando a vira, os habitantes da Capitania de São Vicente não conseguiram pensar em outra coisa senão nos tesouros de Cuiaté.

Arzão, ao morrer, deixou o itinerário de sua arriscada excursão para o seu cunhado, Bueno de Cerqueira, que por sua vez se embrenhou nos sertões. Durante a sua viagem encontrou um outro grupo, que andava à caça de índios. Os homens que o compunham, ao saberem do objetivo da expedição de Bueno de Cerqueira, desistiram da caça e se reuniram a ele. A partir de então todos só tinham em mente a busca do ouro. Encontraram-no em abundância, mas não sabiam como tirá-lo da terra e como limpá-lo das impurezas. Ao invés de picaretas, eles se serviam de pedaços de ferro pontiagudos, ou mesmo de paus, e usavam pratos de estanho para separar o metal precioso dos corpos estranhos.

Não tardou, entretanto, que numerosos grupos de homens de todas as idades e de todas as condições deixassem São Paulo e as cidades vizinhas em busca do ouro. Nada os detinha – nem as montanhas mais escarnadas, nem os rios mais caudalosos, nem as densas matas infestadas de cobras venenosas e animais selvagens. A cupidez parecia duplicar suas forças e atenuar todos os perigos.

Esses homens tiveram, antes de tudo, o bom-senso de seguir caminhos diferentes e de conceder aos primeiros que chegassem o direito à posse das riquezas. Dessa maneira eles se espalharam em pouco tempo por toda a região recém-descoberta. Em toda parte encontraram ouro, e foi essa a origem do nome de *Minas Gerais*, que deram a essas terras.

A princípio os paulistas não se estabeleceram no lugar que lhes fornecia tantas riquezas. Quando encontravam ouro em algum lugar, construíam apressadamente algumas toscas choupanas, e quando se esgotava o precioso metal eles seguiam adiante. Mas alguns locais eram de tal forma ricos em ouro que eles ali permaneciam por mais tempo. Construíam casa e formavam pequenas povoações, muitas das quais, com o passar do tempo, se transformaram em cidades. É aos paulistas que se deve a fundação de Mariana do Ouro Preto, de Sabará, de Carté, de Pitangui, de São José. Todas essas cidades foram, originariamente, locais de acampamento, nome que se aplica ainda hoje, por hábito, a todos os povoados de Minas Gerais.

Ainda que os mineradores paulistas tomassem precauções para evitar que surgissem disputas no seu meio, era difícil que, sendo todos eles homens rudes, igualmente dominados pela sede do ouro e empenhados na mesma busca para satisfazê-la, conseguissem viver sempre em paz. Desde que a cidade de Taubaté deixara de ser uma aldeia indígena, tornara-se rival de São Paulo, da qual era vizinha. A descoberta das minas de ouro recrudesceu o ódio entre os habitantes das duas cidades, e à época de minha viagem seus descendentes conservavam ainda a lembrança dessas querelas.

Desavenças mais graves não tardaram, porém, a explodir na região das minas.

A notícia da importante descoberta que havia sido feita espalhou-se com incrível rapidez, e de todas as partes do Brasil acorreram chusmas de aventureiros, de desertores e de criminosos perseguidos pela justiça. Em breve esses bandos foram seguidos por um certo espírito generoso, de que não compartilhava essa malta de aventureiros sem princípios, escória do Brasil e de Portugal. Todavia, não se pode negar que o hábito de se vierem rodeados de numerosos escravos, bem como a caça aos índios e a licenciosidade a que se entregavam no meio do sertão, longe de qualquer regulamento, tenham feito deles homens tão corrompidos quanto o resto. Todos os vícios pareciam concentrar-se na região das minas, desencadeavam-se ali todas as paixões, cometiam-se ali todos os crimes.

Não era sem indignação que os paulistas viam os forasteiros estabelecerem-se nas ricas terras que consideravam suas. Orgulhosos de seus numerosos escravos e das riquezas que já possuíam muito antes de terem sido descobertas as minas, eles tratavam os recém-chegados com profundo desprezo, submetendo-os a constantes vexames e atribuindo-lhes o ridículo apelido de *emboabas,* porque os intrusos, usando botas ou polainas, se assemelhavam, na sua opinião, a certos pássaros cuja plumagem lhes desce até os pés. Tantas afrontas acabaram por revoltar os forasteiros. Formaram-se dois partidos, tendo sido escolhido para chefiar o destes últimos um seu companheiro, Manuel Nunes Viana, homem forte, ativo e de espírito penetrante. Embora pessoa de grande afabilidade e doçura no trato diário, ele sabia, nos momentos de necessidade, agir com grande energia. Alguns frades, esquecidos de seus deveres, tinham-se juntado aos mineradores, atraídos pela sede do ouro. Eles tomaram o partido dos forasteiros e os incitaram à revolta. Um deles – um certo padre Antônio de Menezes, da Ordem da Trindade – agitador subserviente, ajudou-os a se apossarem das armas dos paulistas, à custa de um ato de traição, e os forasteiros proclamaram Nunes governador da região. Estourou a guerra civil, sendo travados combates nas margens do Rio das Mortes. Os forasteiros saíram vencedores, mas macularam a sua vitória ao massacrarem um grupo de paulistas que vinha entregar-se a eles.

O governador do Rio de Janeiro, D. Francisco Martins de Mascarenhas, ao tomar conhecimento do que se passava na região, para lá se dirigiu imediatamente. Nunes apresenta-se a ele acompanhado de um numeroso grupo de homens armados, e o espanta pela intrepidez de sua atitude. Durante a conversa que tiveram os dois, Nunes assegura ao governador que jamais deixou de ser súdito fiel, convencendo-o de que só se colocara à frente dos sediciosos para poder contê-los, e o persuade a se retirar.

Após a partida de Mascarenhas, Nunes passou a exercer com poder absolutos as funções de governador. Preencheu os cargos com os homens mais capazes que pôde arranjar e restabeleceu a ordem da melhor maneira que lhe foi possível, o que fez muita gente de bem lamentar que a sua autoridade não tivesse bases mais legítimas.

Nesse meio tempo, os paulistas preparam-se para a vingança. As mulheres exortam os homens com furor, chamando-os de covardes, e os padres, esquecidos de que a paz é o patrimônio da Igreja – como diz o P. Manuel da Fonseca – fazem ressoar nos templos os gritos de guerra. Os homens se armam, deixam São Paulo e vão a Taubaté em busca de recrutas.

Enquanto isso chega ao Rio de Janeiro, vindo de Lisboa, Antônio de Albuquerque Coelho, para substituir Mascarenhas no governo (1709).

Embora reconhecendo o valor de Manuel Nunes Viana, os homens mais experientes da região das minas sabiam o quanto era instável e perigosa a sua situação. Secretamente enviam ao Rio de Janeiro um padre que tinha sido secretário de Antônio Albuquerque, para pedir ao novo governador que restabeleça entre eles a autoridade legal. O governador era um homem ativo e capaz, e para inspirar mais confiança aos mineradores ele chega ao seu reduto praticamente desacompanhado. Todos aceitam as suas decisões, e em breve é concedida uma anistia geral a todos os rebeldes, exceção feita ao frade da Ordem da Trindade, de um companheiro de Nunes Viana e do próprio Nunes, que morre na prisão, embora talvez merecesse melhor sorte[51].

Foi mais difícil restabelecer a ordem entre os paulistas, ainda exasperados pela traição de que tinham sido vítimas. Não obstante, Albuquerque esforçou-se para isso, indo procurá-lo acompanhado de uma pequena tropa. Vendo, porém, que eram inúteis as suas exortações de paz e talvez temendo pela sua própria segurança, ele julgou prudente bater em retirada, apressando-se a voltar ao Rio de Janeiro. De lá, mandou avisar secretamente aos emboabas que se preparassem para enfrentar os paulistas.

De fato, estes não tardaram a chegar às margens do Rio das Mortes, atacando um pequeno forte onde se tinham encastelado os emboabas. Os dois lados combateram com denodo, mas os paulistas se distinguiam em todas as refregas pela habilidade com que atacavam o inimigo. Entretanto, ao saberem que os emboabas iam receber em breve grandes reforços, eles se aproveitaram da noite para bater em retirada a voltar à sua terra, devastando tudo à sua passagem.

Essa expedição acalmou os ânimos dos paulistas. Albuquerque aproveitou-se habilmente dessa boa fase para enviar aos membros do conselho municipal da cidade de São Paulo um retrato de D. João V, dizendo-lhes que embora não pudesse visitar a cidade, o rei desejava que pelo menos sua imagem estivesse presente junto deles, para lhes mostrar que ele os tomava sob uma proteção especial. Os paulistas, que

---

[51] Southey e Baltasar da Silva Lisboa dizem que foi concedida permissão a Nunes para se recolher ao lugarejo que ele havia fundado às margens do S. Francisco. Pizzaro, porém, cita um documento oficial que contradiz essa afirmação.

eram realmente muito ligados ao seu soberano, ficaram sensibilizados com essa honraria e tudo se normalizou[52].

Albuquerque apressou-se a dar ciência ao seu governo de tudo que se passar. O ministério português percebeu que um homem sozinho não podia governar uma região tão grande, que se estendia desde a embocadura do Paraíba até as colônias espanholas, desde o Oceano Atlântico até as nascentes do Araçuaí. Em consequência, o território de São Paulo foi desmembrado da Província do Rio de Janeiro, bem como o das minas, e de ambos se formou (9 de novembro 1709) um novo governo.

Albuquerque havia aprendido a conhecer os paulistas, e foi a ele que entregaram a chefia do seu governo. Foi-lhe facultado escolher, para sua residência, o lugar que lhe conviesse, e ao invés dos povoados de Minas Gerais, recém-fundados, ele escolheu São Paulo, cuja localização era mais agradável e onde sempre se tributara um certo respeito às autoridades nomeadas legalmente. São Paulo foi honrada com o título de *cidade*, e o seu nome dado à nova capitania.

Até essa época a administração local jamais deixara de ser entravada pelas disputas e processos dos herdeiros dos dois primeiros donatários. O rei pôs fim a essas longas desavenças (1711) comprando do Marquês de Cascais as 50 léguas de terra que ele possuía na Capitania de São Paulo, na sua qualidade de sucessor de Lopes de Souza. A partir de então, toda a autoridade concentrou-se na pessoa do capitão-geral da província. Os conflitos desapareceram e a administração começou a funcionar regularmente.

Desde essa época os paulistas se mostraram quase sempre submissos e fiéis, sem contudo perderem o gosto pela aventura e pelas expedições a lugares longínquos, só deixando de fazer descobertas quando já não havia mais nada a descobrir.

Inicialmente eles se estabeleceram nas partes do território de Minas Gerais mais próxima da elevada cadeia de montanhas que o atravessa de norte a sul. Não tardaram, porém, a se espalhar por toda a região, mas não se contentaram apenas em procurar ouro. Formaram fazendas nas imensas pastagens do São Francisco e se dedicaram à criação de gado. Por outro lado, os forasteiros continuaram a afluir para Minas. Com evidentes prejuízos para o país, os fazendeiros da Província da Bahia abandonavam seus

---

[52] Casal, *Corog. Bras.*, II. – Southey, *hist.*, VIII, part, 2ª. – Baltasar da Silva Lisboa, *Anais*, II. – Manuel da Fonseca, *Levantamento em Minas, in Revist. Trim.*, III.

engenhos de açúcar e iam procurar ouro numa região onde era encontrado em abundância por quem se desse ao trabalho de descobri-lo. Para ali foram levados numerosos escravos, e em pouco tempo os sertões se encheram de belas propriedades, de suntuosas igrejas e de inúmeras povoações. Tornou-se, então, impossível aos capitães-gerais que residiam em São Paulo governar a região das minas, e fazer com que as leis fossem ali respeitadas e a ordem mantida. Foi necessário estabelecer um governo separado para esse território, o qual recebeu o nome de Capitania de Minas Gerais.

A Província de São Paulo perdia assim uma parte do seu território. Todavia, novas descobertas logo a recompensaram com juros dessa perda.

Desde os tempos em que os paulistas haviam começado a se embrenhar nos sertões, alguns deles, transpondo rios e catadupas, atravessando pântanos insalubres e lutando sem cessar contra hordas de selvagens, tinham conseguido chegar até o Rio Paraguai e à vasta região banhada por seus afluentes. No ano de 1718, Antônio Pires dos Campos, o mais temível exterminador dos índios, subiu o Rio Cuiabá com o objetivo de destruir a valorosa tribo dos curipós. Esse homem se achava, provavelmente, muito ocupado com a caça aos índios para se dedicar a outras coisas. A honra da descoberta dos tesouros localizados na região que ele percorreu ficou reservada a Paschoal Moreira Cabral, outro desbravador dos sertões que lhe seguia os passos. Paschoal, ao subir o Rio Curipomirim, viu partículas de ouro reluzindo nas suas margens. Deixando uma parte de seus acompanhantes no local onde fizera essa descoberta, e no pressuposto de que se tratasse do prelúdio de outras descobertas ainda mais importantes, ele prosseguiu viagem. Não se tinha enganado, pois logo encontrou alguns índios que traziam, como ornamento, pequenas lâminas de ouro. Empenhando-se em cuidadosas buscas, em pouco tempo ele conseguiu juntar uma considerável quantidade desse metal. Voltou, então, ao lugar onde tinha deixado os companheiros. Estes homens, sabendo-se rodeados de imensas riquezas, tomaram a decisão de não abandonar a região enquanto não tivessem esgotado as suas reservas. Trataram de construir choupanas à beira dos rios e semearam uma parte dos grãos que tinham trazido. Não dispunham de ferramentas agrícolas, mas sua cupidez lhes deu força e coragem, fazendo com que se servissem das mãos para cavoucar a terra.

Um outro grupo que também percorria os sertões foi levado, por acaso, até o seu acampamento. Tratava-se também de paulistas. Eles se associaram a Paschoal e seus companheiros, formando ao todo um grupo de vinte e dois homens. Após confabularem uns com os outros, eles decidiram enviar um homem a São Paulo para dar ciência ao governador do que se passava e receber uma orientação a respeito. Paschoal foi indicado provisoriamente como chefe, e a ele atribuída uma autoridade quase absoluta e prometida uma obediência incondicional.

Paschoal era um homem totalmente iletrado, mas não lhe faltavam qualidades extraordinárias. À sua grande coragem juntavam-se a prudência, um espírito empreendedor, uma notável inteligência e, o que era raro entre os paulistas daqueles tempos, um coração compassivo. Tinha o dom de apaziguar as querelas que surgiam entre os seus companheiros, soube fazer-se amar por eles e os chefiou com grande sabedoria desde o ano de 1719 até o de 1723, ocasião em que foi substituído por duas autoridades enviadas por D. Rodrigo César de Meneses, governador de São Paulo.

Tão logo chegou a essa cidade a notícia das descobertas feitas por Paschoal e seus companheiros nas cercanias de Cuiabá, todo mundo, moços e velhos, desejou partir para essas terras que acenavam com tantas riquezas. Divididos em vários grupos, eles embarcaram, subindo o Tietê e outros rios, e só pensavam no fim da viagem. A cupidez impediu-os de calcular as privações por que em breve iriam necessariamente passar, bem como os perigos que iriam correr. Não tomaram as mínimas precauções, nem mesmo as indispensáveis. As febres atacaram-nos no meio dos pântanos, e eles não dispunham de medicamentos, sua permanência na selva deveria durar vários meses, mas suas provisões eram insuficientes e eles nem mesmo tinham levado utensílios de pesca ou espingardas para caça, viram-se constantemente hostilizados por hordas de índios selvagens, e não dispunham de armas para sua defesa. A fome, as doenças e as terríveis fadigas da viagem fizeram perecer a maioria deles, enquanto outros sucumbiram nas mãos dos selvagens. A Cuiabá chegou apenas um pequeno grupo desses infelizes, macilentos e exaustos, mal tendo forças para tomarem parte nos trabalhos de seus predecessores.

Esse triste exemplo não deteve o afluxo de imigrantes. É mais difícil desencorajar a cupidez do que outras paixões que agitam o nosso coração. Durante longos anos, inumeráveis homens atormentados pelo desejo de ficar ricos partiram para Cuiabá, não apenas de São Paulo, mas igualmente de Minas e do Rio de Janeiro. Os índios guaicurus, sempre a cavalo, e os paiaguás, hábeis remadores, atacavam furiosamente os invasores e matavam um grande número deles. De um grupo de 300 homens que partira de São Paulo em 1825, só escaparam dois brancos e um negro. Essas desgraças eram conhecidas de todo mundo, mas o ouro – dizia-se – era tão abundante em Cuiabá que os caçadores o usavam em lugar do chumbo. Como não enfrentar certos riscos para chegar a uma terra que tinha tantos tesouros à disposição de quem quisesse? Na esperança de uma riqueza fácil, todos se dispunham a arriscar a sorte.

Enquanto se passavam esses fatos, os companheiros de Paschoal prosseguiam com suas buscas. No ano de 1722, um certo Miguel Sutil, ao fazer uma plantação nas margens do Cuiabá, sentiu fome certa vez e mandou dois índios, seus servidores, procurar mel no tronco das árvores. Os índios voltaram ao entardecer. Não tinham encontrado mel, mas entregaram a seu amo um punhado de folhas nas quais haviam envolvido algumas partículas de ouro encontradas à superfície da terra, cujo valor era de 120 oitavas, aproximadamente. No dia seguinte, ao amanhecer, Miguel Sutil e seu compadre, João Francisco, cognominado Barbudo, dirigiram-se, acompanhados de todos os seus escravos, ao lugar onde tinha sido feita a descoberta. Sutil retornou com meia arroba de ouro, e o Barbudo com mais de 400 oitavas. A colônia inteira precipitou-se para onde haviam sido encontradas tantas riquezas. Sem que fosse preciso fazer profundas escavações, eles retiraram da terra, no espaço de um mês, 400 arrobas de ouro. É nesse local que se ergue hoje a cidade de Cuiabá.

No correr do ano em que Miguel Sutil fizera a sua estupenda descoberta, chegou a São Paulo o Governador Rodrigo César de Meneses, a quem já me referi antes. Sua primeira providência foi cuidar para que o rei recebesse o imposto do quinto devido pelas minas de ouro de Cuiabá. Sempre que os portugueses voltavam suas atenções para o Brasil era para se apossarem de suas riquezas. Dois homens ilustres foram escolhidos por Meneses para seus agentes na nova colônia. Um deles, Lourenço Leme, partiu munido do título de cobrador do imposto do quinto e o outro, João Leme, seu irmão, com o encargo de administrar as jazidas auríferas de Cuiabá. Meneses não era destituído de mérito, mas tinha acabado de chegar e não conhecia o país. Acreditou, sem dúvida, ter agido com sabedoria maior respeito. Ignorava que unicamente o temor que infundiam atribuíam aos Lemes o violar impunemente as leis e oprimir os fracos. Quando esses dois irmãos chegaram a Cuiabá e se viram longe de toda vigilância, não houve limites para a sua insolência e sua audácia. Entregaram-se a todos os caprichos, passaram a cometer os mais absurdos atos de violência e pretenderam mesmo expulsar das minas todos aqueles que não era paulistas. O capelão da nascente colônia levantou-se corajosamente contra esse último ato de injustiça, e os Lemes ordenaram que lhe dessem o tiro. Um certo Pedro Leite teve a infelicidade de lhes provocar a inveja, e foi agredido da maneira mais bárbara ao pé do próprio altar onde ele assistia ao ofício divino. Meneses tomou conhecimento, afinal, do que se passava em Cuiabá e, desejando livrar a região desses dois monstros, cuja tirania se tornara insuportável, deu ordem a um oficial superior para prendê-los e enviá-los a São Paulo. Os dois irmãos, avisados a tempo, fugiram com seus amigos e escravos. Foram mandados soldados em sua perseguição, mas eles se entrincheiraram num local agreste; os soldados atacaram, eles se defenderam, houve mortos de parte a parte, mas eles conseguiram fugir mais uma vez. Finalmente uma bala atingiu Lourenço e seu irmão, feito prisioneiro, foi executado na Bahia em 1724[53].

A morte desses dois homens não pôs termo aos infortúnios dos habitantes de Cuiabá, pois durante longo tempo ainda eles só tiveram opressores como chefes. Exigiam-se deles somas consideráveis para o quinto e outros impostos. Os que não podiam satisfazer as exorbitantes exigências que lhes faziam eram metidos na cadeia, e eles era tratados com extrema crueldade. O povo chegou, por fim, a um tal estado de desespero que concebeu, certa ocasião o projeto de fugir daquela terra onde, em lugar das imensas riquezas que lhes tinham sido prometidas, só havia encontrado, na realidade, a desolação e a miséria.

Diante desses fatos, o governador Meneses recebeu ordem de seu soberano para ir inspecionar as minas de Cuiabá. A data de sua partida estava marcada, mas quando ele se achava pronto para embarcar encheu-se de temor diante daquela longa e perigosa viagem fluvial e mandou abrir um caminho por terra. O trabalho levou dois anos, e passado esse tempo Meneses pôs-se a caminho, chegando a Cuiabá no dia 15 de novembro de 1726, cinco meses depois de ter partido.

A estrada que Meneses mandou abrir representou um grande benefício para a população. Tornou mais fáceis, menos demoradas e mais seguras as comunicações entre São Paulo e a nova colônia, e é esse o

---

[53] A história dos dois Lemes foi contada por Casal, segundo Rocha Pita, e aceita por Ferdinand Denis. Devo Dizer, entretanto, que Pizarro não faz nenhuma menção a ela, e seus relatos foram extraídos de um trabalho feito em Cuiabá, em 1765, pelo advogado José Barbosa de Sá e corrigido mais tarde, com base em documentos da mais alta autenticidade, pelo sábio Diogo de Toledo Lara Ordoñez, a quem já tive ocasião de me referir. Pizarro diz unicamente que, para substituir Paschoal Moreira Cabral, D. Rodrigo César de Meneses enviou a Cuiabá, em 1724, João Antunes Maciel e Fernando Dias Falcão, o primeiro como regente, o segundo como superintendente das terras auríferas, e que a partir dessa data os mineradores de Cuiabá se viram terrivelmente importunados pelos representantes da justiça. No resumo histórico que precede a sua valiosa estatística, D. P. Müller enumera, entre os que descobriram as minas de Cuiabá, Lourenço Leme e Fernando Cabral. É evidente, porém, que esse resumo, extremamente sucinto, não pode ser totalmente digno de fé.

caminho que é usado ainda hoje pelas tropas de burros que vão a Goiás e Mato Grosso[54].

Tão logo chegou a Cuiabá, Meneses concedeu ao povoado o título de cidade, mas sua presença de pouco valeu para melhorar a sorte de seus habitantes. Enquanto ele ainda estava em São Paulo seus agentes extorquiam o ouro dos infelizes moradores da colônia para fazerem boa figura diante dele. Meneses não os forçou a modificar sua conduta, pois desejava também valorizar-se aos olhos de seu soberano, para quem, na verdade, deveriam escoar no fim todas as riquezas.

Um milhar de pessoas que, evidentemente, não conseguiam mais viver num lugar onde se achavam expostas a constantes arbitrariedades, deixou Cuiabá no mês de abril de 1728 e tomou o caminho de São Paulo. Meneses tinha de enviar a Portugal quatro caixotes contendo, cada um, 7 arrobas de ouro, e se aproveitou dessa ocasião para despachá-las, tomando todas as precauções possíveis para que chegassem em segurança ao seu destino. Os caixotes foram entregues ao próprio Rei D. João V, ainda hermeticamente fechados e lacrados como quando tinham partido de Cuiabá. O rei, na sua vaidade, ordenou que fossem abertos na presença de alguns ministros estrangeiros. Nada havia neles a não ser chumbo. Tudo foi feito para descobrir os culpados, mas as buscas foram inúteis. O povo de Cuiabá convenceu-se de que, por um ato milagroso, o próprio céu se havia encarregado de vingá-los de seus tiranos. Mas sua alegria teve pouca duração. O coletor dos impostos, desejando obter as boas graças do governador e do próprio soberano, acusou os mineradores de serem os responsáveis pelo desaparecimento do ouro e confiscou todos os bens que eles possuíam, inclusive os escravos. Depois de executada essa lamentável operação, Meneses partiu para São Paulo (setembro de 1728), mas antes disso introduziu modificações na coleta dos impostos e fez algumas reformas úteis. Os habitantes de Cuiabá não possuíam mais nada, mas pelo menos – diz um historiador – puderam derramar suas lágrimas em paz[55].

Começaram de novo a cavoucar a terra corajosamente e dela retiraram novos tesouros. Mas os paulistas, que formavam o núcleo da população, não tinham perdido o gosto pela aventura, nem a sua insaciável sede do ouro. Queriam embrenhar-se em novos sertões, ambicionavam

---

[54] O autor passou por esse caminho ao se dirigir da cidade de Goiás a S. Paulo (*Viagem às Nascentes do Rio S. Francisco*).
[55] Casal, *Corog. Bras.*, I. – Pizarro, *Mem. Hist.* – Abreu e Lima, *Sinopse*.

outras minas ainda mais ricas que as de Cuiabá. No ano de 1734 dois irmãos, Fernando e Artur Pais de Barros, naturais de Sorocaba[56], penetraram numa região coberta por densas florestas, a oeste dos campos dos parecis, onde jamais o homem branco tinha pisado. Essas terras têm hoje o nome de Mato Grosso. Eles pararam às margens de um dos afluentes do Guapu, onde construíram choupanas, e dali se espalharam pelas redondezas, sempre pesquisando a areia dos córregos e dos ribeirões. Mal se passara um ano quando os dois irmãos enviaram a Cuiabá uma considerável quantidade de ouro. Ao vê-lo, o povo exultou, e todo mundo quis partir para as novas minas. Milhares de homens se puseram, de fato, a caminho. Esperava-os, porém, quase a mesma sorte que tinham tido os primeiros que haviam partido de São Paulo para Cuiabá. Alguns se perderam no meio da mata e morreram miseravelmente de fome e fadiga, outros caíram varados pelas flechas dos paiaguás e dos guaicurus. Apenas um pequeno número deles conseguiu chegar ao seu destino[57].

Enquanto alguns grupos de paulistas acrescentavam à monarquia portuguesa os vastos territórios de Cuiabá e de Mato Grosso, outros faziam uma descoberta não menos importante, a de Goiás.

No ano de 1680 Bartolomeu Bueno da Silva, chamado o *Mau Espírito,* tinha chegado até as terras dos índios goiás, cujas mulheres enfeitavam os cabelos com lâminas de ouro. Ele escravizara sem piedade esses pacíficos indígenas, dignos de melhor sorte, retornando a São Paulo com o ouro e um número de cativos suficiente para povoar uma cidade.

Durante longos anos as riquezas de Minas Gerais deixaram Goiás esquecida, mas a minas de Cuiabá lembraram a Meneses as que Bartolomeu Bueno havia descoberto, e ele animou os habitantes de São Paulo a que tentassem reencontrá-las.

Ao que parece, os antigos paulistas habituavam desde cedo os seus filhos aos desconfortos das longas viagens e da caça aos índios. Quando chegou às terras de Goiás, Bartolomeu Bueno levava consigo um filho de doze anos. Esse menino, que também se chamava Bartolomeu, já era velho agora, mas ainda guardava a lembrança de sua viagem. Ofereceu, pois, os seus serviços a Meneses, que em troca lhe prometeu, se tivesse sucesso, dar-lhe por recompensa o pedágio de vários rios.

---

[56] Poderão ser encontrados, no relato de viagem do autor, dados sobre a cidade de Sorocaba, vizinha de S. Paulo.
[57] Pizarro, *Memórias Históricas,* IX.

O segundo Bartolomeu Bueno partiu no final de 1721, mas infelizmente falhou na sua empresa retornando a São Paulo desesperado e quase só, depois de mil peripécias.

Meneses restituiu-lhe a coragem, fazendo-lhe sedutoras promessas. Convence-o, afinal, a partir de novo, fornecendo-lhe os recursos necessários. Dessa vez Bartolomeu Bueno é mais feliz. Após longas e terrivelmente penosas caminhadas, ele encontra afinal, no ano de 1726, o local onde se achavam as minas descobertas por seu pai.

A fama das riquezas de Goiás não tardou a atrair para lá bandos de aventureiros, que fundaram numerosos povoados. Quanto a Bartolomeu Bueno, foi condignamente recompensado. Esse homem empreendedor chegou a possuir grandes riquezas, mas, como a maioria dos mineradores, não soube conservá-las, tendo morrido na miséria. Ele havia passado ao filho os pedágios concedidos à sua família por três gerações. Em 1825 a terceira geração acaba de se extinguir, e os bisnetos de um homem que havia acrescentado ao império brasileiro uma província tão vasta quanto a Alemanha viviam agora na indigência. Provavelmente descendiam também de Amador Bueno, que havia recusado a coroa oferecida a ele pelos habitantes de São Paulo.

Tinham sido os paulistas os descobridores de Goiás, Cuiabá e Mato Grosso, e até o ano de 1748 essas vastas regiões fizeram parte da Capitania de São Paulo.

Entretanto, chegou-se finalmente à conclusão de que um homem sozinho não podia governar um território quatro vezes maior do que o da França, cujas partes eram separadas por regiões desérticas. Em consequência, criaram-se três novas capitanias, a de Goiás, a de Cuiabá e a de Mato Grosso, mas, por outro lado, surgiu a infeliz ideia de suprimir a Capitania de São Paulo, anexando-a à do Rio de Janeiro[58]. Os governadores desta última já tinham muito com que se ocupar, na sua própria administração, e São Paulo ficou entregue ao abandono.

Quando, em outros tempos, os caçadores de índios deixavam São Paulo, sempre retornavam à cidade. O mesmo, porém, não acontecia com os caçadores de ouro, os quais se fixavam nas terras onde tinham encontrado o objeto de sua cobiça e lá ficavam para sempre. Depois da descoberta de Minas Gerais, a população da Província de São Paulo não cessou de diminuir. Os emigrantes deixavam-na empobrecida devido às

---

[58] Pizarro, *Mem. Hist.*, VIII, 1ª parte.

despesas que se viam obrigados a fazer para os preparativos da viagem. À falta de braços, as terras ficavam sem cultivo e os rebanhos entregues à própria sorte. As propriedades se desmanchavam em ruínas. Para remediar tantos males, teria sido necessária uma administração firme, ativa e construtiva. Depois da supressão de sua capitania, os paulistas contavam apenas com autoridades cujo poder era extremamente limitado e que não ousava assumir a responsabilidade de nenhuma medida de grande vulto. Uma das mais belas províncias do Brasil entrava assim, cada vez mais, em declínio.

Em 1758, o Rei D. José promulgou um decreto que iria honrar-lhe eternamente a memória, concedendo liberdade definitiva a todos os índios do Brasil[59]. Uma série de outros decretos já os havia declarado livres, mas nunca tinha sido levada em consideração. Ninguém mais tinha escravos – dizia-se – e sim *administrativos,* e os infelizes assim denominados eram condenados aos mais rudes trabalhos da escravidão. Sob o reinado de D. José, Pombal exerceu o cargo de ministro, e ele não era homem que se deixasse enganar com palavras. Desejava sinceramente que os índios se tornassem livres, e de fato isso não tardou a acontecer. Não obstante, a abolição da escravatura dos índios representou mais um golpe na prosperidade da Província de São Paulo. Era grande o número de famílias que não possuíam outros bens senão os escravos indígenas, e elas se viram completamente arruinadas. A Província de São Paulo – já dizia no ano de 1737 um de seus governadores – não passa de uma bela moça sem dote[60]. E agora, mais do que nunca, eram verdadeiras essas palavras.

O primeiro vice-rei do Rio de Janeiro, Antônio Álvares da Cunha, percebeu finalmente o estado de miséria a que se vira reduzida a cidade e supôs que, se lhe fosse dado um governador que se dedicasse inteiramente às necessidades de seus habitantes, ela voltaria ao seu antigo esplendor. Um memorial que ele endereçou a esse respeito ao governo da metrópole convenceu o Rei D. José. A terra dos paulistas recuperou o título de capitania que lhe pertencera durante tanto tempo, e em 1765 D. Luís Antônio de Sousa Botelho chegou para governá-la, munido de sábias instruções do Marquês de Pombal[61].

Nessa época, ou poucos anos antes, uma notável modificação começou a se operar nos paulistas. Os terrenos auríferos já tinham sido distribuídos,

---

[59] Abreu e Lima, *Sinopse.*
[60] Pizarro, *Mem. Hist.,* VIII, 1ª parte.
[61] Ob. Cit.

a caça aos índios estava proibida. Eles se viam, pois, obrigados a renunciar a atividades que exerciam havia mais de dois séculos. A agricultura foi o recurso de que se valeram. Construíram numerosos engenhos de açúcar e, nas regiões onde havia pastagens, dedicaram-se à criação de cavalos e gado. As atividades sedentárias a que se viam constrangidos levaram-nos a se habituar à vida em família. As velhas rivalidades se acabaram, e pouco a pouco suas maneiras se tornaram mais amenas. Embora fiéis à glória de seus antepassados, eles já não pensavam em imitá-los. Foram perdendo, necessariamente, os defeitos dos antigos desbravadores dos sertões, ao passo que nada os impedia de conservar as belas qualidades que tinham distinguido esses homens extraordinários. Mostravam-se corajosos sem serem cruéis, firmes sem serem rudes, francos sem serem insolentes. Para que pudessem se comunicar com as autoridades que vinham da Europa, tornaram-se tão corteses quanto elas. Alguns cultivaram louvavelmente a sua inteligência, e se a província não produziu mais um Antônio Raposo, um Fernão Dias Pais Leme, um Paschoal Moreira Cabral, em compensação podia vangloriar-se de ter sido o berço, nos tempos modernos, de homens como Alexandre de Gusmão, Gaspar Madre de Deus, José Feliciano Fernandes e desses ilustres irmãos, os três Andradas, que tanto contribuíram para dar ao Brasil sua independência.

Embora o tempo das expedições estivesse distante para os paulistas, seu novo governador, Luís Antônio de Sousa Botelho, forneceu-lhes em breve uma ocasião de satisfazerem o seu antigo gosto pela aventura. O Marquês de Pombal, sabendo dos imensos recursos existentes no Brasil, dedicava todos os seus esforços a essa bela terra. Conhecia-a mais do que todos os ministros que o haviam precedido e parecia que, por um momento, desejara transferir para o Brasil a sede da monarquia portuguesa. Receava que os espanhóis acabassem por se apossar de Guaíra, abandonada desde os tempos das invasões dos antigos paulistas, e que dali se espalhassem pouco a pouco pelo território brasileiro. Esse temor inspirou-lhe um projeto que pretendia assegurar um belo futuro à Província de São Paulo. Ordenou a Botelho que mandasse explorar os rios Iguaçu, Ivaí e Tibaí, destinados a constituir mais tarde preciosas vias de comunicação, e instalasse nas despovoadas terras banhadas por esses rios um posto que garantisse as possessões brasileiras e permitisse a sua expansão. As ordens de Pombal foram executadas pelo governador de São Paulo. Um grupo de paulistas embrenhou-se nos sertões banhados pelos afluentes do Paraná e, numa das margens do Igatimi, numa fértil região, foi construído um pequeno forte denominado Nossa Senhora dos

Prazeres, estrategicamente situado para conter a invasão dos espanhóis. Infelizmente, Pombal caiu em desgraça. Martim Lopes Lobo de Saldanha substituiu Botelho, desprezando inteiramente o que fizera o seu predecessor. Abandonou o forte Nossa Senhora dos Prazeres, e os espanhóis não tardaram a se apoderar dele, destruindo-se doze anos depois de fundação[62]. Se o grandioso projeto do Marquês de Pombal pudesse ter sido levado avante, a Província de São Paulo teria podido estender o seu território sem derramamento de sangue. Férteis regiões ainda despovoadas estariam hoje pontilhadas de fazendas e cobertas de numerosos rebanhos, e uma profusão de rios facilitariam a comunicação dos habitantes de São Paulo com o Paraguai.

Desnecessário é dizer que eles não escaparam aos rigores do sistema colonial. Seu comércio chegou mesmo a ser entravado, em várias épocas, por proibições que não atingiram outras partes do Brasil. Desde o ano de 1701 um edito real proibia aos paulistas enviarem víveres e gado à Província da Bahia. Em 1743, quando os habitantes de Minas Gerais dependiam de São Paulo, o número de suas fábricas de cachaça foi limitado, a fim de favorecer o comércio de Portugal. Enfim, mais recentemente, Antônio José da Franca e Horta, que assumiu o governo de São Paulo em 1802, proibiu a cabotagem aos habitantes do litoral e não permitiu que os agricultores enviassem seus produtos a um ponto mais distante do que Santos. Com essa medida ele arruinou todos os outros portos e colocou os colonos à mercê de três ou quatro negociantes, os quais formaram uma coalizão e se tornaram donos absolutos do mercado[63]. Não é do nosso conhecimento que tenha sido posta em dúvida a probidade de Horta. Se não havia, porém, nenhuma conivência entre ele e os negociantes de Santos, forçoso é convir que ele tudo fez para alimentar essa suspeita, sendo suas medidas ditadas por um capricho de má inspiração, hoje inteiramente inexplicável.

As desastrosas determinações de Antônio José da Franca e Horta permaneceram em vigor até o ano de 1808, quando então o Rei D. João VI, pondo-se em fuga diante da armada francesa, chegou ao Brasil. Um de seus primeiros atos foi abrir os portos do país às nações amigas, suprimindo o sistema colonial com todas as suas restrições e, em uma palavra, equiparando a Portugal a sua antiga colônia. Não se tratava ainda da independência do Brasil, mas era o seu prelúdio.

---

[62] Pizarro, *Mem. Hist.*, VIII, 1ª. parte. – D. P. Müller, *Ensaio Estatístico*. – Milliet e Lopes de Moura, *Dicionário*, I, II.
[63] Pizarro, *Memórias Históricas*, VIII, 1ª. parte.

A Capitania de São Paulo tirou grande proveito da nova ordem de coisas. Suas relações comerciais expandiram-se e se tornaram mais importantes; a cabotagem reiniciou sua antiga atividade; os agricultores, podendo vender mais vantajosamente os seus produtos, dedicaram-se com mais afinco à lavoura; os engenhos de açúcar e as plantações de café se multiplicaram; homens de todas as nações chegaram ao país, trazendo novas ideias e aperfeiçoando as técnicas existentes. Forçoso é dizer, porém, que os estrangeiros abusaram mais de uma vez da boa-fé dos paulistas, fazendo com que estes se tornassem justamente desconfiados e perdessem um pouco de sua antiga simplicidade, franqueza e hospitalidade.

Não foi por muito tempo que os paulistas puderam desfrutar em paz as vantagens de uma liberdade mais ampla. Em 1811 estourou a guerra entre o Brasil e os hispano-americanos do Rio da Prata. Para rechaçar os ataques destes últimos não era possível trazer soldados do Pará ou de Pernambuco. As capitanias do Rio Grande e São Paulo estavam muito mais próximas do território inimigo, e foram elas que forneceram as tropas. A bem da justiça, deveria ficar a cargo das outras províncias a manutenção dessas tropas, mas não foi o que ocorreu. São Paulo viu-se forçado não somente a fornecer homens como também suprir todas as suas despesas[64].

À época em que começou a haver o recrutamento de tropas para o Sul os paulistas desfrutavam havia muito tempo de uma grande tranquilidade, e sua consternação generalizou-se ainda mais ao verificarem que eram convocados tanto os homens solteiros quanto os casados. Em defesa de sua terra, todos eles – não duvidemos disso – teriam acorrido sem hesitar. Mas os homens recrutados entre eles iriam combater por uma causa que lhes era estranha, contra um povo de que jamais tinham ouvido falar. Para isso iriam distanciar-se centenas de léguas de suas famílias, sem esperança de revê-las por longo tempo e sem que lhes pudessem enviar notícias. Um grande número deles não teve coragem para tanto. Houve emigrações em massa, e a população de Minas Gerais aumentou sensivelmente à custa da de São Paulo. Não obstante, uma legião inteira, composta de soldados recrutados nessa capitania, tomou parte nas campanhas do Sul. Uma vez no exército, esses homens souberam corresponder ao que se exigia deles, mostrando que ainda corria em suas veias o sangue dos antigos paulistas. Recebiam como alimento algo com que já não estavam mais habituados, ou seja carne sem farinha[65] e sem sal;

---

[64] Eschwege, *Journ. Von Bras.*, II, tabela II.
[65] Os brasileiros substituem o pão pela farinha de mandioca ou de milho.

durante mais de dois anos não receberam o seu soldo[66]; suas roupas se desfaziam em farrapos e não eram substituídas. Não obstante, eles suportaram todas as privações e todas as fadigas com uma paciência admirável, combatiam ora a pé, ora a cavalo, e não se mostravam inferiores aos gaúchos, seus inimigos, na arte de atirar o laço. Como eles, galopavam velozmente pelos pampas da região oriental com incrível maestria. Finalmente, tão intrépidos quanto os soldados do Rio Grande, seus companheiros de armas, mostravam-se muito mais discipoinados do que estes, seguindo à risca os regulamentos. Distinguiram-se em vários combates, e foi principalmente à sua bravura que se deveu o feliz resultado da decisiva batalha de Catalan[67], cujo efeito imediato foi a rendição da importante cidade de Montevidéu.

A legião de São Paulo achava-se acantonada às margens do Rio da Prata quando, no final do ano de 1820, chegou ao Rio de Janeiro uma notícia que, apesar das dificuldades de comunicação, se espalhou com a rapidez de um relâmpago por todas as partes do Brasil. Essa notícia referia-se a um acontecimento que em breve iria mudar o destino desse vasto império. Portugal havia sacudido o jugo do poder absoluto e ia promulgar uma constituição liberal.

A revolução que acabava de ocorrer no seio da mãe-pátria despertou na maioria dos brasileiros um enorme entusiasmo, e por alguns momentos eles compartilharam com os portugueses de um sentimento de estreita fraternidade. Mas – convém que se diga – só as pessoas esclarecidas sabiam do que se tratava. O povo não entendia nem mesmo o sentido da palavra *constituição*, que corria em todas as bocas. Explicavam-lhe que isso significava o fim de todos os abusos de que vinha sendo vítima havia tanto tempo, e todo mundo jurou fidelidade à constituição antes mesmo que ela fosse feita.

Quando começou a revolução, os capitães-gerais se viram diante de uma embaraçosa alternativa, não sabendo se deviam ir contra o rei, negando-lhe o seu apoio. Mas, uma vez que o próprio soberano tinha renunciado ao seu poder absoluto, tornava-se claro que eles, seus representantes, deviam agir da mesma forma nas províncias. Entretanto,

---

[66] Fazia vinte e sete meses que os soldados de S. Paulo não recebiam nada quando foram vistos pelo autor, em fins de 1820, às margens do Rio da Prata. Se me for dado redigir a relação de minha viagem à Província do Rio Grande, aos campos de Montevidéu e às missões do Uruguai, voltarei a me referir à legião de S. Paulo, comandada então pelo Coronel Manuel Marquês de Sousa.
[67] A batalha de Catalan ocorreu no dia 4 de janeiro de 1817 (Abreu e Lima, *Sinopse*). Os paulistas eram comandados pelo Brigadeiro Joaquim de Oliveira Álvares, que o autor teve o privilégio de conhecer e do qual traçou o retrato no relato de sua viagem a Santa Cantarina.

habituados a governar despoticamente e receber tributos que chegavam às raias da idolatria, custou-lhes abrir mão do poder e lhes foi difícil contentarem-se com a presidência das juntas provisórias que foram criadas em toda parte e se verem quase em pé de igualdade com algumas pessoas que eles haviam tratado, até tão pouco tempo, com tanta altivez. Convenceram a si próprios de que a revolução acabaria por ser abafada, e não foi de boa vontade que prestaram a pôr em execução as novas leis. O povo não via neles senão os defensores dos interesses da tirania, que não podiam contar como partidários. A maior parte foi expulsa[68].

Mas as coisas não se passaram assim na Província de São Paulo. Foi instalado ali um governo provisório, em junho de 1821[69], que teve como presidente João Carlos Augusto d'Oeynhausen, o antigo capitão-geral. O ilustre José Bonifácio de Andrada exercia grande influência na província, sua terra natal. Julgou, com razão, que seus conterrâneos, sempre apegados ao seu rei e à sua família, saberiam respeitar a nova administração ao verem que ainda era chefiada por um homem que, originariamente, tinha sido escolhido pelo seu soberano e que, além do mais, se tinha feito amar por todas as suas qualidades pessoais. Deu, pois, apoio incondicional a João Carlos d'Oeynhausen, tendo este permanecido no seu cargo por muito mais tempo que os outros capitães-gerais[70]. Dessa maneira, a transição para o novo regime operou-se de forma menos brusca em São Paulo do que em outros lugares, não provocando nenhuma convulsão interna.

É indispensável que seja dada aqui uma ideia extata da revolução ocorrida no Brasil. No seu início – convém esclarecer – ela foi mais portuguesa do que americana. Até o mês de dezembro de 1821, o que se passou no Rio de Janeiro foi obra dos europeus, os quais contribuíram bastante para as revoluções que se operaram em cada província, em particular, sendo para isso auxiliados por algumas famílias brasileiras ricas e influentes, que queriam tomar o lugar dos antigos governadores. Quanto à massa do povo, seduzida inicialmente por brilhantes promessas cujo cumprimento aguardou em vão, em breve tornou-se indiferente a tudo o

---

[68] Seria fugir ao nosso assunto relatar os acontecimentos que se sucederam em cada uma das várias províncias do Brasil. As referências que fazemos aqui são, pois, todas de ordem geral.
[69] Data fornecida por Daniel Pedro Müller (*Ensaio Estatístico*)
[70] O autor tornou a vê-lo em abril de 1822 no palácio dos antigos capitães-gerais, que até então ele não tinha deixado. Esse homem excelente, cujo retrato o autor traçou em outra narrativa, fez-se amar e respeitar em todas as províncias que governou, e até hoje os habitantes de Mato Grosso dificilmente pronunciam o seu nome sem levarem a mão ao chapéu (Castelnau, *Expédition*, II)

que se passava. As pessoas pareciam perguntar a si próprias: "Não terei sempre de carregar o meu fardo?" O povo não tardou mesmo a lamentar a ausência do governo inteiramente pessoal de seus capitães-gerais.

Os franceses levavam avante, vitoriosamente, a revolução de 1789, que suprimia os privilégios legais usufruídos pelas classes favorecidas. No Brasil, a desigualdade não tinha sido realmente determinada por nenhuma lei. As injustiças de que as classes inferiores tinham tantos motivos de queixa eram causadas pelos abusos de poder a que se entregavam os ricos e os funcionários do governo. Mas foram precisamente esses homens que, no princípio, se puseram à frente da revolução. Não pretendiam senão diminuir a autoridade do rei para aumentar a sua própria. Expulsaram os capitães-gerais, mas de maneira alguma se interessaram pelos pobres, e estes indagavam sem cessar a quem poderiam recorrer em busca de proteção.

Os paulistas dedicavam havia tanto tempo um amor tão arraigado ao seu rei que, em 1822, vários meses depois que ele partira, os habitantes das zonas rurais ainda o consideravam como árbitro supremo de sua vida e da de seus filhos. Na sua opinião, ainda era ao rei que pertenciam os impostos, o pedágio dos rios, enfim, o país inteiro. Não havia um único lavrador da Província de São Paulo que não repetisse estas palavras: "Prometeram-nos tanta felicidade com essa constituição, e ainda vivemos em meio a contínuos temores. Outrora podíamos permanecer sossegados em nossas casas, agora somos forçados a deixar nossas mulheres e nossos filhos para ir restabelecer a paz no Rio de Janeiro ou em Minas. Não seria melhor se fôssemos governados pelo nosso rei, cumprindo ao nosso capitão-geral decidir tudo sozinho, e não por um bando de gente que vive brigando entre si e nos mandam de um para outro quando temos uma petição a fazer, sem mostrar a menor compaixão para com os pobres?"[71].

Não obstante, chegou o momento em que a revolução iria assumir um caráter mais nobre, tornando-se totalmente brasileira.

O povo português tinha-se sublevado, talvez, não tanto para enfraquecer a autoridade real quanto para restabelecer o controle de sua antiga colônia, cuja emancipação fora para ele motivo de grande desgosto. "Com efeito, essa emancipação relegava-o a um segundo plano, fazendo

---

[71] Depois de ter assistido à expulsão das tropas portuguesas no Rio de Janeiro, o autor viajou em 1822 para Minas e S. Paulo. Fazia quase seis anos que ele vivia no meio dos brasileiros, e já não era mais, para eles, um estrangeiro. As pessoas se abriram e ele sem reservas, a ele se achava capaz de responder a tudo que lhe diziam.

com que secasse uma das suas principais fontes de riqueza. Feria-o não só no seu orgulho como nos seus interesses. A assembleia das cortes de Lisboa julgou que, para se tornar popular, era preciso recolocar o Brasil sob o domínio da metrópole. Enceguecidos pelo orgulho nacional, os legisladores nem mesmo se tinham dignado a lançar os olhos sobre o mapa do Brasil. Um decreto desastrado e hipócrita reestabeleceu o sistema colonial; e incluindo no mesmo anátema o reino do Brasil e o jovem príncipe a quem D. João VI tinha confiado a regência, as cortes ordenaram a D. Pedro, já casado e pai de família, que retornasse à Europa, devendo viajar sob a proteção de um governador e ler com ele os *Discursos de Cícero* e a *Aventuras de Telêmaco*[72].

A princípio, D. Pedro pareceu disposto a obedecer às ordens da corte, mas sem dúvida agiu assim para fazer sentido aos brasileiros o quanto lhes era necessária a sua presença. Com efeito, sem esse príncipe deixaria de existir entre eles um fator de união. As províncias se separariam umas das outras, cada uma delas seria desmembrada, e o Brasil, entregue a terrível anarquia, teria tido o mesmo e triste destino das colônias espanholas.

Diante de circunstâncias assim tão difíceis, a Província de São Paulo deu um nobre exemplo. No dia 24 de dezembro de 1821 a junta que a governava foi à presença do príncipe e expôs todos os inconvenientes que iriam trazer a sua partida, conclamando-o a permanecer junto a um povo lhe era devotado. Os mineiros apoiaram a posição dos paulistas e, no dia 9 de janeiro de 1822, o conselho municipal do Rio de Janeiro recebeu de D. Pedro esta resposta célebre: *"Se a minha presença aqui pode trazer a felicidade de todos, diga ao povo que fico."*

Pela energia com que se pronunciaram contra as cortes de Lisboa e pela fidelidade de que deram provas com relação ao príncipe, os paulistas adquiriram o direito à eterna gratidão de todos os brasileiros. Devemos dizer, entretanto, que sua inexperiência nesses assuntos era tal que eles provavelmente teriam permanecido inativos se a Providência não tivesse colocado como seus chefes dois homens notáveis não só por seu talento como por seu patriotismo. José Bonifácio de Andrada e seu irmão Martim Francisco forçaram seus colegas a que os apoiassem, por sua ascendência sobre eles, e o Brasil foi salvo.

Alguns meses mais tarde D. Pedro acorreu a São Paulo com uma prontidão que demonstrava ao mesmo tempo a sua robustez física e

---

[72] Auguste de Saint-Hilaire, "Resumo das revoluções do Brasil, etc." em *Viagem pelo Litoral do Brasil*, e na *Revue des deux mondes*.

a energia do seu caráter, e no vale do Ipiranga ressoou o nobre grito: *"Independência ou morte!"*

Já se passou uma geração depois dessa época. D. Pedro, fundador de um dos mais vastos impérios do mundo, viu nascer a ingratidão no meio do seu povo, e foi morrer longe dele, no pequeno país onde tinha nascido. Seu filho subiu ao trono, e os brasileiros, depois de terem passado por tão duras provas, usufruem hoje, por meio de uma constituição perfeitamente adequada às suas necessidades, das vantagens de um sistema monárquico aliado a uma união federativa.

Tornando-se independente, e atravessando uma era de paz, o Brasil vem conseguindo progredir sensivelmente. Sua população está crescendo, seu comércio se expande e a agricultura começa a florescer.

Essas proveitosas mudanças nada são, entretanto, se comparadas ao que se pode esperar do futuro. Por sua vasta extensão, pelo tamanho de alguns de seus portos, a fertilidade de suas terras, a variedade de seus produtos e a inteligência de seus habitantes, o Brasil está votado a ter um dos mais brilhantes futuros. Mas há uma condição para que se possa cumprir o seu alto destino: a de que todas as suas províncias – livres e dotadas de administração própria – permaneçam unidas entre si e se congreguem todas em torno de um poder central.

Se algum dia os brasileiros, seduzidos por hipócritas conclamações e por enganosas promessas, deixarem de reconhecer esse poder central, o seu país não tardará a mergulhar numa terrível anarquia ou – melhor dizendo – não haverá mais Brasil.

Nas províncias separadas umas das outras se repetirão, em menor escala, as cenas que terão causado a desunião geral, e todas se desmembrarão. Assim, no momento mesmo em que ocorresse a sua separação, Curitiba se declararia independente de São Paulo; a cidade de Paranaguá, separada de Curitiba por montanhas quase inacessíveis, recusar-se-ia a se submeter à administração desta última. Originariamente povoada por mineiros, Franca não quereria ter nada em comum com as outras partes da atual província. Seria possível, mesmo, que se reacendessem de novo as antigas disputas entre São Paulo e Taubaté, e do belo nome de paulista nada mais restaria senão uma lembrança histórica.

Que os brasileiros se unam contra os ambiciosos que por acaso se empenhem em separá-los. Que diante do perigo iminente os paulistas cerrem fileiras e se lembrem da glória de seus antepassados, do inesquecível dia de 24 de dezembro de 1821, do nome dos Andradas; que se ponham em marcha e salvem mais uma vez a pátria comum, repetindo estas palavras de um bravo guerreiro, que tão bem se aplicam a eles: *Noblesse oblige*.

LIMITES, MONTANHAS, CURSOS D'ÁGUA, CLIMA.

Depois de ter abarcado dentro de seus limites cerca de um terço do Brasil, a Província de São Paulo, menos vasta hoje do que a de Goiás ou de Mato Grosso, ocupa ainda, entretanto, um território de 15 a 18.000 léguas quadradas[73]. Seus contornos são bastante irregulares; ora forma uma ponta que avança para dentro da província limítrofe, ora é esta que parece invadir o seu território. Situada quase que totalmente fora do Trópico de Capricórnio, ela se estende desde os 20° 30' de lat. Sul aos 28°, tendo 135 léguas de comprimento de norte a sul e uma largura média de 100 léguas no sentido leste-oeste[74]. Ao norte é limitada pelas províncias de Minas Gerais e Goiás; ao nordeste pela do Rio de Janeiro; a leste pelo Oceano Atlântico; ao sul pelas províncias do Rio Grande de S. Pedro do Sul e Santa Catarina; a oeste por Mato Grosso e por uma parte das antigas colônias espanholas[75] ou, melhor dizendo, desse lado a província se confunde com os sertões.

Mais vantajosamente situada que as províncias centrais de Minas Gerais e de Mato Grosso, São Paulo conta com um vasto litoral, e muito embora os seus portos não comportem, de um modo geral, navios de

---

[73] Eschwege calcula essa superfície em aproximadamente 15.000 léguas (*Brasilien*, II), e o autor do *Ensaio de um Quadro Estatístico da Província de S. Paulo*, em 19.400.

[74] Tomo essas cifras ao Abade Manuel Aires de Casal, cujo livro foi publicado à mesma época de minha viagem (ver *Corog. Bras.*, I). Devo dizer, porém, que o autor do *Ensaio*, obra que apareceu entre 1838 e 1839, situa a Província de S. Paulo entre os 19°40 e os 27°12' graus de lat. Sul, ajuntando que a província mede, de leste a oeste, 235 léguas. A diferença de latitude registrada pelos dois autores é devida, sem dúvida, a erros de cálculo ou alguma alteração que terá havido, depois de minha viagem, nos limites das províncias. É possível, também, que se deva às duas causas juntas. Quanto à diferença de quase dois terços existente entre os dois autores das obras citadas, com referência à extensão de leste a oeste, ela decorre provavelmente do fato de que Casal levou menos em conta que o autor do *Ensaio* o território ocupado pelos índios selvagens. – Milliet e Lopes e Moura situam (*Dic.*, II) o território de S. Paulo entre o 23° e o 26° graus. Talvez eles tenham tomado como base, para a primeira dessas cifras, a anexação que foi feita de uma parte da Província de S. Paulo à do Rio de Janeiro, após a insensata revolta de 1842. Mas essa anexação foi apenas provisória e não alterou de forma definitiva os limites das duas províncias (ver os discursos pronunciados por ocasião da abertura das assembleias legislativas provinciais de S. Paulo, desde 1843 a 1847).

[75] Eu já disse (*Viagem à Província de Goiás*) que na estrada de Goiás ao Rio Grande forma o limite setentrional de S. Paulo. Darei a conhecer, de forma igualmente precisa, os seus outros limites, à medida que o meu relato foi progredindo.

grande calado, a província pode manter relações diretas com a Europa e exportar facilmente os excedentes de seus produtos.

O porto de Santos, que de certa maneira faz parte da cidade de São Paulo, é o único da província capaz de receber navios de guerra. Os navios mercantes aportam a São Sebastião, Cananéa e Paranaguá; os portos de Ubatuba, Itanhaém, Iguapé e Guaratuba servem apenas à navegação costeira[76].

A cordilheira que se estende, como já disse em outro livro[77], ao longo de uma grande parte do Brasil e a pouca distância do mar (Serra do Mar)[78], divide a Província de São Paulo em duas partes bastante desiguais, o litoral (Beiramar) e o planalto (Serra Acima). Essa última expressão bastaria para indicar que, a oeste da cordilheira marítima, a altitude não é a mesma encontrada à beira do mar. Com efeito, do outro lado da cordilheira estende-se o imenso planalto que forma uma grande parte do Brasil e cuja altitude média é, segundo Eschwege, de 761,72m[79]. Por conseguinte, para se transpor a cordilheira do lado ocidental não se tem de subir tanto quanto do lado oposto. Torna-se mesmo evidente que, acima da cidade de Santos, a Serra não passa de uma encosta bastante acidentada e abrupta do planalto, já que, atingindo-se o seu ponto culminante, vê-se apenas, numa extensão de 7 ou 8 léguas, até São Paulo, uma planície ondulada, cujo declive é insignificante[80].

Já disse em outro trabalho[81] que, depois de atravessarmos a Serra do Mar para ir do Rio de Janeiro a Minas Gerais e tomarmos a direção norte-nordeste, encontramos uma segunda cadeia que se vai perder no norte do Brasil. Essa cadeia (Serra do Espinhaço, Eschw.), na qual se erguem picos notáveis pela sua altura e pela variada vegetação que os cobre, parece começar na Província de São Paulo com a montanha de Jaraguá, próxima da capital da província[82]. Antes de tomar o rumo quase setentrional que segue até Minas, a cadeia se desvia bastante para o oeste e mantém essa direção até o ponto em que deixa de pertencer a São Paulo[83].

---

[76] Esch., *Bras.*, I; - Piz., *Mem. Hist.*, VIII; - *Ensaio*.
[77] Ver minha *Viagem pelas Províncias do Rio de Janeiro e de Minas Gerais*.
[78] O nome de Serra do Mar é o que se dá geralmente à cordilheira marítima. Na Província de S. Paulo ela é chamada também de Serra de Cubatão, mas esse nome se aplica mais especialmente à parte da cadeia que se encontra entre Santos e S. Paulo. O antigo nome tomado aos índios, Serra da Paranapiacaba, também não caiu totalmente em desuso.
[79] *Brasilien*, II.
[80] Varnh. *In* Eschw., *Journ.*, II.
[81] *Viagem pelas Províncias do Rio de Janeiro*, etc.
[82] *Ensaio de um Quadro*, etc. – Kidd., *Sketches*.
[83] *Viagem às Nascentes do Rio de S. Francisco*.

Com o seu trecho inicial localizado inteiramente nessa província, ela logo passa a servir de limite entre esta e a Província de Minas Gerais, com o nome de Serra da Mantiqueira, nome esse que conserva numa boa parte de toda a sua extensão. O espaço compreendido entre a cordilheira marítima e a Serra da Mantiqueira, na Província de Minas Gerais e nas do Rio de Janeiro e do Espírito Santo, não se estende por menos de 3 ou 4 graus e apresenta uma profusão de montanhas e vales profundos, sendo coberto ininterruptamente por sombrias florestas virgens. Na Província de São Paulo a Serra da Mantiqueira aproxima-se bastante do mar. Ali, o intervalo entre as duas cadeias não passa de uma espécie de bacia estreita, que não chega a ter ½ grau de largura. Esse trecho mostra-se montanhoso e coberto de matas[84] próximo dos limites com o Rio de Janeiro, mas depois de Taubaté torna-se muito regular ou levemente ondulado, oferecendo uma agradável alternativa de matas e pastagens. O fato de se aproximarem tanto uma da outra as duas cadeias não deve levar à conclusão de que, na sua extremidade, a Serra da Mantiqueira forma um ângulo agudo com a cadeia marítima, confundindo-se com ela. Percorri a Província de São Paulo em todo o seu comprimento, desde a fronteira com o Rio de Janeiro até a de Santa Cantarina, e estou convencido de que, embora em certos pontos existam contrafortes entre as duas cadeias, elas não se originam no mesmo lugar. Quando nos dirigimos para São Paulo, afastando-nos do Morro de Jaraguá, distante da cidade cerca de 3 léguas – e no pressuposto, como já disse, de que ele constitua a extremidade da Serra da Mantiqueira – verificamos que o solo se vai aplainando gradativamente, acabando por se transformar numa extensa planície ondulada e rodeada de morros que se unem ao de Jaraguá. Abaixo de São Paulo há um desnível de 15 a 30 metros[85]. Depois, até a descida da Serra do Mar, no caminho de Santos, estende-se outra planície ondulada de algumas léguas de extensão.

A Província de São Paulo é pelo menos tão bem irrigada quanto a de Minas e o sul de Goiás. É bem verdade que não se encontra nela um curso d'água que, no presente, seja navegável numa extensão tão grande quanto o Araguaia, o Tocantins e o São Francisco. Todavia, situada à beira do mar, ela tem menos necessidade de uma navegação fluvial do que as províncias Centrais, e com o passar do tempo vários de seus rios, livres dos obstáculos que hoje os embaraçaram e auxiliados, nos trechos difíceis, por canais laterais, poderão tornar-se úteis meios de comunicação.

---

[84] Desnecessário é dizer que incluo aí as terras cultivadas, na época atual ou em outros tempos. Se agora não se vêem matas nelas, não faz muitos anos que eram cobertas de árvores.

[85] Fried. Varnh. *In* Esch., *Journ.*, II.

Uma profusão de rios poderá dar acesso ao Paraná, que fará escoar pelo Paraguai e Entre Rios os produtos das zonas tropicais da província, ao passo que o Paraíba levará, ao norte, até os Campos dos Goitacases, os produtos europeus e caucásicos dos Campos Gerais e de Curitiba. Na verdade, já há muito tempo que os paulistas aproveitaram o Tietê para iniciar essa gigantesca e arriscada navegação fluvial, que os levava até Cuiabá. E se, por ocasião de minha viagem, o comércio tinha abandonado esse meio de transporte, por razões que explicarei mais tarde, o governo ainda se servia dele para fazer chegar ao Mato Grosso tropas e munição de guerra. Como acontece com o Tietê, é no Paraná que se lançam direta ou indiretamente os rios que, ao sul do ponto onde começa a Serra da Mantiqueira, nascem na vertente ocidental da Serra do Mar, e entre eles há alguns bastante caudalosos. Os que descem pela vertente oriental não podem ter um curso extenso, mas são muito úteis aos agricultores ribeirinhos para o transporte de seus produtos aos portos mais próximos. As águas que, compreendidas na bacia situada entre a Serra da Mantiqueira e a Serra do mar, se escoam das duas vertentes opostas, vão desaguar, ao sul, no Tietê, e ao norte no Paraíba – rios esses que após correrem paralelos na banda ocidental, se afastam um do outo, seguindo o primeiro a direção do noroeste e o segundo a do nordeste.

Talvez seja possível dizer que, de uma maneira geral, o clima de São Paulo convém mais à nossa espécie que o da maioria das outras partes do Brasil. Mas não é difícil entender que não seria possível reinar uma temperatura igual em todos os pontos de uma região que é ao mesmo tempo intra e extra-tropical, abarcando 8 graus de latitude, e que ora chega ao nível do mar, ora se eleva para formar um planalto mais ou menos desigual. Não só em relação ao clima como em relação a outras coisas, a Província de São Paulo é naturalmente dividida em duas regiões pela cadeia marítima. Uma, que abarca todo o litoral, é mais quente e menos salubre do que a outra, de clima mais temperado e mais saudável. Na primeira a temperatura não varia muito de norte a sul. Em contraposição, no planalto apresenta diferenças mais sensíveis. Se procurarmos avaliar o clima das diversas partes da província através do estudo de sua vegetação, verificamos que, com relação aos produtos do solo, principalmente os cultivados, o clima da extremidade sul do planalto corresponde aos dos distritos mais setentrionais.

Do outro lado dos morros que formam a cadeia marítima, as diferenças de temperatura nos vários meses do ano são muito mais sensíveis do que nos paralelos menos afastados da linha equinocial. À beiramar, entretanto, não existe a mesma desigualdade, o que, de resto, só vem confirmar uma regra geral bastante conhecida dos meteorologistas.

Como em Minas e Goiás, distinguem-se no planalto de São Paulo duas estações: a das chuvas, que, conforme o lugar e talvez o ano, começa em outubro ou novembro, e a da seca, que começa em março ou abril. Essa divisão não é tão acentuada no litoral[86]. As chuvas são praticamente intermitentes e, segundo se afirma, em Santos caem fortes chuvas durante uma grande parte do ano, o que Mawe e Eschwege atribuem à localização da cidade, construída – dizem eles – entre elevadas montanhas[87].

O trecho seguinte, onde trato da vegetação da Província de São Paulo, ajudará talvez a explicar melhor o que acabo de dizer sobre a temperatura dessa província.

VEGETAÇÃO

Florestas uniformes cobrem a parte da Província de São Paulo mais próxima do Rio de Janeiro, bem como todo o litoral e a Serra do Mar, chegando mais ou menos até o planalto. A Serra da Mantiqueira é igualmente coberta de matas, as quais, como as primeiras, formam um vasto e uniforme conjunto. Quanto ao planalto propriamente dito, apresenta alternadamente extensas matas e férteis pastagens.

A Província de Minas Gerais que, situada inteiramente nos trópicos, não conhece o inverno e é cortada pelas montanhas mais elevadas do Brasil, deve naturalmente possuir uma flora muito mais rica que a de São Paulo. Estou disposto a acreditar que, de um modo geral, encontraremos uma enorme diferença entre o número de espécies que crescem numa légua quadrada da primeira dessas províncias e o entrado em idêntica extensão de terra, em São Paulo. No entanto, se nos limitarmos a comparar as duas regiões unicamente na parte referente às diferentes formas que

---

[86] Aqui está como se exprimia a respeito o venerável Pe. Anchieta, em 1560: "In hac parte Brasiliae quae S. Vincentius dicitur... nec veri certum tempus, nec hyemi potest assignari; perpetuâ quâdam temperie conficit sol cursus suos, ita nec frigore horret hyems, nec calore infestatur aestas; nullo tempore anni cessant imbres, adeo ut quarto, tertio, aut secundo etiam quoque die alternis vicibus sibi pluria solque succedant... Paratiningae autem at aliis quae ipsam versus occasum subsequantur locis ita a naturâ comparatum est, ut si quando ardentiore calore (cujus maxima a novembri ad martium vis est) dies aestuaverint, pluviae infusione capiat refrigerium, quod et hic usu venit... Hyeme vero (exacto autumno qui a martio incipiens mediâ quâdam temperie conficitur) suspenduntur pluviae, frigoris autem vis horrescit, maxima junio, julio et augusto; quo tempore et sparsas per campos pruínas omnem fere arborem et herbam perurentes saepe vidimus" (*Epistol. In Notic.* Ultramar., I).
[87] *Travels. – Journ. Von Bras.*, 76.

caracterizam o conjunto de vegetação de cada uma, verificaremos que a Província de São Paulo não oferece menos diversidade de espécies que a de Minas. Se, por um lado poderíamos procurar em vão, em São Paulo, as florestas anãs, denominadas carrascos[88], onde predomina a *Mimosa demetorum,* Aug. S. Hil., e as caatingas que, sob o calor dos trópicos, se assemelham em junho e julho às nossas florestas despojadas de suas folhas[89], por outro lado, veríamos que Minas não conhece a vegetação marítima, e as araucárias (pinheiros-do-paraná) espalhadas em algumas matas da comarca de São João del Rei nos dariam apenas uma ideia imperfeita das imensas florestas formadas por essa árvore majestosa nos Campos Gerais.

Percorrendo rapidamente a Província de São Paulo de norte a sul, tentarei dar uma ideia das diversas formas de vegetação que nela se vão sucedendo.

A partir da fronteira do Rio de Janeiro até a estrada de Minas Gerais, passando por Santa Maria de Baependi, encontramos uma região montanhosa e matas virgens semelhantes às das cercanias da capital do Brasil. As árvores têm o mesmo vigor, as palmeiras e as embaúbas (Cecropia) são igualmente abundantes e o verde da vegetação tem as mesmas tonalidades escuras. Depois do povoado de Cachoeira, nas vizinhanças de Lorena e Guaratinguetá, aproximadamente a 22°46' de lat. sul, o terreno, pantanoso e geralmente misturado com um pouco de areia, apresenta quase que uniformemente uma vegetação raquítica, mas que no entanto ainda pertence, nos seus mínimos detalhes, à flora do Rio de Janeiro. Ali, como nos pantanais da paróquia de Santo Antônio da Jacutinga, só se veem árvores e arbustos de pouca folhagem, hastes finas, ramos curtos e quase eretos. A cerca de uma légua de Guaratinguetá a vegetação dos brejos desaparece inteiramente, mas é difícil dizer se o que temos diante dos olhos é o resultado da obra destruidora do homem ou se, em algumas partes, a vegetação sempre foi assim. Em nenhum trecho se encontram verdadeiras florestas virgens. Em alguns pontos se vêem uns poucos arbustos e árvores espalhados no meio das gramíneas em outros eles aparecem em grupos mais compactos, formando uma extensa e espessa cobertura entremeada de Mimosáceas espinhosas. E quando o caminho atravessa essas matas temos a impressão de que estamos

---

[88] Nas vizinhanças de Castro, arraial que pertencia aos Campos Gerais, as sarças que crescem em terras ruins e nos pastos frequentemente tosados pelo gado têm um aspecto bastante semelhante ao dos carrascos, mas essa semelhança é apenas aparente.

[89] Ver *Viagem pelas Províncias do Rio de Janeiro e Minas Gerais,* VII.

passando entre encantadoras sebes que orlam os jardins das redondezas do Rio de Janeiro.

É Pindamonhangaba, a 22°55" de lat. sul, que marca o limite da flora da capital. Mais adiante, as terras apresentam uma maravilhosa alternativa de matas, algumas muito exuberantes, outras mais pobres, de pastagens secas ou úmidas, de alguns brejos totalmente desprovidos de árvores e de outros onde se veem árvores e arbustos de hastes finas. As terras situadas entre Pindamonhangaba e São Paulo estão entre as que apresentam maior variedade de vegetação. Encontrei aí plantas que não tinha visto em nenhuma outra parte, e no entanto já fazia quase seis anos que eu percorria o Brasil, recolhendo plantas em todo lugar com um zelo incansável.

Se, vindo de Vila Boa, passarmos pelo Rio Grande, limite da Província de São Paulo, para ir à cidade do mesmo nome, veremos que a vegetação dos campos de Goiás e do São Francisco se vai alterando gradativamente. Antes da fronteira, a aproximadamente 22° de lat. sul, o esbelto buriti (*Muritia vinífera*) estará sempre presente, elevando-se majestosamente dos brejos, os quais não têm mais nada a oferecer ao botânico senão as humildes plantas rasteiras que medram nesses terrenos esponjosos. Durante muito tempo atravessamos ainda campos salpicados de árvores retorcidas e raquíticas, pertencentes, com poucas exceções, às espécies que observamos a partir do 14°, mais ou menos. Pouco a pouco, entretanto, outras pastagens, compostas simplesmente de gramíneas e de subarbustos, vão substituindo os primeiros, que se tornam cada vez mais raros. As espécies continuam as mesmas, em sua maioria, à medida que avançamos para o sul, e em consequência a vegetação se mostra pouco variada. O capim-flecha se mistura com as outras gramíneas, como ocorre nos campos elevados de São João del Rei, servindo também ali de excelente forragem para o gado.

Nas proximidades da cidade de Mogi Mirim, a 22°20 de lat. sul, os grupos de árvores, disseminados pelas pastagens, são muito mais extensos do que em qualquer outro lugar, a partir de Santa Cruz de Goiás, e nos trechos outrora desmatados encontramos de novo a grande samambaia *(Pteris caudata,* ex Mart.)* que no leste de Minas toma o lugar das florestas virgens, mas que ainda não tínhamos visto em Goiás. Essas matas, tão numerosas e tão extensas, que caracterizam as vizinhanças de Mogi, são como que os arautos de uma completa mudança no aspecto da vegetação. A cerca de 4 léguas dessa pequena cidade os

---

* Trata-se. provavelmente, de *Pteridium agniliram*. (M.G.F.)

campos desaparecem inteiramente, dando lugar a uma imensa floresta. Sabe-se que em Minas a *região dos campos* tem por limite as terras montanhosas, e é substituída pela *região das florestas* no momento em que o terreno deixa de ser regular ou ondulado[90]. Não é o que ocorre ali, porém. Quando começam as grandes matas as terras ainda se apresentam tão planas quanto antes, e só depois de percorremos umas doze léguas é que encontramos pequenos morros, como o de Jundiaí, a 23°2 de lat. sul. A 6 ou 7 léguas de São Paulo, aproximadamente, já não encontramos senão a samambaia-gigante, cujas folhas velhas, completamente secas e mais numerosas que as novas, dão aos campos um aspecto cinzento e triste. Essa região foi outrora totalmente coberta de matas. Faz quase três séculos que começou a ser habitada por homens da nossa raça, não sendo, pois, de espantar que as árvores tenham sido destruídas. Aproximando-nos de São Paulo, as terras se tornam mais irregulares, acabando por se transformar numa vasta planície ondulada, e os campos apresentam então, no meio das gramíneas rasteiras, numerosos mas poucos extensos grupos de árvores, muito próximas uma das outras, formando uma espécie de mosaico em dois tons de verde muito diferentes: o das gramíneas, claro e agradável à vista, e o das árvores, de um matiz muito escuro. Não podemos deixar de conjecturar se esses grupos de árvores não constituem os restos da floresta que começa nas proximidades de Mogi Mirim, e se essa região não teria sido outrora coberta de matas até São Paulo. A natureza da vegetação poderia levar-nos a pensar assim, mas a topografia do terreno e a totalidade dos dados históricos refutam essa hipótese. Sem a ajuda desses últimos ficaríamos na mesma incerteza em que nos encontramos na Europa com relação vegetação original da maioria dos nossos campos. Assim, não posso considerar inútil para a ciência o meu trabalho no sentido de tornar conhecida a topografia botânica das diversas regiões que já visitei e cuja a vegetação primitiva ainda não desapareceu. Dessa maneira as futuras gerações ficarão sabendo como eram esses belos campos antes de se transformarem nos milharais, mandiocais e canaviais que um dia os cobrirão. E talvez algum amigo da Natureza irá lamentar o desaparecimento das belas flores dos campos, das majestosas florestas virgens, das lianas que se estendem em elegantes festões de uma árvore a outra, da voz imponente da selva.

---

[90] Ver meu *Tableau de la vègètation primitive dans la province de Minas Gerais*, publicado nos *Annales des sciences naturelles*, setembro de 1831, e nos *Annales des voyages*.

A cidade de São Paulo fica situada a 73,19 metros acima do nível do mar, a 23°33'10" de latitude sul[91]. Isso basta para mostrar que seu clima convém perfeitamente às plantas europeias e caucásicas e que sua flora nunca poderia ser a mesa do Pará, da Bahia, de Pernambuco, ou mesmo de Minas ou dos sertões próximos de Contendas e de Salgado[92]. O grupo das Chicoriáceas, praticamente ausente das províncias setentrionais do Brasil[93], tem dois representantes nos campos úmidos de São Paulo. A maioria das espécies que recolhi nas vizinhanças dessa cidade se relaciona com famílias que também existem na França, e há mesmo algumas que pertencem a alguns gêneros da nossa flora, como a *Viola gracillima,* Aug. de S. Hil. um *Juncus,* a *Villarsia communis,* a *Anagallis tenella,* var. *filiformis* Aug. de S. Hil, e e Gir., e a *Utricularia oligosperma.* Aug. de S. Hil., que se confunde, à primeira vista, com a utriculária comum *(Utricularia vulgaris,* L.) Várias plantas europeias, trazidas provavelmente de mistura com sementes de legumes, aclimataram-se nessa região, entre elas o *Polycarpon tetraphyllum,* L., que cresce nos muros. O *Antirrhinum orontium,* L., e a *Silene gálica,* L., são também duas das ervas daninhas que vi numa horta, tendo eu encontrando igualmente, na própria cidade de São Paulo, o *Marrubium vulgare,* L., e o *Conium maculatum,* L. Todas as plantas ornamentais que enfeitavam nossos antigos canteiros são cultivadas com sucesso nas redondezas da cidade. Em fins de novembro florescem aí os cravos, flor preferida do lugar, os botões-de-ouro, as papoulas, as ervilhas-de-cheiro, as saudades, as maravilhas, os cravos-da-índia, etc.[94]. Os morangos, tão saborosos quanto os da França e da Alemanha, também abundam na mesma época em todas as hortas. Os pessegueiros florescem, segundo me disseram, nos fins do mês de agosto. Agora acabam de perder todas as folhas, mas em breve terão nova folhagem. Todos os anos as ameixeiras, os abricoteiros, os marmeleiros, as nogueiras, as castanheiras – sem falar nas laranjeiras, limoeiros, figueiras e romãzeiras – dão seus frutos, em maior ou menor abundância, alguns bons, outros medíocres, os quais podem ser colhidos em feverei-

---

[91] Eschw., *Brasillien die neue Welt,* II. – Segundo as observações do Capitão King *(in* Pedro Müller, *Ensaio de um Quadro Estatístico),* o ponto mais elevado da cidade de S. Paulo corresponderia ao Cume da Serra do Mar à altura da estrada de Santos, o que equivaleria a 375 braças ou 825 metros.
[92] Ver *Viagem pelas Prov. do Rio de Janeiro e M. Gerais.*
[93] Só encontrei uma única Chicoriácea em toda a região da Província de Goiás onde recolhi plantas.
[94] *Dianthus caryophyllus,* L., *Ranunculus acris,* L., *Papaver orientale, Lathyrus odoratus,* L., *Scabiosa atropurpurea,* L., *Calendula officinalis,* L., etc.

ro ou no começo de março. No fim de novembro de 1819 as macieiras e amoreiras ainda estavam em flor. Mas se o clima temperado de São Paulo propicia o cultivo dessas diferentes árvores, por outro lado não é tão favorável às vinhas como certas regiões tropicais. Enquanto que em Sabará, Meia-Ponte e Paracatu, por exemplo, as vinhas produzem duas vezes por ano – e talvez produzissem mais se se multiplicasse a poda[95] – em São Paulo elas só fornecem a colheita anualmente, permanecendo despojadas de suas folhas durante todo o inverno. A floração começa – segundo me afirmam – em fins de outubro, e as uvas amadurecem em janeiro ou fevereiro. De todas as nossas árvores frutíferas, o pessegueiro é o que melhor se adaptou ao clima da região, sendo o mais comum não somente nas vizinhanças de São Paulo como em todo o Brasil extra-tropical. A pereira, pelo contrário, produz menos e com mais dificuldade aí, e mesmo no Prata, do que a maioria de nossas árvores, tendo eu sido informado de que, para começar a dar frutos, essa árvore demora muito mais anos em São Paulo do que na Europa. As cerejeiras não são muitos numerosas e também não dão bons frutos. De resto, não devem causar surpresa as diferenças que assinalo aqui, pois, à medida que nos aproximamos do norte da Europa, encontramos pereiras e cerejeiras ainda carregadas de frutos muito tempo depois que já desapareceram os abricós, os pêssegos e, principalmente, os figos e as romãs.

Depois de deixarmos São Paulo, seguimos por um planalto na direção da fronteira meridional da província. Antes, porém, desviamo-nos um pouco para o noroeste, a fim de visitar as cidades de Itu e Porto Feliz.

Num trecho de cerca de 12 léguas a região é bastante semelhante à que acabamos de atravessar antes de chegar a São Paulo, vindo de Goiás. As terras ainda se mostram agradavelmente entremeadas de campos e grupos de árvores baixas, onde predominam as Mirtáceas, a Anacardiácea denominada aroeira *(Schinus)*, o *Baccharis*, tão comum vulgarmente chamado alecrim-do-campo, etc. Trechos de considerável extensão mostram-se cobertos pela barba-de-bode *(Choetaria pallens,* var. y, Nees)*, gramínea que cresce em tufos e é encontrada em diversos pontos elevados da parte meridional de Minas Gerais.

A cerca de 12 léguas da cidade de Itu o terreno se torna muito montanhosos e a vegetação muda inteiramente de aspecto. Uma extensa floresta substitui os pequenos tufos de árvores entremeados de campos.

---

[95] Ver os três Relatos que já publiquei.
* A barba-de-bode tem hoje o nome científico de *Aristida pallens*. (M.G.F.).

Como seguimos na direção geral do norte para chegar o Porto Feliz e estamos sempre descendo, já que acompanhamos o curso do Rio Tietê, iremos entrar, naturalmente, numa região muito mais quente do que a cidade de São Paulo. A 3 léguas de Itu, a aproximadamente 23°27', tornamos a encontrar um campo onde se erguem, no meio das gramíneas e dos subarbustos, algumas árvores raquíticas e em grupos compactos, de casca suberosa e folhas duras e quebradiças. Ali voltaremos a ver ainda as espécies que viemos encontrando desde o 14°, em terras semelhantes, tais como uma Gutífera e uma Leguminosa amigas dos climas quentes, bem como o pequi de fruto comestível *(Caryocar Brasiliensis,* Aug. de S. Hil., Juss., Camb.), algumas *Qualea* e até mesmo o boralé *(Brosimum)* dos sertões setentrionais de Minas Gerais[96].

Campos semelhantes *(tabuleiros cobertos)*** existem também perto de Sorocaba, cidade situada a cerca de 5 léguas e meia de Porto Feliz, mais ou menos à altura de 23°20'. É aí o limite desse singular tipo de vegetação, que pertence essencialmente às regiões setentrionais. Os campos naturais, usados como pastagens, que iremos atravessar até os limites da Província de São Paulo, e mais adiante ainda, os do Rio Grande, os das missões do Uruguai, enfim, os campos de Montevidéu e de Buenos Aires, todos eles são cobertos simplesmente de gramíneas.

Não se deve crer, entretanto, que não vamos encontrar uma vegetação intermediária entre os campos salpicados de árvores raquíticas e retorcidas e as pastagens propriamente ditas. É raro não haver transição na Natureza. A pouca distância de Sorocaba uma pequena palmeira de folhas sésseis aparece em abundância entre os tufos de gramíneas, e em alguns pontos veem-se pequenas árvores, entre as quais identificam-se algumas Mirsináceas.

A algumas léguas de Sorocaba encontramos também, no meio dos brejos, um tipo de vegetação que já observamos muitas vezes em Minas e Goiás[97]. Grupos de árvores, sempre localizados nas partes mais baixas desses brejos e formando longas fileiras, apresentam uma espessa cobertura de arbustos e árvores de troncos finos e longos, quase sempre ramificados desde a base. Entretanto, nessa região como em Minas, os

---

[96] Encontramos um campo do mesmo tipo muito distante dali, na direção do sul, perto de um lugar denominado Caxambu, o que constitui uma exceção realmente extraordinária.

** Trata-se dos cerrados, relativamente frequentes em São Paulo, embora sejam mais extensos em Mato Grosso, Goiás e Minas Gerais. (M.G.F.)

[97] Ver *Viagem pelas Prov. do R. de Janeiro e M. Gerais Viagem às Nascentes do R. S. Francisco e à Província de Goiás.*

brejos não me parecem apresentar uma variedade de plantas tão grande como os da Europa.

    Os campos que atravessamos depois de Sorocaba mostram-se entremeados por pequenas matas de razoável extensão. Os pastos, excelentes para o gado, compõem-se principalmente de gramíneas, sendo inexistentes neles as árvores e raros os subarbustos. Quanto às matas, algumas apresentam uma vegetação bastante exuberante, mas nenhuma tem imponência das florestas primitivas do Rio de Janeiro. Unicamente um naturalista que se dispusesse a se fixar na região poderia descrever pormenorizadamente as árvores dessas matas e dizer a que gêneros e espécies pertencem. O estudo das plantas dos campos é bem mais fácil. Entre essas encontramos muitas que não são vistas ao norte da zona tropical. Há, porém, muitas que crescem igualmente em Minas e Goiás e nas regiões setentrionais da Província de São Paulo.

    Para termos uma ideia mais precisa da vegetação da região que acabo de mencionar, tomaremos como exemplo cento e trinta e duas espécies de plantas recolhidas em janeiro nas redondezas de Sorocaba, num trecho de aproximadamente 34 léguas, partindo dos 23°20 até os 24° mais ou menos, nas vizinhanças do Rio Tereré ou Itararé, e faremos uma comparação com idêntico número de espécies recolhidas, em fins de julho e começo de agosto, entre Meia-Ponte, a cidade de Goiás, a Aldeia de São José e o Rio Claro, região que certamente não é mais elevada do que a parte de São Paulo de que nos ocupamos no presente, uma vez que se acha próxima do grande divisor das águas do norte do Brasil e do sul (Serra do Corumbá e do Tocantins). As cento e trinta e duas espécies de São Paulo pertencem a quarenta famílias, e as de Goiás a quarenta e seis. Entre as primeiras, apenas sete grupos não se incluem na flora da França, ao passo que nas segundas esse número chega a quinze. As melastomáceas e as Malpiguiáceas, tão comuns nos trópicos, raramente aparecem entre Sorocaba e Itararé. Por outro lado, em lugar das quatorze Papilonáceas que vimos nesse trecho, encontramos apenas seis entre as cento e trinta e duas plantas de Goiás. Às três Labiadas que achamos em São Paulo se sobrepõem nove em Goiás. Todas, porém, pertencentes ao grupo de Hiptidáceas, estranhas à Europa. Dois grupos apenas, as Acantáceas e as Mirtáceas, encontradas na Europa, incluem em Goiás mais espécies que em São Paulo. Nas duas regiões a família das Compostas é a que apresenta maior número de espécies. Depois dela vêm, em Goiás, as Mirtáceas, as Labiadas, as Acantáceas e as Melastomáceas, e em São Paulo as Papilonáceas, quase tão numerosas quanto as próprias

Compostas. Desnecessário é dizer que em outras estações encontraríamos diferenças mais ou menos sensíveis. Unicamente uma flora completa das duas regiões poderia fornecer-nos os meios de estabelecemos uma perfeita comparação entre as duas. Estamos longe, porém, desse ideal. Temos de nos contentar, pois, com simples estimativas.

Uma família essencialmente europeia e totalmente estranha a Goiás, a das Coníferas, encontra na região de São Paulo, de que estamos tratando, um nobre representante, a imponente *Araucaria angustifólia*, a mais bela e mais útil de todas as árvores do Brasil extra-tropical. É aproximadamente a 9 léguas antes de Itararé que começamos a encontrá-las. Podemos, assim considerar a latitude de 23°39 ou 40' como sendo, no planalto de São Paulo, o seu limite setentrional. Essa Conífera é encontrada na parte mais meridional da Província de Minas Gerais, entre os 21°10' e os 21°55', mas uma altitude de 1.066,450 metros[98], ao passo que nos é difícil calcular como sendo acima de 400 ou 600 metros[99], a altitude da região que se estende diretamente de São Paulo a Curitiba. Dessa maneira, uma altitude mais elevada compensa um maior distanciamento da linha equinocial.

Depois de Itararé, as terras mudam inteiramente de aspecto. Penetramos nos Campos Gerais, talvez a região mais bela e mais interessante de todo o Brasil meridional. Os Campos Gerais, que começam aproximadamente à altura dos 23°40', terminam mais ou menos nos 25°, a cerca de 8 ou 10 léguas de Curitiba. Montanhosos e cobertos de matas nos dois pontos externos, eles apresentam em geral terras planas ou levemente onduladas, nas quais se estendem, até onde a vista pode alcançar, imensas pastagens cujo verde claro contrasta de forma encantadora com os tons sombrios das pequenas matas que se formam nas gotas. Ora é unicamente a Araucária que compõe essas matas, ora ela se mistura com outras árvores de um verde geralmente tão escuro quanto o de suas próprias folhas. Enquanto que na Europa não cresce, praticamente, nenhuma outra planta nos bosques de pinheiros, aí uma profusão de arbustos, de subarbustos e de plantas herbáceas nasce no meio das araucárias, contrastando de forma variada com a rigidez dessas grandes árvores e a tonalidade sombria de suas folhas.

---

[98] Ver *Viagem às Nascentes do Rio S. Francisco*.
[99] A cidade de São Paulo, provavelmente mais elevada que toda a região compreendida entre ela e Curitiba, fica situada, como já disse mais atrás, a 753 metros acima do nível do mar; Curitiba a 402,60m (183 braças) (King *in* P. Müller, *Ensaio Estat.*).

São as gramíneas que formam o conjunto das pastagens naturais. As outras plantas que crescem no seu meio nunca são as mesmas em toda parte. As mais comuns são as vernônias, as Mimosáceas, uma Convolvulácea, uma Composta vulgarmente chamada *charrua*, uma Verbenácea e uma Labiada. Em janeiro e fevereiro, e mesmo no começo de março, o verdor dos campos é tão vivo quanto o de nossos prados, mas não são pontilhados por um número tão grande de flores. Entretanto, alguns campos apresentam-se cobertos de flores, sendo as mais abundantes uma espécie do *Eryngium* e uma das Compostas, e enquanto que nas nossas pradarias predominam o amarelo e o branco, aqui é o azul celeste que colore os campos em flor.

Os botânicos encontraram uma grande diversidade de plantas nas baixadas pantanosas ao redor da Igreja Velha, e provavelmente em todos os lugares análogos, mas, de um modo geral, não são muito numerosas as espécies nos Campos Gerais. Entre as que aqui crescem há algumas que procuraríamos em vão na zona tropical. Por outro lado, veem-se muitas que pertencem a regiões situadas muito longe dali, para os lados do norte. Encontra-se, mesmo, nas redondezas de Caxambu, um trecho de campo onde árvores retorcidas e raquíticas se acham disseminadas, como em Minas e Goiás, no meio do capim e de subarbustos, havendo entre essas plantas algumas que são características dos campos situados nas províncias equinociais. Eis aí uma exceção bastante singular, da qual nos é impossível dar uma explicação satisfatória. Podemos dizer que, de um modo geral, a flora dos Campos Gerais se assemelha em muitos pontos à da província limítrofe do Rio Grande de São Pedro do Sul, mais meridional e menos elevada, mas que se aproxima ainda mais da encontrada nas partes mais setentrionais do Brasil.

Se compararmos as espécies de Campos Gerais com as que encontramos na *região das florestas*, nas redondezas da capital de Minas, a 20°23' de lat. sul, de Mariana, a 20°21', e de São Miguel de Mato Dentro, veremos, sem dúvida, pouca coisa que seja comum às duas regiões. Observaremos também grandes diferenças no conjunto das formas vegetais, mas a estatística das famílias encontradas numa das duas regiões, despojada de qualquer dado adicional, chamará sua atenção pelas semelhanças entre uma e outra. Trezentas e quinze espécies recolhidas em Campos Gerais, de 29 de janeiro a 9 de março, dividem-se em sessenta e sete grupos, dos quais dezessete não tem correspondentes na França, ao passo que as redondezas de Vila Rica, Mariana e São Miguel do Mato Dentro nos forneceram, de 1° de janeiro a 21 de fevereiro, trezentas e vinte e sete espécies, que se dividem em cinquenta e cinco famílias, entre as quais apenas dezesseis são inteiramente tropicais, e dentre estas, nove são também encontradas nos Campos Gerais. Entre as cinquenta famílias comuns a essa ultima região e à Europa, só existem quatorze que não são encontradas entre as cinquenta e cinco de Minas. Nos Campos Gerais as Corimbíferas (Juss.) formam o grupo de espécies mais numeroso, compondo um sexto do total; em seguida vêm as Papilonáceas. Em Minas, são as Melastomáceas que predominam, mas não passam de um décimo do total das espécies. Depois delas vêm as Filicíneas, e a seguir as Gramíneas, não ocupando as Corimbíferas senão o quarto lugar. As famílias que, embora não sendo unicamente tropicais, não têm na Europa senão raros representantes apresentam praticamente o mesmo número de espécies de Minas não são encontradas as Chicoráceas, as Cariofilácias, as Ranunculáceas, as Primuláceas, as Poligonáceas, as Salicáceas, as Alismatáceas, as Liláceas, Juss. No entanto, todos esses grupos têm representantes nos Campos Gerais. A única espécie de Valerianáceas que recolhemos no Brasil foi-nos fornecida por esta última região, e a *Cistínea americana*[100] apenas começa a aparecer aí, espalhando-se bastante para o sul. A todas essas plantas, porém, vêm unir-se dez Mimosáceas, cinco espécies do gênero Cássia, duas Grutíferas[101], uma voquísea, seis Melastomáceas, a *Sauvagesia erecta*, L., que é encontrada também quase na linha equinocial, uma *Turnera*, duas Hipocrateáceas, uma Anonácea[102], uma Cunonácia, etc.[103]. Os gêneros que possuem correspondentes na Europa e se encontram também em Minas acham-se, na sua maioria, incluídos no catálogo das plantas dos Campos Gerais. Além deles, porém, encontramos aí uma Salicácea, duas paroníquias[104], uma clemátide[105], um *Cerastio*[106], duas espécies de *Anagalis*[107], seis espécies de Hipericum, etc.[108].

Se, ao invés de compararmos as plantas dos Campos Gerais com as da comarca de Vila Rica, pudéssemos compará-las com espécies recolhidas numa latitude semelhante à dessa cidade mas em região mais baixa, como por exemplo, as margens do São Francisco, é claro que teríamos

---

[100] *Helianthemum brasiliense*, Pers. (*Cistus brasiliensis*, Lam.).
[101] Uma das duas é a *Clusia criuva*, Aug. de S. Hil., Juss., Camb.
[102] *Gualteria australis*, Aug. de S. Hil.
[103] *Weinmannia hirta*, Sw.
[104] *Paronychia communis*, Aug. de S. Hil., Juss., Camb., e *Paronychia camphorosmoides*, Aug. de S. Hil. Juss., Camb.
[105] *Clematis campestres*, Aug. de S. Hil.
[106] *Cerastium commersonianum*, Ser.
[107] *Anagallis alternifólia*, Cav., *Anagallis tenella*, var. *ascendens*, Aug. de S. Hil. e Gir.
[108] *Hypericum ternum, teretiusculum, laxiusculum, rigidum, denudatum, tenuifolium*, Aug. de S. Hil.

encontrado diferenças mais acentuadas. Bem mais distante, é verdade, da linha equinocial do que os Campo Gerais, Vila Rica, ou Ouro Preto, fica situada a 1.152 metros acima do nível do mar, ao passo que Mariana fica a 729 metros[109] e São Miguel do Mato Dentro à mesma altitude desta, provavelmente. Em vista disso, não podemos estimar a altitude de Campos Gerais em mais de 400 ou 600 metros. De resto, é de supor que, se tivéssemos baseado a nossa comparação em plantas recolhidas em outros meses que não janeiro e fevereiro, talvez os resultados fossem diferentes. Quero acrescentar que, como já disse com referência à região que precede os Campos Gerais, essas comparações nunca podem ser muito precisas, a não ser que existisse uma Flora perfeitamente catalogada das duas regiões. Nosso trabalho deve, pois, ser considerado apenas como um simples esboço. Ainda não foi feito um balizamento dessas regiões, mas é essa a operação pela qual deve ser iniciado o levantamento da flora.

A pouca distância do limite dos Campos Gerais a região já se torna mais montanhosa e mais cheia de matas. Depois desse limite penetramos numa floresta sombria, mas Curitiba, onde logo chegamos, ainda fica situada num trecho descampado. Nas matas vizinhas dessa Cidade cresce em abundância o mate (*Ilex paraguariensis,* Aug. de S. Hil.)[110]. cujas folhas e ramúnculos têm grande valor comercial. Os habitantes de Curitiba orgulham-se de possuir também a quina do Peru, mas a casca, excessivamente amarga, à qual dão esse nome e que é empregada realmente com sucesso no tratamento das febres intermitentes, é a de uma Solanácea (*Solanum pseudoquina,* Aug. de S. Hil.)[111]

À medida que nos afastamos de Sorocaba, colocamos uma distância cada vez maior entre nós e o Trópico de Capricórnio. A temperatura média da região que percorremos foi-se tornando cada vez mais baixa, forçosamente, e vimos desaparecerem sucessivamente as culturas de diversos produtos coloniais, cujos limites são determinados pela combinação da natureza de cada espécie com a altitude das terras e o afastamento progressivo do equador. Depois de Sorocaba, à altura dos 23°20' de lat, sul, já não se cultiva mais o café, Itapetininga, a aproximadamente 23°38',

---

[109] Eschw., *Journal von Brasilien,* I.
[110] Os botânicos, que nem sempre são muito escrupulosos quanto às regras da gramática, mostram-se no entanto estupendamente precisos quando se trata de manter a regularidade da nomenclatura científica. Alguns deles acreditariam que deviam mudar o nome de *Paraguariensis* para *Paraguayensis;* ignoravam, entretanto, que o termo *Paraguariensis* já vem sendo consagrado há muitos anos e que, por conseguinte, *Paraguayensis* constitui uma espécie de barbarismo.
[111] Ver meu trabalho *Plantes usuelles des Brésiliens,* nº XXI.

forma o limite de cana-de-açúcar; em Itapeva, situada a 15 ou 18 léguas ao sul, termina o cultivo das bananeiras; perto da Serra das Furnas, a cerca de 30 léguas de Itapeva, acabam os algodoeiros, os quais, já a partir de Itararé, começam a sofrer a ação das geadas depois da colheita das sementes; finalmente, em Curitiba, a 25°51' de lat. sul, as laranjas se tornam muito ácidas, e já não se pode mais cultivar o abacaxi[112].

Mas, se por um lado as plantas tropicais desaparecessem dos Campos Gerais e de Curitiba, por outro o trigo dá-se muito bem aí, e nossas árvores frutíferas, mesmo as cerejeiras e as pereiras, produzem frutos mais ou menos abundantes. É de lamentar, entretanto, que a época das grandes chuvas coincida com a do desenvolvimento dos frutos, resultando disso que, com exceção dos figos, eles raramente atingem uma perfeita maturidade. Dentre todas as árvores frutíferas, o pessegueiro é a mais comum. Essa árvore não exige absolutamente nenhum cuidado, sendo mesmo usada pra formar sebes. Floresce nos meses de agosto e produz uma quantidade prodigiosa de frutos, alguns dos quais já podem ser colhidos no começo de fevereiro.

Ao invés de continuarmos nossa viagem depois de Curitiba, descemos a Serra do Mar, que ali tem o nome de Serra de Paranaguá, e alcançamos o litoral.

Ali tudo muda. As plantas europeias desaparecem e voltamos a encontrar os algodoeiros, as bananeiras, a cana-de-açúcar, os cafeeiros, as embaúbas (*Cecropia*) e uma profusão de espécies que pertencem à flora do Rio de Janeiro. Assim é que, ao passo que no planalto, quase 1 grau ao sul da zona tropical, essa flora tinha sido substituída por outra, voltamos a encontrá-la no litoral, à altura dos 25°51'. A partir daí ela se estende, com algumas modificações, não somente até as fronteiras marítimas da Província de São Paulo como também até a Ilha de Santa Catarina. Isso vem provar que a vegetação litorânea apresenta uma uniformidade bem mais acentuada do que a do interior, fenômeno esse que, de resto, não deve causar espanto, uma vez que aí a temperatura e outros fatores externos se acham sujeitos, como sabemos, a variações bem menos sensíveis.

---

[112] Eu já disse em outro trabalho, sem dúvida erroneamente, que a Serra das Furnas forma o limite da região dos abacaxis (*Aperçud d'um Voyage au Brésil. – Introduction à l'histoire des plantes les plus remarquables du Brésil et du Paraguay*). Encontram-se abacaxis nos arredores de Castro, achando-se a Serra das Furnas a duas léguas desse arraial. Devo acrescentar que razões sem dúvida ponderáveis fizeram com que, posteriormente à minha viagem, os diversos limites que mencionei avançassem um pouco para sul.

POPULAÇÃO

Possuímos, sobre a estatística da Província de São Paulo, dados bem mais precisos e numerosos que sobre a de Goiás. Convém esclarecer, porém, que eles estão longe de merecer inteira confiança. Se existem no Brasil pessoas que saibam alinhar números com a mesma eficiência com que isso é feito na França ou na Alemanha, evidentemente faltam-lhes os meios de que dispomos para torná-los precisos. A preguiça generalizada dos brasileiros, a sua ignorância, que não é menor, principalmente em certas regiões da Província de São Paulo, e a extrema disseminação da população do país são alguns dos obstáculos que impedem, em particular no que se refere a dados demográficos, a obtenção de informações que não sejam baseadas em cálculos absolutamente falhos. Todavia, se examinarmos essas vagas estimativas e as compararmos umas com as outras, poderemos chegar a alguns resultados bastante interessantes e úteis.

De acordo com dados provavelmente oficiais em sua totalidade, haveria na Província de São Paulo, entre 1777 e 1838, o seguinte número de habitantes:

1777...... 116.975 indivíduos

1805...... 192.729 indivíduos

1813...... 205.267 indivíduos   divididos em 26.150 famílias

1814...... 211.928 indivíduos

1815...... 215.021 indivíduos   divididos em 35.767 famílias

1820...... 239.290 indivíduos   divididos em 40.726 famílias

1826...... 258.901 indivíduos

1838...... 326.902 indivíduos   divididos em 50.968 famílias[113]

---

[113] As cifras relativas a 1777 e 1812 foram tiradas de Southey *(Hist.* III); as referentes a 1805 e 1826 são devidas a Nicolau Pereira de Campos Vergueiro (Piz., *Mem.,* VIII), e as de 1813 constam de uma tabela enviada a Eschwege pelo Conde da Barca, ministro de D. João VI, e incluída também no *Journal von Brasilien* (II) e na *Patriota* (3, 6). É a Spix e Martius que se devem os dados relativos a 1814 e 1815 *(Reise,* I). Finalmente, Pedro Müller é o responsável pelos referentes a 1826 e 1838: Eu poderia ter incluído a cifra de 200.468 entre as relativas a 1805 e 1812. Uma vez, porém, que Eschwege, ao comparar essa cifra com a de 1813, provou que uma das duas continha erros gritantes, o que só podia referir-se à primeira, já que a segunda era absolutamente fidedigna, e que, finalmente, a cifra de 200.478, referente a 1808, foi aceita por Martius e citada por Ferdinand Denis – embora atribuída por Southey e Eschwege ao ano de 1811 – achei mais prudente rejeitá-la inteiramente. Não menciono também a população referente ao ano de 1816 porque os dados oficias fornecidos por Antônio Rodrigues Veloso de Oliveira *(Anais Flum., Mapa)* e por Pizarro *(Mem.,* VIII) não englobam

Se tomarmos como base a última dessas cifras, relativas à época mais aproximada daquela em que escrevemos, e, se por outro lado, admitirmos que a Província de São Paulo é formada por 17.000 léguas quadradas, teremos para cada légua uma população específica de 19,23 indivíduos.

A França conta com 34.230.178 habitantes num território de 527.636,19 km[114] ou 13.848,596 léguas quadradas[115], o que corresponde a 2.461,172 indivíduos por légua quadrada. Em consequência, a população específica da Província de São Paulo está para a da França como 19,23 está para 2.471,172. Em outras palavras, se deixarmos de lado as frações haveria 2.471. Muito acharão curiosa essa comparação, mas a verdade é que ela associa coisas tão disparatadas que não poderia realmente conduzir a nenhum resultado positivo. Gostaria de acrescentar, além do mais, que, no que se refere à população, não deixa de ser injusto tentar comparar a nossa velha Europa com uma país que mal completou três séculos de existência. Já não seria a mesma coisa se isso fosse feito entre a Província de São Paulo e qualquer outra parte do Brasil. Teríamos, então, praticamente o mesmo pronto de partida, e a comparação faria ressaltar apenas as diferenças que nesse caso existem mesmo nos dados mais preciosos.

A Província de Minas Gerais é talvez a mais populosa do Brasil. Essa província forma uma espécie de paralelogramo e fica situada entre o 13° e o 23° graus de lat. sul e entre o 328° e o 336° de longitude, a partir do meridiano da Ilha do Ferro[116]. Por conseguinte, compreende 10 graus de norte a sul e 8 de leste a oeste, ou seja 25.920 léguas quadradas, se seus contornos fossem perfeitamente regulares. Mas não podemos deixar de levar em conta a sua irregularidade, nem esquecer que algumas de suas partes são inteiramente despovoadas, sendo no máximo visitadas por algumas tribos errantes de índios selvagens. Consideremos, pois, que sua superfície meça apenas 18.000 léguas quadradas[117]. Em 1838 a

---

a província inteira. Com referência ao ano de 1814, preferi a cifra de 211.928, indicada por Spix e Martius, ao invés da que se encontra no *Dicionário do Brasil* (II). Os dados que merecem crédito e se referem ao ano de 1813 fixam a população nessa época em 209.219, ao passo que os de 1815 apresentam a cifra de 215.021. Em consequência, é improvável que a cifra de 199.364 seja exata para 1814.

[114] *Annuaire Long.*, 1846, p.168.
[115] O quarto de meridiano é de 90° ou 10.000km, ou ainda 1.620 léguas. Consequentemente, 1 quilômetro equivale a 0,1620 léguas.
[116] Piz., *Mem. Hist.*, VIII, 2ª parte. – Aug. de. S. Hil., *Viagem ao Rio de Janeiro*, I.
[117] Eschwege registra essa cifra (18.000 *quadrat meilen*) em *Pluto Braisliensis*, p. 589, e um pouco mais adiante, na p. 596, menciona apenas 17.000 léguas. O autor alemão é certamente a pessoa que estudou mais a fundo a estatística de Minas Gerais. Semelhante contradição

população de Minas foi calculada em 730.000 habbitantes[118]. Em resultado, onde São Paulo conta com 19 habitantes, Minas apresenta 40[119].

A princípio, causa surpresa verificar que haja uma diferença tão grande entre a população de Minas e a de São Paulo, uma província que é mais velha um século. Mas os fatos históricos não tardarão a esclarecer essa diferença. Quando correu a notícia de que havia ouro em abundância na primeira dessas províncias, bandos de aventureiros brasileiros e portugueses acorreram ao seu território. Esses homens, procurando acelerar e facilitar o seu trabalho, cercaram-se de escravos africanos e de numerosos mestiços, os quais não tardaram a aumentar de forma considerável os primeiros núcleos. Os paulistas, pelo contrário, deixavam constantemente a sua província, indo procurar riquezas em outras partes, e foi a suas expensas que se povoaram o Mato Grosso, Goiás, bem como uma parte do Rio Grande do Sul e de Minas Gerais.

Não poderíamos dar uma ideia exata da população relativa das duas províncias a não ser tomando por base a légua quadrada, como unidade fixa. Entretanto, quer se trate da América ou da Europa, a base de uma comparação desse tipo nunca deixa de ser fictícia, já que em nenhum reino, em nenhuma república, o número de habitantes é repartido igualmente pelas léguas quadradas que formam o seu território. A população específica de países já habitados há longos séculos, como a França, por exemplo, oferece maior facilidade para uma contagem mais precisa, talvez porque nunca nos vimos forçados, por um aumento exagerado no número de habitantes, a nos espalhar por toda parte. E, no entanto, se fizermos um exame mais minucioso verificaremos que a população de nosso país difere, nos diversos departamentos e cantões, de acordo com

---

mostra como são pouco precisos os dados em que se baseiam essas estatísticas. Chegaríamos a uma estimativa ainda mais falha do que a de Eschwege se aceitássemos a cifra registrada no *Dicionário do Brasil* (I), que não vai além de 15.000 léguas quadradas. A Província de Minas Gerais é provavelmente a mais conhecida em todo o Brasil. Que se julguem as outras por isso.

[118] Mill. E Lopes de Moura, *Dic.*, II – Kidder, cujo livro foi publicado em 1845, faz subir o total da população de Minas a 760.000, sem no entanto indicar a que ano essa cifra se refere.

[119] A população de Minas é calculada, segundo Eschwege, em 28 indivíduos por milha quadrada (*quadrat meile*) (*Pluto Bras. Worwort*, III). Mas esse autor não esclarece se por milha ele entende, como Spix e Martius, a légua, ou se se refere à milha alemã, ou ainda à milha geográfica. Cometi um engano semelhante quando, ao deixar de indicar quais as cifras em que me baseava, calculei em 10 indivíduos a população relativa de Minas entre 1817 e 1818 (*Viagem à Prov. do R. de Janeiro,* I). A diferença entre 10 e 40 causará menos espanto se ficar esclarecido que não só tomei como base a cifra de 500.000, como também parti do princípio de que a superfície em questão media 50.000 léguas quadradas.

a extensão maior ou menor de seus territórios e a fertilidade do solo. No Brasil, as diferenças bem mais acentuadas da população específica de uma mesma província devem-se a causas puramente locais, e com o passar do tempo se modificam de maneira notável. Em Minas buscava-se o ouro, e a população naturalmente aumentava no local onde ele era encontrado. O sertão é parte que não é aurífera. Por outro lado, em São Paulo não havia ouro, ou se havia era raro. Os primeiros colonos que ali chegaram pelo mar estabeleceram-se onde haviam desembarcado e se dedicaram a atividades agrícolas. Pouco a pouco o litoral povoou-se e foi ocupada uma longa faixa de terra, separada do planalto por uma cadeia de montanhas. Essa cadeia, que constituía um formidável obstáculo, continuou despovoada. Não tardou, porém que fosse transposta e se lançassem os fundamentos da cidade de São Paulo. Estabeleceram-se engenhos de açúcar nas redondezas, formaram-se povoados e depois cidades. O vale do Paraíba foi usado como via de acesso para o nordeste, e os trechos de matas menos densas permitiram o avanço na direção do sudoeste. Uma segunda língua de terra, paralela ao litoral, povoou-se de agricultores e criadores de gado, e podemos dizer que, salvo algumas exceções devidas a circunstâncias particulares, a população específica dos diferentes distritos da Província de São Paulo é diretamente proporcional à antiguidade de cada um deles.

Se compararmos entre si, com relação às respectivas populações, as léguas quadradas de que se compõe um país qualquer situado na Europa, encontraremos diferenças enormes nos perímetros onde se situam as aldeias, os burgos e principalmente as cidades. Diferenças do mesmo tipo ocorrem, sem dúvida, no Brasil, mas são infinitamente menos acentuadas. Na Europa, a população das cidades, em sua quase totalidade, é permanente, havendo apenas um pequeno número de pessoas ricas que possuem, além de uma casa na cidade, uma propriedade rural, onde costumam passar o verão. Quanto ao resto da população, poucos são os que podem fazer, nos domingos e feriados, um passeio no campo. Ocorre o contrário no Brasil, onde a população permanente dos povoados e arraiais é excessivamente rala. A maioria das casas de que eles se compõem pertence a agricultores, que só aparecem ali aos domingos para assistirem à missa e as mantêm fechadas durante o resto da semana. Dessa forma, elas não passam de uma duplicata inútil de suas moradas[120].

---

[120] Eschwege conta que em 1813 havia 150 habitantes por légua quadrada na comarca de Ouro Preto, Província de Minas, indicando somente 50 indivíduos por légua quadrada fora do perímetro das cidades e vilas. Essa proporção, aceitável para a França (Benoiston de Châteauneuf, *Notes*), não pode ser aplicada a nenhuma parte do interior do Brasil. Mas se for exata para a

É sabido que, salvo circunstâncias anormais tais como as guerras, as emigrações, as epidemias e a fome, as populações de todos os países nunca cessam de crescer, mas esse crescimento não ocorre nas mesmas proporções em todos os lugares. Em 1777, como já dissemos, a Província de São Paulo contava com 116.975 habitantes, e em 1838 com 326.902. Houve, pois, em 62 anos um aumento de 209.927, tendo quase triplicado a população nesse espaço de tempo. Em Minas havia, em 1777, 319.769 habitantes, e em 1838, 730.000[121]. E nesse caso o espaço de tempo de 62 anos terá apresentado uma diferença de 410.231 habitantes, e em consequência o aumento em Minas, guardadas as devidas proporções, terá sido menor do que em São Paulo. A população da primeira dessas províncias terá simplesmente dobrado o seu número. A diferença seria infinitamente mais acentuada se tomássemos a França como termo de comparação, uma vez que entre nós o aumento médio anual durante vinte e sete anos – de 1817 a 1841 – foi de $\frac{1}{200}$ ou $\frac{5}{1000}$[122], de onde devemos forçosamente concluir que, se essa cifra permanecesse inalterada durante sessenta e dois anos o aumento total na França não passaria de $\frac{510}{1000}$ em relação ao número primitivo, ao passo que em São Paulo, no mesmo lapso de tempo, ele foi de $\frac{2794}{1000}$. Na França, a população não é acrescida através de imigrações; a de São Paulo, pelo contrário, recebe constantemente reforços de escravos africanos, que se multiplicam em maior ou menor quantidade, além de que, vários anos pra cá, alguns grupos de imigrantes europeus e mineiros, ainda que pequenos, têm aumentado o número de seus habitantes. Mas o que contribui acima de tudo para o aumento da população é que ainda se encontram, nessa província, imensas regiões despovoadas, ao passo que na Europa todas as terras já estão tomadas. Em São Paulo, também, as mulheres são mais fecundadas, e além do mais o americano ainda não se deixou contagiar pela tremenda noção de previdência que atormenta os europeus e cria tão grandes obstáculos à multiplicação da espécie. Em minas há igualmente imensas terras que estão apenas à espera de braços para explorá-las; suas mulheres não são menos fecundas que as de São Paulo, e não é menor a sua despreocupação com o futuro. Todavia, à medida que as minas

---

comarca de Ouro Preto, não devemos esquecer de que essa comarca é talvez, em todo o Brasil – exceção feita do litoral – o que não se vê em outros lugares – dois grandes centros de população muito próximos um do outro, quais sejam Vila Rica e Mariana.

[121] Esses dados foram tirados do *Dicionário do Brasil*, II. Para o mesmo ano, Fabregas (in Sigaud, Anuário, 1846) indica 760.000, o mesmo número registrado por Kidder.

[122] Mathieu, *Annuaire Longity*, 1846.

passaram a produzir menos foi diminuindo a importação dos negros; os brancos começaram a deixar a província, onde já não os prendia mais a esperança de um enriquecimento rápido; enfim, um certo número de agricultores foi procurar, em São Paulo e Goiás, outras terras que acreditavam ser melhores que as da sua região.

Nós nos limitamos até aqui a considerar no seu conjunto o aumento experimentado pela população de São Paulo num certo lapso de tempo. Vamos agora tentar estabelecer como se efetuou esse aumento, proporcionalmente. Em 1777, como já vimos, a província contava com 116.975 habitantes, e em 1838 com 326.902. Em consequência o aumento anual foi, em média, de $3.385 \frac{57}{62}$ durante sessenta e dois anos. No mesmo intervalo de tempo, o aumento em Minas foi de $6.616 \frac{39}{62}$ por ano, tomando-se como base a cifra de 319.769, corresponde ao ano de 1777.

Mas em nenhuma parte as populações são acrescidas, todos os anos, de um número igual de indivíduos. Nas regiões habitadas há muitos séculos, em que elas já são consideráveis, onde todas as terras já estão tomadas e onde existe uma indústria manufatureira bastante desenvolvida, esse aumento sofrerá forçosamente em retrocesso progressivo. A França é uma prova disso, pois que durante 14 anos – partir de 1817 até 1830 – esse acréscimo foi em média de $\frac{1}{169}$ por ano[123], e durante 27 anos – de 1817 a 1843 – não passou de $\frac{1}{200}$ [124]. Ao contrário, num país novo, onde a agricultura e a criação de gado constituem praticamente a única ocupação de seus habitantes, onde ainda há muita terra disponível e onde nada se opõe ao desenvolvimento de nossa espécie, a população deve forçosamente aumentar em progressão constante, embora variável ao correr dos anos por circunstâncias inelutáveis. Num período de 62 anos não dispomos, infelizmente, com relação a São Paulo, senão de dados referentes a apenas 9 anos. Mas a média, nos poucos anos computados, estaria no entanto menos afastada da verdade do que a obtida no total de 62 anos. O quadro seguinte, resultado de tudo o que registramos mais acima, irá fornecer-nos as cifras dos aumentos sucessivos:

---

[123] Mathieu, ob. cit., 1833.
[124] Mathieu, ob. cit., 1846.

De 1777 a 1805, num período de vinte e
oito anos, a população foi acrescida de
75,754 indivíduos, numa média anual
de .... 2.705 habitantes

De 1805 a 1812 (7 anos) o aumento total
foi de 12.538, numa média anual de........... 1.790 habitantes

De 1812 a 1813 o aumento foi de............... 3.952 habitantes

De 1813 a 1814, aumento de....................... 2.709 habitantes

De 1814 a 1815, aumento de....................... 3.093 habitantes

De 1815 a 1820 (5 anos), aumento total de
24.269, média anual de................................ 4.853 habitantes

De 1820 a 1826 (6 anos), aumento total de
19.611, média anual de................................ 3.268 habitantes

De 1826 a 1838 (12 anos), aumento total de
68.000, média anual de................................ 5.668 habitantes

A maior diferença para menos é a que nos apresenta o período 1805/1812. Um fato histórico explicará isso. Nesse período foram enviadas tropas de São Paulo para as lutas que se travaram no Sul contra Artigas, e um grande número de homens fugiu para Minas com suas famílias para escapar ao recrutamento, ou se embrenhou nos sertões. Apesar de ter havido algumas oscilações, podemos verificar que, no cômputo geral, a população de São Paulo se manteve sempre em crescimento. Se tomarmos, pois, como base dessa progressão a média anual de 1815/1820 a de 1826/1838, excluído o aumento ocorrido no período de 1820/1826, que pela grande diferença em relação ao de 1826/1838 nos levaria, talvez, a resultados um pouco exagerados, verificamos que, a ser mantida a taxa de crescimento daqueles períodos, a população de São Paulo terá chegado em 1848 – salvo alguma perturbação interna – ao que deveria ser ao fim de cem anos.

No intuito de analisar, agora, a população dessa província na parte relativa ao número de casas, tomaremos como base para o nosso cálculo o quadro da p. 80, pelo qual podemos concluir que em 1813 havia 8 indivíduos por família; em 1815, um pouco mais de 6; em 1820, quase 6; finalmente, em 1838, mais de 6. Para sermos mais exatos diremos em outras palavras que havia 8,0007 em 1813, 6,291 em 1815, 5,887 em 1820 e 6,413 em 1838.

Na França, a média é de 4,5 indivíduos por família, nas cidades, e 5,2 no campo[125], o que, em média, representa um número bem menor do que em São Paulo. A fecundidade das mulheres dessa província e a admissão de escravos, muito mais numerosos em cada família do que os nossos criados, explicam com bastante clareza essa diferença.

Uma comparação entre as cifras relativas a nascimentos, casamentos e óbitos apresentar-nos-á os seguintes resultados:

Nascimentos

Ano	População total	Nascimentos	Relação com a população total
1777	116.975	5.074	1 sobre 23,5 indivíduos
1813	209.219	9.020	1 sobre 23,19 indivíduos
1815	215.021	10.106	1 sobre 21,37 indivíduos
1838	326.902	17.220	1 sobre 18,98 indivíduos

Casamentos

Ano	População total	Casamentos	Relação com a população total
1813	209.219	2.466	1 sobre 84,84 indivíduos
1815	215.021	3.120	1 sobre 68,91 indivíduos
1838	326.902	3.103	1 sobre 105,35 indivíduos

---

[125] Benoiston de Châteauneuf, *Notes*.

Óbitos

Ano	População total	Casamentos	Relação com a população total
1777	116.975	3.250	1 sobre 35,99 indivíduos
1813	209.219	4.451	1 sobre 47,00 indivíduos
1815	215.021	4.636	sobre 46,38 indivíduos
1838	326.902	3.103	1 sobre 34,57 indivíduos

Esse quadro serviria para provar, se isso fosse necessário, que regiões novas como a Província de São Paulo são muito mais favoráveis à multiplicação de nossa espécie do que a velha Europa, onde o excesso de população faz com que os homens disputem entre si o menor palmo da terra. Em um dos 4 anos em que o número de nascimentos foi menor em São Paulo, ou seja 1813, ainda assim a taxa era de 1 sobre 23,5 indivíduos, ao passo que na França há 1 nascimento para cada grupo de 33,37 habitantes[126], tendo chegado mesmo haver em São Paulo, em 1838, 1 nascimento sobre 18,98. Quanto ao aumento observado nos quatro que estamos examinando, ele se deve provavelmente ao fato de que, a partir de 1777, as emigrações de paulistas do sexo masculino para as províncias começaram a diminuir, tendo por fim cessado inteiramente. Esse aumento pode ser atribuído também ao fato de que os escravos receberam permissão para se casar, e passaram a ser tratados com mais humanidade.

Encontramos entre a França e a Província de São Paulo uma diferença menos acentuada no número de casamentos do que no de nascimentos. Com efeito, no ano de 1838, temos em São Paulo 1 casamento sobre 105,35 indivíduos, ao passo que na França há 1 sobre 127,8[127]. Mas, se comparamos entre si os números relativos a 1815 e 1838, não podemos deixar de nos espantar com diminuição ocorrida. É pouco provável que isso prove que os paulistas, mais livres talvez do que em 1815, se tenham tornado mais religiosos e mais respeitadores da moral.

Quanto ao número de óbitos, se tomarmos a média dos 4 anos que estamos examinando, teremos praticamente a mesma cifra para São Paulo e a França, ou seja 1 sobre 40,98 para um e 1 sobre 40 para outro. De acordo com Spix e Martius, a cifra correspondente a 1815 seria até

---

[126] Mathieu, *Annuaire Longit.*, 1846.
[127] Mathieu, ob. cit., 1846.

mesmo favorável a São Paulo, uma vez que nesse ano houve nessa província apenas 1 óbito em cada grupo de 46 indivíduos[128]. Todavia, por razões que não nos é possível explicar, o cômputo se torna favorável à França em 1838, pois nessa época São Paulo teve 1 óbito sobre 34,57 indivíduos. Devemos levar em conta aqui uma observação feita por Eschwege, com referência ao bispado de Mariana, a qual acreditamos poder estender a uma grande parte do Brasil. É que um grande número de colonos costuma enterrar os seus escravos negros nos campos. Em consequência os óbitos destes últimos não ficam anotados nos registros, não sendo, pois, incluídos nas estatísticas demográficas[129].

Se compararmos, atualmente, nesse particular, a Província de São Paulo com a de Minas Gerais, os resultados nos mostrarão ao desenvolvimento da população que a exploração das minas, ainda que, tanto num caso como noutro, de um modo geral só se empreguem escravos no trabalho. Enquanto que em 1777 os nascimentos ocorriam, em São Paulo, na proporção de 1 para 23,5 na Comarca de Ouro Preto, Província de Minas, essa proporção era de apenas 1 para 40,44. Sem dúvida, é uma diferença enorme, mas isso deixará de nos causar espanto se nos lembrarmos de que essa comarca é a região do Brasil onde as minas eram exploradas em maior escala, de que na extração do ouro empregam-se muito mais escravos do que no cultivo da terra e na criação de gado, atividades a que se dedicavam os paulistas; de que, finalmente, em 1777 havia em Ouro Preto 7.847 homens brancos e 4.832 mulheres brancas, ao passo que os negros somavam 33.961 e as negras apenas 15.187. Aconteceu, pois, com Ouro Preto o mesmo que houve em Goiás[130]: o ouro já não produzia tanto quanto a cana-de-açúcar e o milho, os brancos que não tinham mais esperanças de obter riqueza fácil foram embora, um grande número de negros morreu sem deixar descendentes e, em 1815, isto é, num período de 39 anos, a população da região viu-se desfalcada de 6.409 indivíduos, ou pouco mais de $\frac{1}{13}$. Todavia, enquanto se esgotavam as minas da Comarca de Ouro Preto, a agricultura se expandiu a outras partes da província. Plantavam-se algodoeiros, criava-se gado, fabricava-se queijo, teciam-se panos grosseiros. A uma população flutuante e fictícia sucedeu uma população permanente, e já em 1816, considerando-se toda a jurisdição do

---

[128] *Reise*, I.
[129] *Journ. von Brasilien*, II. Eschwege reduz à metade o número real dos óbitos de escravos negros, os quais, por uma razão ou outra, não foram registrados. É fácil perceber, porém, que essa estimativa é inteiramente arbitrária.
[130] Ver minha *Viagem Às Nascentes do Rio S. Francisco*.

bispado de Mariana, que inclui Ouro Preto e é formado por cerca de dois terços da Província de Minas Gerais, a proporção de nascimentos era de 1 em 27,35 indivíduos[131]. Se, com relação a uma época mais recente (1838), examinarmos as cifras fornecidas pelos autores do *Dicionário do Brasil*[132], veremos que a proporção de nascimentos é de 1 em 44,76 indivíduos, proporção essa inferior à registrada unicamente na Comarca de Ouro Preto em 1776, o que nos levaria a concluir que São Paulo estaria à frente de Minas nesse particular. Nenhuma guerra, nenhuma revolução fez com que desaparecessem os homens dessa província, nenhuma epidemia dizimou suas mulheres, e, no entanto, de acordo com o *Dicionário do Brasil*, a proporção dos casamentos em Minas não iria além de 3.313 numa população de 730.000 indivíduos, isto é, 1 sobre 220,34 ao passo que em São Paulo a proporção é de 1 sobre 105,35, como já disse, e na França 1 sobre 127,8. Não é necessário procurar mais longe a causa da diminuição do número de nascimentos. Fora do casamento nascem, evidentemente, numerosas crianças, mas estas, desde a mais tenra infância, não têm diante dos olhos senão exemplos do vício. Desconhecem os laços de família e não sabe nem mesmo o que é a pátria; as moças se prostituem, os rapazes se entregam à vadiagem, formando uma classe extremamente numerosa em Minas Gerais e se transformando no seu maior flagelo, sem no entanto deixarem de fazer parte da população[133]. É preciso que a administração de Minas tome consciência disso. Ao lado dessa província há uma outra, a de Goiás, cujos habitantes se acham reduzidos a um triste estado de degradação, e uma das principais causas dessa situação é o desprezo pelos laços do matrimônio. É necessário que

---

[131] Tendo tido algumas dúvidas sobre a exatidão das cifras mencionadas por diversos autores, julguei dever basear-me unicamente nas duas indicadas por Eschwege *(Journ. Bras.*, II; *Brasilien die Neue Welt*, II), que passou longo tempo na Província de Minas Gerais e ali ocupou importantes cargos, ocasião em que esteve em contato constante com as principais autoridades da região.

[132] Ver mais acima.

[133] Em diferentes épocas, o governo português tomou severas medidas contra os vagabundos. Todas resultaram inúteis, porém. O leitor poderá ver o que escrevi sobre eles em meu segundo e terceiro relatos, e o que diz deles o General Raimundo José da Cunha Matos em vários trechos de seu *Itinerário*. Eschwege divide a população de Minas em cinco classes: os mineradores, os agricultores, os criadores de gado, os negociantes e os vadios. "Estes", ajunta ele, "são talvez mais numerosos – guardadas as devidas proporções – na Província de Minas Gerais do que em qualquer outra parte do mundo... É sobretudo a hospitalidade dos habitantes da região que estimula esses homens à ociosidade. Eles mantêm os colonos em constante sobressalto, matam por dinheiro, prestam falso testemunho, roubam cavalos, causam encrencas em toda parte e podem ser considerados como a escória da espécie humana." *(Journal von Brasilien*, I).

seja preservado de um tal infortúnio o povo mineiro, cujo futuro era tão promissor[134], que os empregos públicos só vejam confiados a homens casados, que as paróquias sejam arrebatas aos padres que vivem em concubinato permanente; que uma instrução sólida, baseada nos princípios da religião, seja administrada ao povo; enfim, que os homens de bem se unam, como foi feito na França, para livrar da depravação os infelizes que a ela se entregaram, fazendo com que se reintegrem na sociedade cristã e deem uma família a seus filhos.

A população da França, como a de toda a Europa ocidental, é perfeitamente homogênea: uma só raça e nenhum escravo. Infelizmente, não acontece o mesmo no Brasil. Não somente a escravidão é aceita, como existem nele três raças totalmente distintas, compondo o número de mestiços que elas produzem uma parte de sua população. Escravos negros, alguns naturais da terra, outros africanos; negros livres africanos e nativos; alguns índios catequizados e um considerável número de selvagens; mulatos livres e escravos; homens livres, todos legalmente pertencentes à raça caucásica, mas entre os quais se encontra uma multidão de mestiços e de índios – aí estão os componentes da população da Província de São Paulo, estranha miscelânea da qual resultam complicações não só embaraçosas para a administração como perigosas para a moral pública. Os dois quadros apresentados abaixo darão a conhecer em que proporção se acham misturados os elementos que acabo de enumerar:

Ano de 1813

Indivíduos brancos do sexo masculino 53.663
Indivíduos brancos do sexo feminino 59.302   112.965
Mulatos livres.. 21.074
Mulatas livres....................22.979   44.053
Mulatos escravos....................5.173
Mulatas escravas....................5.470   10.643   54.696
Negros livres...........................1.771
Negras livres..........................2.180   3.951
Negros escravos...................21.326
Negras escravas...................16.276   37.602   41.553
       Total 209.214

---

[134] Numa época bastante desastrosa, um famoso publicista – o meu falecido amigo Silvestre Pinheiro Ferreira – dizia que o Brasil poderia ser salvo pela Província de Minas.

Livres

Brancos de ambos os sexos.....112.965
Mulatos de ambos os sexos.....44.053
Negros de ambos os sexos ......3.951　　　　160.969

Escravos

Mulatos de ambos os sexos..... 10.643
Negros de ambos os sexos ...... 37.602　　　　209.214

Ano de 1838

Brancos do sexo masculino.....84.892			
Brancos do sexo feminino	87.987	172.879	
Mulatos livres..........................	28.158		
Mulatas livres..........................	31.296	59.454	
Mulatos escravos.....................	7.360		
Mulatas escravas	7.362	14.722	74.176
Negros livres nativos...............2.443			
Negras livres nativas...............2.074	4.517		
Negros livres africanos 1.145			
Negras livres africanas............1.149	2.294	6.811	
Negros escravos nativos..........17.110			
Negras escravas nativas 17.100	34.210		
Negros escravos africanos.......23.826			
Negras escravas africanas 14.175	38.001	72.211	79.022
Índios catequizados.................		380	
Índias catequizadas...............	445	825	
Total 326.902			

Livres

Brancos de ambos os sexos......................................172.879
Mulatos de ambos os sexos..59.811
Índios de ambos os sexos..825　239.696

Escravos

Mulatos de ambos os sexos 14.722
Negros de ambos os sexos 72.211   86.933
       Total 326.902

O exame desses dois quadros apresenta-nos os seguintes resultados:

1º – No período de 26 anos o número relativo aos escravos, ao invés de diminuir, aumentou de maneira sensível, pois em 1813 sua proporção era, em relação aos brancos, de 1 a $\frac{299}{1000}$, ao passo que nos presente (1838) é de 1 a $\frac{360}{1000}$, e unicamente os negros nativos são hoje quase tão numerosos quanto eram antes (1813) os nativos e os africanos juntos (34.210 negros escravos nativos em 1838, contra 37.602 nativos e africanos em 1813). Não devemos concluir daí que os homens livres se tornaram mais ociosos, mas, pelo contrário, que provavelmente estão trabalhando mais. Podemos concluir, entretanto, que aumentaram as posses dos habitantes, pois numa região onde as terras ainda têm tão pouco valor e onde é aceita a escravidão, o número de escravos é um dos indícios mais certos de riqueza. É evidente, também, que o aumento do número de escravos se deve ao fato de que agora eles se casam mais frequentemente do que em outros tempos. Em 1838 foram realizados, entre eles, 760 casamentos, e no entanto em épocas mais antigas não existiam entre esses infelizes senão uniões ilícitas e passageiras. Acreditamos também que as negras sejam devidamente poupadas durante a gravidez e que, de um modo geral, os escravos sejam tratados com mais humanidade. Com efeito, ainda em 1838, o número de nascimentos entre eles foi a proporção de 2.394 em 86.933, ao passo que entre os homens livres foi unicamente de 6.862 em 239.969, o que apresenta uma diferença bastante acentuada[135]. Quanto aos óbitos, a diferença é ainda menor, pois que a proporção, entre os homens livres, foi de 6.947 em 239.969, e entre os escravos de 2.509 em 86.933[136]. Podíamos, na verdade, subtrair alguma coisa dessa cifra, se

---

[135] Entre as causas às quais Eschwege atribuía, em 1820 *(Bras.,* II), a pouca fecundidade das negras de Minas, ele enumera os maus tratos que elas muitas vezes sofriam durante a gravidez e o bárbaro costume que tinham essas mulheres de abortar, para não acrescentarem aos seus males os trabalhos que exige uma criança de peito. É evidente, pelo que acabamos de dizer, que embora essas barbaridades ainda ocorram hoje na Província de S. Paulo, isso não se faz com muita frequência.

[136] Os vários cálculos apresentados nesse parágrafo baseiam-se na tabela nº6 do *Ensaio de um Quadro Estatístico,* de Pedro Müller, e no apêndice do mesmo trabalho. Devo, porém, observar que, de acordo com esse apêndice, o número de óbitos se eleva a 9.456 em 1838, ao

levarmos em conta as omissões ocorridas nos registros. Por outro lado, porém não devemos esquecer que a baixa temperatura das montanhas de São Paulo e a frialdade que se sente à noite em várias regiões da província são menos favoráveis à saúde dos negros do que o excessivo calor do Brasil tropical[137].

2º – Se atentarmos unicamente para a pequena diferença existente entre o número de negros nativos e livres, e se, por outro lado, nos lembrarmos de que a Província de São Paulo é uma das mais antigas do Brasil, poderíamos imaginar que a alforria era extremamente rara. Mas essa conclusão não seria correta. Os negros que recebem alforria são em geral, aqueles a quem os seus amos desejam recompensar por longos anos de trabalho e muitas vezes trata-se de velhos que já não rendem mais nada[138]. Negros libertos ainda jovens constituem uma exceção. Os primeiros não podem pensar em se casar e os segundos dificilmente encontram pessoas da sua casta às quais se possam unir. Além do mais, não possuindo instrução, eles não acham preparados para usufruir da liberdade, preferindo uma vida regrada e caseira à vida errante de seus *camaradas*[139], à libertinagem ou mesmo ao crime.

3º – De 1813 a 1838 o aumento do número de mulatos escravos foi na proporção de 1 a $\frac{722}{1000}$ e dos homens livres de apenas 1 a $\frac{633}{1000}$. Admitamos que durante esse período os brancos tenham tratado os seus escravos com brandura, mas não é de supor que os tenham poupado mais do que a si próprios. Devemos, pois, concluir que o número de mulatos escravos não aumentou unicamente através de uniões entre mestiços, mas também por força do nascimento de inúmeras crianças nascidas de ligações entre brancos e negras. Vê-se daí que ainda existem homens da nossa raça bastante desalmados para permitirem que seus filhos vivam na escravidão.

4º – Quando os portugueses descobriram o território de São Paulo, este era habitado por numerosas tribos indígenas, e em breve os novos colonos trouxeram para a suas terras, de diferentes partes do Brasil, levas

---

passo que, conforme está escrito no *Ensaio* propriamente dito, esse número não passava de 9.256. Prefiro a primeira cifra, porque há menos probabilidade de que esteja errada, e também porque o próprio P. Müller lhe deu preferência.

[137] Spix e Martius, *Reise*, I.
[138] É o que acontece em Minas, sendo pouco provável que em S. Paulo ocorra diferentemente. Ver o que escrevi a respeito em meu relato *Viagem pelo Distrito dos Diamantes*, I.
[139] Os *camaradas* são homens livres que são empregados principalmente nas tropas de burros (*Viagem às Nascentes do Rio S. Francisco*).

suplementares de índio reduzidos à escravidão. É impossível não sentir um aperto no coração quando se pensa que, de toda essa população, não restavam em 1838 mais do que 825 indivíduos, cuja maioria estaria hoje morta se seus pais não tivessem sido colocados sob a dupla égide de Cristo e da Liberdade. As terras de Minas foram o túmulo de inumeráveis africanos, os quais, no entanto, já eram escravos em sua pátria antes de chegarem ao Brasil, e se os mineiros violavam as leis da humanidade ao perpetuarem a escravidão desses infelizes, pelo menos não iam de encontro às leis de seus países de origem. Quando os antigos paulistas subjugavam os índios com tanta crueldade, infringindo as sábias prescrições de seus soberanos e executando um ato de rebeldia, eram as suas próprias terras que eles despovoam.

5º – Em 1824, o número de brancos em Goiás era cinco vezes menor que o dos homens de cor, negros ou mulatos, livres ou escravos[140]. Em Minas Gerais, em 1808, era menos de um terço dos indivíduos das mesmas castas, e em 1816 mal ultrapassava um terço deles no bispado de Mariana, o distrito de Minas mais declaradamente aurífero[141]. Em São Paulo, pelo contrário (1838), o número de homens considerados brancos é mais elevado – de cerca de 1/5 – que o dos mulatos e negros reunidos. É inegável que, à exceção de Missões, do Rio Grande do Sul e do Rio Negro[142], São Paulo é, em todo o Brasil, a província onde foi introduzido o menor número de negros. Entretanto, estaremos cometendo um erro se considerarmos como realmente brancos todos os indivíduos declarados como tal nos cômputos demográficos. Os indígenas foram subjugados, mas da união de suas mulheres com os primeiros colonos nasceram mestiços, que são confundidos com os homens de raça caucásica pura. O sangue indígena não pode renovar-se, e a miscigenação tende a fazer com que suas características se diluam cada vez mais. Todavia, ainda existe um grande número de mestiços facilmente identificáveis a um exame mais acurado, e que são mesmo desprezados em certas regiões pelos brancos de raça pura.

Infelizmente, dispomos de bem poucos dados sobre o número proporcional de nascimentos de crianças de um e de outro sexo. Sabemos apenas que em 1838 ocorreram, na população livre, 6.700 nascimentos de meninos e 6.345 de meninas, e que entre os escravos nasceram 2.230 crianças

---

[140] Ver *Viagem às Nascentes do Rio S. Francisco*, I, e *Viagem à Província de Goiás*, II.
[141] Eschw., *Journ. von Bras*, I, tab. 5 – *Bras. Neue Welt*, II.
[142] Spix e Martius, *Reise*, I.

do sexo masculino e 1.800 do sexo feminino. Em outras palavras, no primeiro caso, a proporção do número de nascimentos de indivíduos do sexo feminino, com relação ao masculino, foi de 1 para 1.053, e no segundo, de 1 para 1.238, uma diferença extraordinária, para qual não consigo encontrar uma explicação razoável[143]. Para compararmos, em seguida, a diferença no número de nascimento de indivíduos dos dois sexos com a cifra correspondente ao total da população, somos forçados a nos restringir à classe dos brancos, pois é a única que não se acha exposta a constantes perturbações. Verificaremos que nessa classe, para o ano de 1813, o número de mulheres está em relação ao de homens na proporção de 905 para 1, e que em 1838 essa proporção é de 964 para 1. Assim, comparando essas cifras com as que registramos mais atrás, vemos confirmada uma observação feita com referência à Europa, ou seja, que nascem mais meninas que meninos[144]. Mas as estatísticas da Província de São Paulo, para o ano de 1838, provam que na faixa etária da população livre compreendida entre 50 a 70 anos o número de homens se torna maior, o que não é difícil de explicar, dadas as condições de assistência médicas existentes.

Administração Geral – Divisão da Provincia

Não havia outrora nenhuma homogeneidade entre as diferentes províncias do Brasil. A comunicação entre elas era difícil, e o único laço que as unia era o respeito a um mesmo soberano, o Rei de Portugal. Não obstante, todas elas, com poucas diferenças, tinham uma administração uniforme.

A Província de São Paulo, que como as de Minas Gerais, Goiás, Rio Grande, etc., tinham o mesmo nome de capitania[145], era como as outras governada por um capitão geral, cuja autoridade não tinha limites por assim dizer.

Durante um certo tempo a província esteve dividida em apenas duas comarcas, mas a partir de 1811 foi repartida em três, a de São Paulo, a de Itu, e a de Curitiba de Paranaguá, que tinham os nomes das cidades onde ficava a sua sede. A primeira, com sua capital que tinha o título de cidade, compreendia 22 vilas, a saber:

---

[143] Esses números foram obtidos através de cálculos baseados na Tabela 6 do *Ensaio Estatístico* de Pedro Müller.
[144] Milne-Edwards, *Zoologie*, I, 34.
[145] O nome de *província* era reservado às porções de terra menores do que as capitanias; por exemplo, Província de Santa Catarina, das Missões, etc.

Do norte ao sul beirando o litoral,
> Ubatuba
> São Sebastião
> Vila da Princesa
> Santos
> São Vicente
> Itanhaém

E no interior,
> Areias
> Cunha
> Paraitinga
> Lorena
> Guaratinguetá
> Pindamonhangaba
> Taubaté
> S. José
> Jacareí
> Mogi das Cruzes
> Bragança
> Atibaia
> Mogi Mirim
> Jundiaí
> Parnaíba

Na Comarca de Itu contavam-se 7 vilas, inclusive a sede:
> São Carlos
> Porto Feliz
> Sorocaba
> Itapetininga
> Itapeva
> Apiaí

Finalmente, a Comarca de Curitiba e Paraguai compreendida, no planalto:

    Curitiba

    Castro

    Lapa

    Lajes, hoje anexada à Província de Santa Catarina

E no litoral,

    Iguape

    Cananeia

    Antonina

    Paranaguá

    Guaratuba

A todo são nove vilas. Cada comarca é dividida em *termos*, que por sua vez se compõem de uma ou várias paróquias.

A principal autoridade das comarcas é o *ouvidor* que, por uma estranha confusão, exercia ao mesmo tempo funções judiciárias e administrativas. Uma câmara municipal dirigia os negócios das vilas. Em Guaratinguetá, Taubaté, Santos, São Sebastião e Paranaguá havia um *juiz de fora*, nomeado pelo rei, o qual fazia julgamentos de primeira instância, podendo suas decisões ser anuladas pelo ouvidor da comarca. Nas outras vilas menos importantes o juiz de fora era substituído por um juiz ordinário eleito por seus concidadãos[1].

Depois que a revolução modificou a face do Brasil, o governo da Província de São Paulo passou por sucessivas mudanças de maior ou menor importância. De acordo com a constituição do império, modificada pela lei da assembleia geral de 1834, o poder executivo se acha hoje em São Paulo, assim como nas outras províncias, nas mãos de um presidente nomeado pelo governo central. No dia 7 de janeiro de cada ano o presidente convoca assembleia legislativa da província, que se compõe de trinta e seis deputados escolhidos pelo povo, e apresenta um relatório sobre os diferentes setores da administração. A assembleia regula o orçamento e sanciona os decretos que lhe parecem necessários ao bem da província.

---

[1] Em *Viagem a Minas Gerais* serão encontradas minuciosas informações sobre a organização administrativa das antigas capitanias.

É claro que o extraordinário crescimento da população nos últimos trinta anos tornou necessárias algumas mudanças na divisão do território brasileiro. Em 1838 a Província de São Paulo compunha-se de seis comarcas. No ano seguinte, a terceira delas foi dividida, formando uma sétima comarca, a de Franca, onde uma revolta recente tornou necessária a presença de uma autoridade suficientemente forte para reprimir os atos criminosos.

Em 1820 a Província de São Paulo contava, como já vimos, com 38 vilas. Em 1838 esse número foi acrescido de mais oito e em 1845 já chegava a 54. O aumento não parou aí, como veremos mais adiante.

Damos a seguir, de acordo com um documento oficial[2], a lista das comarcas da Província de São Paulo e suas respectivas vilas, como eram em 1845:

1º Comarca, Taubaté – Bananal, Areias, Queluz, Lorena, Silveiras, Guaratinguetá, Cunha, Pindamonhangaba, São Luiz, antiga Piratininga, Taubaté, Jacareí, São José, Paraibuna, Mogi das Cruzes, Santa Isabel.

2º Comarca, São Paulo – São Paulo, capital da província, Santo Amaro, Parnaíba, Atibaia, Bragança.

3º Comarca, Campinas ou Jundiaí - Jundiaí, Campinas, também chamada São Carlos, Constituição, também chamada, Piracicaba, Araraquara, Limeira.

4º Comarca, Itu – Itu, Porto Feliz, Pirapora, Capivari, São Roque, Sorocaba, Itapetininga, Itapeva, Apiaí.

5º Comarca, Curitiba – Castro, Curitiba, Vila do Príncipe, outrora Lapa, Paranaguá, Guaratuba, Antonina, Morretes.

6º Comarca, Santos – Iguape, Xiririca, Cananeia, Itanhaém, Santos, São Vicente, São Sebastião, Vila Bela da Princesa, Ubatuba.

7º Comarca, Franca – Mogi Mirim, Casa Branca, Franca, Batatais.

Um viajante conscencioso, Eschwege, mostrou-se totalmente contrário à frequente elevação de arraiais e cidades. Spix, Martius e eu achamos que a maneira como ele se manifestou a esse respeito foi exagerada

---

[2] Esse documento é o Quadro nº 4 do relatório do presidente da Província, relativo ao ano de 1845 *(Relatório apresentado,* etc.). Acrescentei a ele os antigos nomes de algumas cidades, indicando em itálico as que foram criadas depois de 1811. As comarcas são indicadas simplesmente por números nos documentos oficias. Os nomes por que são conhecidas foram triados por mim do trabalho de Millet e Lopes e Moura.

demais, e já demonstramos que a nossa opinião não está inteiramente de acordo com a sua[3].

Na verdade, certas cidades da Província de São Paulo, à época em que as conheci, não mereciam outro nome a não ser o de vila, e não posso deixar de acreditar que, na realidade, muitas delas foram elevadas a cidade por uma errônea noção de vaidade ou por interesses particulares. Forçoso é reconhecer, porém, que a distância que separa os núcleos de população muitas vezes obrigou as autoridades a transformarem modestos povoados em cidades, já que esse título implica a presença de uma autoridade suficientemente forte para manter a ordem.

Qualquer que seja o aumento da população na maioria das regiões da Europa, o número de aldeias e cidades não se modifica, ou então aumenta de maneira muito pouco acentuada. Em São Paulo, pelo contrário, esse número cresceu, desde 1820, numa proporção que não é muito inferior ao crescimento da população propriamente dita. É praticamente desnecessário explicar a causa dessa diferença. Na Europa, não existe terra que não tenha dono, e a população, à medida que aumenta, vai-se comprimindo cada vez mais, pois não tem para onde se expandir. Em contraposição, em São Paulo e em outras regiões onde ainda há imensas extensões de terras ainda despovoadas, o excedente da população espalha-se por elas e em breve se formam novos núcleos de habitantes.

Justiça Criminal

Em todos os países, sempre se escoa um espaço de tempo regular entre o crime e o castigo, o horror que o primeiro causou acaba por se diluir, e o público, já não vendo no culpado senão um homem que sofre, termina por se interessar por ele e se apiedar de sua sorte. À época de minha viagem, a compaixão pelos criminosos tinha sido levada ao último grau entre os brasileiros, cujos sentimentos são talvez mais vivos e mais passageiros que os nossos e cujos costumes, pelo menos no estado habitual, são geralmente mais relaxados.

As execuções, muito raras no Rio de Janeiro, sempre causam ali uma espécie de insurreição. Não há única pessoa, nas camadas inferiores da sociedade, que não seja capaz de ajudar de bom grado um criminoso a escapar das mãos da justiça. Percebe-se que, num país onde predominam semelhantes sentimentos, a instituição do júri deve conceder absolvições

---

[3] Eschw., *Bras. die neue Welt*, II, 49.

com muito mais frequência do que na Europa. Em 1839 foram cometidas terríveis atrocidades depois de uma revolta no território de Franca, cidade da Província de São Paulo. Os culpados foram levados a júri; havia as mais claras provas de seus crimes, e no entanto eles foram absolvidos por unanimidade. Isso levou o presidente da província, em 1840, a dizer com amargura que as sedições não poderiam deixar de proliferar numa terra onde conseguiam triunfar com tanta facilidade[4]. O temor das vinganças, tão fáceis no interior, onde a polícia não tem poder suficiente, contribui para tornar indulgentes os jurados. São levados a isso pelo hábito, muito antigo, de cederem a todos os empenhos, e, para completar, até 1847 a própria lei brasileira favorecia a excessiva indulgência dos jurados[5].

Sempre se acreditou que os crimes contra as pessoas são mais comuns nos países onde a ignorância é generalizada, e que os que se cometem contra a propriedade predominam nas regiões onde a instrução é ainda mais difundida. O que ocorre no Brasil, onde infelizmente a ignorância ainda é muito grande, tende a confirmar essa regra. O ministro da justiça dizia, com efeito, à assembleia legislativa de 1846, que "os crimes contra as pessoas tais como homicídios e agressões são os mais comuns", e parece que em São Paulo, particularmente, os indivíduos acusados de roubo contam-se, ou pelo menos contavam-se há dez anos, em relação aos culpados de assassínio, na proporção de 1 para 2[6].

À época de minha viagem não se cometiam muitos crimes em Minas e Goiás. Os assaltos a mão armada ainda não eram conhecidos, e os fazendeiros, principalmente os que moravam longe das sedes das comarcas, raramente se queixavam de qualquer tipo de roubo. Os crimes de morte, pelo contrário, eram bastante frequentes na parte da Província de São Paulo que forma o norte da sétima comarca atual. Isso não deve causar espanto, pois essa região, distanciada dos grandes centros de população, servia de asilo para os criminosos fugidos de Minas. Creio também que a vizinhança da Capital do Brasil tornava mais comuns que em outros lugares os roubos nas terras da Província de São Paulo, limítrofe da do Rio de Janeiro.

Parece que os crimes hoje se multiplicaram não só em São Paulo como em todo o Brasil, sendo muito mais numerosos do que eram entre 1816 e

---

[4] *Discurso recitado pelo presidente Manoel Machado Nunes no dia 7 de janeiro de 1840, p. 3.*
[5] *Relatório do ministro da justiça do ano 1847, Anuário, segundo ano, 92.*
[6] É o que se conclui da Tabela nº 7 do *Ensaio Estatístico*. É possível que os dados não sejam rigorosamente exatos, mas é claro que não podem ser rejeitados em seu conjunto.

1822. O ministro da justiça indica a causa no seu relatório à assembleia legislativa geral de 1846. "Para explicar", disse ele, "tantos atos criminosos, tão contrários ao caráter essencialmente ameno do povo brasileiro, basta refletir por um momento sobre as revoluções de que nosso país foi palco, as desordens que nele ocorreram, as dissenções, os ódios e as vinganças que foram o resultado natural dessas situações, a perda de antigos hábitos de disciplina e de obediência, o grande número de estrangeiros que fugiram de seus países e aqui aportaram, o abandono a que está relegada a educação religiosa, a falta de moral dos escravos, o seu número excessivo, a facilidade com que os criminosos podem escapar à ação da justiça refugiando-se no sertão[7]".

FINANÇAS

Vários dos impostos que, na antiga administração, eram devidos em Goiás[8] também se pagavam em São Paulo. Mas havia algumas taxas que a diversidade da localização dos povoados e de seus produtos não permitia que fossem cobradas igualmente nas duas províncias. Assim, muito antes de 1820 já não se exploravam mais as minas em São Paulo e, em consequência, o imposto do quinto se tornara desconhecido aí. Por outro lado, os paulistas iam buscar no Rio Grande do Sul os burros que vendiam em várias províncias do norte. Esses animais tinham que passar forçosamente por São Paulo, e para cada um deles eram cobrados direitos que não podiam ser exigidos dos goianos[9].

Em 1815[10], e provavelmente até a revolução que mudou a face do Brasil, a Província de São Paulo tinha como renda o produto dos direitos e impostos que especificaremos abaixo.

---

[7] Eu gostaria de comparar as estatísticas criminais da França com as da Província de S. Paulo, mas os presidentes dessa província sempre se queixam de que a organização judiciária de sua terra não lhes permite fazer essa estatística, e os dados que se encontram nos relatórios que pude examinar não são suficientemente completos para que eu possa aproveitá-los.

[8] *Viagem às Nascentes do Rio São Francisco.*

[9] Serão encontradas, no primeiro volume de minha *Viagem à Minas,* extensas informações sobre o imposto do quinto, e a relação que publico agora contém dados igualmente minuciosos sobre os direitos pagos na Província de São Paulo sobre cavalos, burros e gado que vêm do Sul (ver cap. Intitulado *A Cidade de Sorocaba,* etc., e *A Cidade de Castro – Fim da Viagem pelos Campos Gerais.*

[10] Ver o quadro oficial relativo ao ano de 1813, que o Conde de Barca, ministro de Estado, enviou a Eschwege e este publicou, acrescentando-lhe algumas notas explicativas (*Journ. von Bras.,* II).

Donativos de ofícios – Os titulares de certos ofícios não recebiam honorários propriamente ditos. Em troca, ficavam com dois terços das contribuições que lhes eram pagas pelas partes interessadas. Era a isso que se dava a denominação de *donativos de ofício*[11].

Novos direitos.

Novos impostos – Esses impostos tinham sido criados em 1755, por um prazo de dez anos, e a renda dele resultante devia ser empregada exclusivamente na reconstrução da alfândega de Lisboa. Passou-se mais de um século, e o imposto continua em vigor até hoje[12].

Direitos de chancelaria.

Pedágio dos rios.[13]

Direitos do contrato, direitos da casa doada. Direitos sobre os burros, cavalos e gado que entravam na Província de São Paulo, vindos do Rio Grande[14].

O dízimo dos produtos da terra, cobrado em todo o Brasil, o qual, como já disse, várias vezes, não revertia em benefício do clero e sim do fisco.

Cruzados de sal, direito sobre o sal importado, que se elevava a *1 cruzado ou* 400 réis por alqueire (40 litros).

Subsídios literários, elevado imposto taxado sobre o açúcar e o café para subvencionar a educação dos jovens e ao qual era dado, segundo Eschwege, um destino completamente diferente.

Direitos sobre as mercadorias que entravam em Minas.

Direitos da alfândega do porto de Santos.

Dízimo dos bens-de-raiz e da madeira para construção.

Sisa e meia sisa, sendo a primeira, segundo Eschwege, cobrada sobre os negros que vinham da África, e a segunda sobre os negros nativos.

---

[11] Antes da chegada ao Brasil do Rei de Portugal, esses ofícios eram arrendados e rendiam ao físico somas consideráveis. Mas D. João VI, cedendo às solicitações de algumas pessoas insaciáveis, havia doado a elas a maior parte desses ofícios, causando com isso não só o descontentamento entre os brasileiros como uma diminuição de suas próprias rendas (ver *Viagem à Província de Minas*).

[12] Sobre os *novos direitos e novos impostos,* ver nota da p.103.

[13] Serão encontrados, num dos capítulos deste livro, alguns pormenores sobre esse imposto e os seus enormes inconvenientes.

[14] Ver nota 156.

Direitos da chancela.

Carnes verdes, taxa de 5 réis sobre a carne fresca.

Os impostos que mais rendiam eram o dízimo, o imposto sobre o sal, os subsídios literários e, finalmente, os direitos de entrada de burros, cavalos e bois, os quais, sozinhos, proporcionavam uma renda quase correspondente a um quarto da de todos os outros. Não se modificou muito depois da independência, proclamada em 1822, a situação dos impostos. Eis como era essa situação em 1838[15], e provavelmente continua a ser ainda hoje, com pequenas diferenças[16].

Novos e velhos direitos sobre as provisões, os diplomas e os atos;

Novos impostos, correspondentes a uma taxa de 6.400 réis sobre lojas e botequins da sede da comarca e de outras vilas do planalto; *taxa* sobre bois, cavalos e burros que passam pela alfândega de Sorocaba, e finalmente outras taxas de menos importância[17];

Subsídios literários, cobrados sob os animais abatidos para a venda a varejo ou por atacado.

Carne verde, imposto que, ao invés de ser pago, como antigamente, para cada libra de carne, é agora cobrado à razão de 1.600 réis por boi abatido;

O *dízimo* dos produtos da terra, cobrado hoje com algumas modificações que outrora não eram admitidas;

Imposto sobre as propriedades urbanas, cobrado nas cidades que têm cem casas ou mais,

Décima dos legados e heranças, direitos de 10% cobrados sobre os bens de pessoas falecidas que não deixam herdeiros;

Direitos sobre cavalos e burros que entram na província (*direitos do Rio Negro,* em substituição aos que antigamente eram chamados de *direitos do contrato* e da *casa doada*);

Direitos de 20% sobre as aguardentes, seja qual for a sua origem;

---

[15] D. P. Müller, Ensaio Estatístico, tab. 9.
[16] Ver os relatórios dos presidentes da Província referentes a 1840-43-44-45-47.
[17] Em suas notas sobre o orçamento oficial para 1813, do qual reproduzi alguns dados mais acima, Eschwege diz que os *novos direitos* e os *novos impostos* eram taxas sobre mercadorias. Parece, entretanto que ele se engana, pois certamente não seriam conservadas as antigas denominações desses impostos, se a sua natureza foi inteiramente mudada. Por outro lado, Müller diz que os novos impostos são a continuação de uma taxa criada sob essa designação depois do terremoto de Lisboa.

Direito de 5% (*meia siza*) sobre a venda de escravos já treinados

N. B. – É evidente que foi necessário suprimir o que havia antigamente com relação aos escravos africanos, uma vez que agora eles só podem ser introduzidos no país clandestinamente;

Direitos de expedição, recebidos pela secretaria da Província;

Taxa para expedição de licença aos navios que deixam o porto;

Contribuição para Garapuava, taxada sobre bois, cavalos e burros, a fim de subvencionar as despesas necessárias à construção de Garapuava[18]. – N. B. – Por esse imposto, os animais criados entre Curitiba e Sorocaba pagam muito menos do que os que vêm do Sul. Convém notar, porém, que sobre esses últimos recaem três impostos diferentes, sem falar nos direitos de pedágio;

Pedágio dos rios;

Direito sobre as casas onde se fazem leilões. – N. B. – O presidente da Província em 1844, chamou atenção para o fato de que esse imposto é praticamente nulo, uma vez que não existem casas especialmente reservadas para os leilões, e se propôs a substituí-lo por um imposto de dois por cento sobre os objetos vendidos em hasta pública;

Imposto da alfândega sobre mercadorias e exportadas, ao qual se acrescentam vários outros pequenos impostos específicos.

Imposto de chancelaria;

Imposto de selo;

Finalmente, *imposto sobre as cartas.*

Uma vez que o Brasil é um Estado Federativo, torna-se claro que as províncias, tanto a de São Paulo quanto as outras, devem ter um orçamento regional que diga respeito exclusivamente a cada uma em particular, e que além de outras coisas devem contribuir, de acordo com a sua situação geográfica e o estado de suas finanças, para as despesas gerais do Império. Daí haver uma divisão das rendas em dois setores, o provincial e o geral.

Em São Paulo, esse último setor é constituído unicamente pelo produto de quatro dos impostos que acabo de mencionar, a saber, os direitos de alfândega, os da chancelaria, os do selo e os da correspondência postal.

---

[18] Serão encontradas, neste volume, informações bastante pormenorizadas sobre a colônia de Garapuava.

A renda dos restantes pertence à província, sendo eles cobrados em seu benefício e empregados no provimento de suas necessidades.

O orçamento provincial de 1813 apresentou os seguintes resultados:

Rendas............................... 182.754.054 réis ou 1.142.212 francos
Despesas........................... 178.130.369 réis ou 1.113.314 francos
Excedentes da despesa.............. 4.623,685 réis ou 28.898 francos
Comparemos agora esses resultados ao período relativo a 1838/1839:
Rendas................................ 248.215.284 réis ou 775.672 francos
Despesas............................. 211.812.868 réis
Excedentes das despesas....... 36.402.416 réis

Isso nos leva a concluir que a receita e a despesa do último período foram maiores do que as correspondentes a 1813. Essa conclusão, porém, não é válida, pois no intervalo entre as duas épocas comparadas acima os valores representativos no Brasil sofreram uma grande depreciação. Convertamos, pois em francos as somas indicadas em 1813 e 1838, baseando-se na cotação da moeda brasileira (160 e 320, respectivamente) nesses dois anos[19]. Dessa maneira verificaremos que em 1838 a Província de São Paulo, na realidade, teve uma receita e uma despesa menores do que em 1813, embora no período decorrido entre esses dois anos a sua população tenha aumentado cerca de um terço. Essa diferença se deve, na minha opinião, ao fato de que em 1813 a província foi forçada a fazer grandes despesas com a guerra no Sul. Além do mais, as finanças são hoje muito mais bem administradas do que no tempo da colônia.

Não foi unicamente em 1839 que a receita sobrepujou a despesa. O orçamento desses últimos anos que acabamos de examinar apresenta resultados semelhantes. Aqui está como se exprime a esse respeito o presidente da província, Manuel Felizardo de Sousa e Melo: "Enquanto que várias províncias do império se veem privadas de recursos e lutam contra mil dificuldades para fazer face às despesas mais urgentes, vendo-se forçadas a recorrer ao tesouro geral do império, a de São Paulo dispõe de rendas suficientes não só para satisfazer às suas inúmeras necessidades mas também para manter de reserva uma soma considerável. Devemos atribuir a prosperidade de nossas finanças à sabedoria e à ação de nossa

---

[19] Horace Say, *Tableau synoptique*, em *Histoire des relations commerciales*.

administração provincial, ao zelo dos coletores e principalmente à docilidade do povo paulista, que, imbuído do respeito à lei e às autoridades, não opõe objeção em pagar os seus impostos, sendo extremamente rara a constatação de fraudes." Entre as causas às quais o presidente Manuel Felizardo atribuiu a prosperidade das finanças da Província de São Paulo, seria justo, creio eu, colocar em primeiro plano a expansão do comércio e o progresso da agricultura.

Capítulo II

INÍCIO DA VIAGEM À PROVÍNCIA DE SÃO PAULO. O ARRAIAL DE FRANCA, HOJE A CIDADE E SEDE DE COMARCA

> *Rápido esboço da viagem desde a fronteira de Goiás até a cidade de S. Paulo. A aprazível paisagem às margens do Rio Grande. Aspecto dos campos após as primeiras chuvas. O povoado de Rio das Pedras; rudeza, sujeira e apatia de seus habitantes. O lugarejo de Pouso Alto; seus habitantes; fertilidade das terras; um furacão; o Ribeirão do Inferno e sua cachoeira; um novo criado. A vegetação das queimadas. O Ribeirão Corrente. O povoado do mesmo nome; um abrigo desconfortável; o mau-humor de José Mariano. O arraial de Franca; sua história; o lugar é elevado a cidade e cabeça de comarca; hábitos e costumes de seus habitantes. – José Mariano é picado por uma cobra.*

Ao terminar minha viagem a Goiás declarei que, após ter atravessado o Rio Grande, limite da Província de São Paulo, iniciei a 24 de setembro de 1819 a viagem através dessa imensa província.

Para chegar à sua capital percorri 86 léguas[1] seguindo pelo caminho direto usado pelas tropas que vão de Goiás ao Mato Grosso. Gastei trinta e seis dias nessa viagem, tendo passado momentos desagradáveis por causa das chuvas e das péssimas acomodações.

---

[1] Luiz d'Alincourt registra 89 léguas e meia (*Mem. Viaj., 113*) e Antônio Joaquim da Costa Gavião, 88 (*in* Matos, *Itinerário*).

Essa estrada se estende quase que paralelamente à fronteira ocidental de Minas Gerais até Pirapetinga, não se afastando dela mais do que um grau em certos pontos e em outros aproximando-se bastante.

No rápido esboço que já tracei dessa viagem[2] ficou dito que entre o Rio Grande e São Paulo eu passei por três arraiais, Franca, Casa Branca[3] e Mogiguaçu, e por três cidades, Mogi Mirim, São Carlos e Jundiaí, e que quase até Mogi Mirim, numa extensão de 50 ou 55 léguas, as terras são praticamente despovoadas, quase sem lavouras, e os colonos, estabelecidos de longe em longe às margens da estrada, são geralmente homens grosseiros, ignorantes e estúpidos[4]. Depois de Mogi a região se torna mais ativa e povoada. Encontram-se a todo momento burros carregados de mercadorias europeias ou produtos coloniais. As propriedades se tornam menos raras, e logo percebemos que estamos próximos de uma cidade grande. Por outro lado, algumas diferenças nos hábitos dos colonos, em seus traços, seus costumes e sua língua mostram ao viajante que ele já não se acha mais em Goiás ou em Minas Gerais. O aspecto da região apresenta também algumas diferenças, não somente porque a cerca de 20 léguas de São Paulo as matas substituem os campos e as terras descampadas, mas também porque, de um modo geral, a partir do Rio Grande, a vegetação se torna menos exuberante e variada. Percebe-se que em breve a zona tropical ficará para trás, com a Natureza prenunciando uma nova flora.

Atravessei o Rio Grande no mesmo dia em que o alcancei[5], indo abrigar-me num vasto rancho[6] coberto de telhas e aberto de todos os lados. A noite foi muito fria. No dia seguinte, antes do nascer do sol, uma névoa espessa me impedia de ver os objetos que me cercavam. Logo se dissipou, porém, e pude apreciar a beleza da paisagem.

---

[2] *Viagem à Província de Goiás.*
[3] Ver-se-á mais tarde que em época bem recente Franca e Casa Branca fora elevadas a cidade.
[4] "A medida que as cidades se tornam mais distantes", diz Luiz d'Alicourt (*Mem. Viaj.*, 54), que se dirigia de S. Paulo a Goiás, "os habitantes dos campos vão ficando cada vez mais selvagens".
[5] Itinerário aproximado desde as margens do Rio Grande até a cidade de Franca:
Das margens do Rio Grande ao Rio das Pedras .... 3 léguas
Do Rio das Pedras a Pouso Alto, sítio .... 4 léguas
De pouso Alto a Ribeirão Corrente (lugarejo) .... 5 léguas
De Ribeirão Corrente a Franca, cidade .... 4 léguas
                                         16 léguas
[6] Os *ranchos* são espécies de galpões onde se abrigam os viajantes (*Viagem pelas Províncias do Rio de Janeiro e de Minas Gerais*).

Nessa época do ano, isto é, no final da seca, o rio tinha mais ou menos a largura do Sena no Jardim das Plantas, e em consequência na estação das chuvas deve ser bastante caudaloso. Suas águas correm vagarosamente, traçando grandes linhas sinuosas. As margens são pouco elevadas e cobertas de árvores, muitas das quais, à época da minha viagem, se achavam cobertas de tenros brotos. Uma ilha, cuja extremidade pode ser vista do posto de pedágio, contribui para embelezar a paisagem, tornando-a mais variada.

Do outro lado do Rio Grande as terras são muito planas. Numa extensão de cerca de 2 léguas atravessei um campo[7] semeado de árvores mirradas. As chuvas dos dias precedentes, embora pouco abundantes, já as tinham feito reverdecer. A tonalidade de suas folhagens, de um belo frescor, me pareceu menos matizada de amarelo do que a das folhas de nossos álamos, salgueiros e carvalhos, na primavera.

Depois de ter caminhado 2 léguas, passei por uma miserável choupana feita de varas atadas umas às outras. Em seguida por um capão[8] que me pareceu o mais extenso que tinha atravessado desde que deixara o Mato Grosso de Goiás[9], tendo andado 1 légua através dele.

Parei para dormir no Rio das Pedras, espécie de lugarejo formado por alguns casebres, todos de aspecto miserável e habitados por vários irmãos e alguns *agregados*[10]. O rancho sob o qual me abriguei se achava em melhor estado do que as choupanas, mas, pelo que parecia, ninguém jamais se dava ao trabalho de varrê-lo, pois os bichos-de-pé (*Pulex penetrans*) nos atacaram ferozmente.

Enquanto eu analisava as plantas e tomava notas, um homem entrou no rancho e passou várias horas a me observar sem dizer uma palavra. Desde Vila Boa até o Rio das Pedras eu tive diante de mim uma centena de exemplos de homens indolentes e estúpidos como esse. Essa gente, embrutecida pela ignorância, pela ociosidade, pelo isolamento, em que se acha de seus semelhantes e provavelmente pelo gozo de pra-

---

[7] É dado o nome de campo a uma espécie de campina ou savana seca, que ora se apresenta coberta unicamente de capim e subarbustos, ora exibe no meio do capim algumas árvores esparsas, quase sempre retorcidas e mirradas (ver meus três relatos precedentes).

[8] Na maioria dos campos veem-se extensos trechos cobertos de árvores, aos quais é dado o nome de *capão*, derivado de uma palavra indígena que significa ilha (*Viagem pela Prov. do Rio de Janeiro*, etc.).

[9] *Viagem à Província de Goiás*.

[10] Os *agregados* são pessoas que nada possuem e que se estabelecem nas terras dos outros (*Viagem pelas Províncias do Rio de Janeiro e Minas Gerais*).

zeres prematuros, não pensa em nada, apenas vegeta como árvores ou o capim dos campos.

Forçado pelo vento a deixar o rancho, fui procurar asilo na choupana principal, e me senti chocado pela desordem e sujeira que reinavam nessa miserável moradia. Fui logo cercado por um bando de homens, mulheres e crianças. Os primeiros vestiam apenas um calção e uma camisa de algodão grosseiro, as mulheres uma saia simples e uma blusa. Os goianos, e mesmo os mineiros[11] de classe inferior quase sempre se vestem com roupas igualmente modestas, mas pelo menos apresentam-se limpos. As vestes dos pobres colonos do Rio das Pedras eram tão sujas quanto as suas choupanas. À primeira vista, a maioria deles parecia ser da raça branca, mas a largura de seus rostos e a proeminência dos ossos malares logo traíam o sangue indígena que corria em suas veias, de mistura com o da raça caucásica. Esses homens, que tinham uma aparência tão doentia quanto a dos habitantes das margens do Rio Grande[12], me disseram que a região ali era muito pantanosa e insalubre e eles era atacados frequentemente por febres intermitentes. A pouca distância dessas terras tão pouco saudáveis eles poderiam encontrar outras mais férteis e sem dono, onde respirariam um ar muito mais puro, mas os mestiços de índias e brancos são tão pouco previdentes quanto os seus antepassados maternos e talvez mais apáticos do que eles. Podemos acrescentar ainda que à indolência desses homens se juntam, de um modo geral, a palermice e a impolidez. Não obstante, eles não possuem nem a arrogância nem a maldade que encontramos com tanta frequência nos habitantes de nossos campos. Assemelham-se em alguns pontos aos camponeses da Sologne, como era na mesma época, mas são ainda mais indolentes e ao mesmo tempo mais ágeis e menos desajeitados.[13]

Do outro lado do Rio das Pedras percorri um descampado de 4 léguas, onde a vegetação ainda não começara a renascer como a do trecho do dia anterior. A região é plana e, como em outras partes do Brasil, a terra tem um tom vermelho escuro. Uma espessa nuvem de poeira se levanta à medida que avançamos, sujando nossas roupas e se misturando ao suor de nossos rostos e mãos.

---

[11] Os mineiros são habitantes da Província de Minas Gerais. Em algumas regiões também chamados de *geralistas*.

[12] *Viagem à Província de Goiás*.

[13] Os camponeses de Sologne, mais bem alimentados e bem vestidos, são hoje talvez menos indolentes e mais ativos, mas depois que eles se *civilizam* tornam-se egoístas, mostram menos respeito pelas leis de seus antepassados e desconhecem o sentimento de fraternidade que caracterizava as gerações passadas.

Parei numa pequena habitação denominada Pouso Alto, junto à qual havia sido construído um rancho para os viajantes. Os homens que vi à minha chegada eram também descendentes de brancos e índias, e tão apáticos quanto os habitantes do Rio das Pedras. Logo fiquei sabendo, porém, que a choupana não lhes pertencia, morando eles nas vizinhanças, e que o proprietário era um agricultor de raça branca pura, natural de Minas Gerais. Contudo, ele havia adotado os hábitos do lugar onde se fixara, pois achei a sua casa tão suja quanto a outra onde havia dormido na véspera.

Esse homem me disse que as terras das redondezas de Pouso Alto são notáveis por sua fertilidade, bem como as do Rio Grande e do Rio das Pedras. Ele vendia o seu milho aos viajantes, e uma vez por ano ia à cidade de São Paulo com um carro de bois carregado de toucinho e algodão, trazendo na volta sal e ferro. A viagem de ida e volta somava 158 léguas e não podia ser feita em menos de três meses.

Enquanto estive em Pouso Alto houve várias complicações. O tempo ficou ruim, meus burros fugiram, José Mariano, meu arrieiro, foi atacado de bronquite, e eu me vi forçado a permanecer três dias nesse tristonho lugar. Não se via nas redondezas uma única planta em flor, e eu não dispunha de quem quer que fosse para conversar. Senti-me morrer de tédio.

No dia seguinte ao da minha chegada, presenciei um vendaval como nunca tinha visto em minha vida. Turbilhões de pó vermelho escuro invadiram o nosso rancho e cobriram nossas malas e demais objetos. Meus papéis e os couros usados para segurar a carga dos burros foram levados pelo vento e, embora fechadas a chave, minhas malas se encheram de poeira. O granizo se juntou ao vendaval e em poucos minutos uma chuva torrencial inundou o rancho, e foi com grande dificuldade que conseguimos evitar que se molhassem as nossas coisas. Ao entardecer a chuva cessou, mas o pó se transformara em lama com a água, e não podíamos tocar em nenhum objeto sem sujá-lo ou sujar a nós mesmos.

Depois de Pouso Alto há um rio denominado outrora Ribeirão do Inferno, cujo triste nome os habitantes do lugar vêm se esforçando por trocar para o de Ribeirão de Nossa Senhora do Carmo. Esse rio, segundo me disseram, tem sua nascente a uma légua do arraial de Franca, do qual falarei em breve, e vai desaguar, após um curso de pequena extensão, nas águas do Rio Grande.

A um quarto de légua de Pouso Alto ele forma uma cachoeira, que fui observar. Acima do local onde suas águas se precipitam, o rio deve ter cinquenta passos de largura, e sua torrente despenca de uma altura de cerca de 3 a 4 metros. A cascata, entretanto, não tem nada de extraordinário.

Eu estava à procura de um tocador[14] para substituir o que me havia deixado alguns dias antes[15]. Mal cheguei a Pouso Alto um rapaz branco veio oferecer-me os seus serviços, e me apressei a aceitá-los. Já falei, em outros trabalhos, a respeito da dificuldade de encontrar, no Brasil, homens livres para servirem de criados. Eu não conhecia ninguém e ninguém me conhecia naquela região. Não me restava outra coisa senão aceitar o primeiro que me aparecesse. Tratava-se de um rapaz que me pareceu ativo e disposto para o trabalho. Combinei com ele que lhe pagaria à razão de 3.000 réis por mês.

Depois do Pouso Alto as terras são onduladas e apresentam, numa extensão de 5 léguas, ora campos semeados de árvores mirradas, ora capoeiras, ora brejos pouco extensos onde só cresce o capim. A verdura dos pastos queimados[16] variava de acordo com época em que havia sido ateado o fogo. As queimadas mais antigas faziam lembrar os campos da Europa, na primavera; as gramíneas que nasciam sob as árvores formavam um tapete encantador, embora a folhagem destas últimas ainda não fosse muito densa, sua aparência era fresca e agradável. Em outros trechos, as queimadas mostravam árvores menos providas de folhas e um capim mais rasteiro. Finalmente, nos pastos recém-queimados via-se apenas o capim começando a brotar, enquanto que as árvores só apresentavam rebentos.

Passamos por dois miseráveis sítios. Perto do primeiro, denominado Monjolinho, passa um córrego que vai desaguar no Rio Grande, quinze léguas além, e tem o nome de Ribeirão Corrente.

Tornei a encontrar esse ribeirão no lugar onde parei. Tratava-se de um lugarejo também chamado Ribeirão Corrente, que se compunha de vários casebres esparsos, onde moravam diversas famílias. As casinhas não indicavam a menor prosperidade, mas fui bem acolhido ali, o que me fez pensar que seus habitantes eram mineiros, já que os paulistas não se mostravam hospitaleiros naquela região, embora o fossem em outras.

---

[14] O tocador é o homem que, sob ordens do arrieiro, tange os burros, vai buscá-los no pasto, etc. (ver meus relatos anteriores)
[15] *Viagem à Província de Goiás.*
[16] Todos os anos ateia-se fogo nos pastos para se obter capim fresco para o gado, sendo dado nome de *queimada* ao pasto recém-queimado (ver meus relatos anteriores).

Passei ali a noite num pequeno rancho aberto de todos os lados. Achavamo-nos numa baixada, à beira de um riacho, e o frio rigoroso, impedindo-me de dormir. Quando me levantei, sentia-me profundamente abatido, e o meu arrieiro, José Mariano, ainda aumentou o meu desânimo com seu mau-humor. Sem nenhuma razão, ele se enfureceu com o meu criado francês, o amável Laruotte, que sempre o tratara com grande consideração, e o ameaçou. Quando nos pusemos a caminho, ele apontou sua arma, também sem nenhum motivo, para índio Firmiano. Este, porém, que tinha bastante coragem a sangue-frio, enfrentou-o de igual para igual, e com isso José Mariano tornou-se mais tratável[17]. Eu sabia que esse homem, inconstante como todos os mestiços, era capaz de me abandonar no meio do caminho à primeira censura que eu lhe fizesse e, como me fosse impossível substituí-lo naquele momento, procurei armar-me de toda a paciência.

Depois de Ribeirão Corrente, as terras, sempre planos, ainda mostram campos semeados de árvores mirradas numa extensão de 2 léguas. Tornam-se, porém, um pouco arenosas depois de terem apresentado um tom vermelho escuro durante muito tempo. O que se vê, então, são excelentes pastagens cobertas exclusivamente de capim e entremeadas de numerosos tufos de árvores.

O arraial de Franca, onde parei, fica situado num aprazível descampado, em meio a extensas pastagens salpicadas de tufos de árvores e cortadas por vales pouco profundos. O arraial ocupa o centro de um cume largo e arredondado, sendo banhado dos dois lados por um córrego[18]. Não havia ali, à época de minha viagem, mais do que umas cinquenta casas, mas já tinha sido demarcado o local para a construção de várias outras. Era fácil ver que Franca não tardaria a adquirir grande importância.

Quando de minha passagem pelo arraial, a totalidade de seus habitantes era composta de mineiros, que tinham erguido ali as primeiras casas por volta de 1804. Muitos deles haviam deixado sua terra por acharem que lhes faltava espaço nela; outros, fugindo da justiça ou de seus credores, decidiram tomar o rumo do oeste. Encontraram uma região

---

[17] Em meus três relatos precedentes já apresentei Firmiano, que pertencia à nação dos botocudos. Quanto ao arrieiro José Mariano, tracei o seu perfil em meu livro *Viagem às Nascentes do Rio S. Francisco*.

[18] O riacho do oeste chama-se, segundo d'Alincourt, Ribeiro de Itambé, e o do leste, Ribeiro do Vigário *(Mem. Viag.)* De acordo com o útil *Dicionário Geográfico do Brasil* (I), Franca estaria situada *à margem direita do Rio Mogi*. Confesso que não entendo essa frase, a qual talvez não passe de um erro de cópia.

inteiramente despovoada, mas onde as terras eram férteis e as pastagens excelentes, e tomaram posse dela. A terras não estavam sob jurisdição de Minas Gerais e pertenciam, pelo contrário, à Capitania de São Paulo. Os imigrantes trataram de se colocar sob a proteção de Antonio José de Franca e Horta, governador dessa capitania, e deram o seu nome ao arraial cujos fundamentos acabavam de lançar[19]

Novos colonos vieram juntar-se aos antigos, e antes da época de minha viagem (1819) Franca já se tornara sede de uma paróquia, limitada de um lado pelas terras da própria província e do outro pela paróquia de Batatais. Em 1824 o arraial foi elevado a cidade, com nome de Vila Franca do Imperador[20], e em 1839 a cidade tornou-se sede da sétima comarca da Província de São Paulo[21]. No período de 1818/1823, a paróquia de Franca contava com 3.000 indivíduos em idade de se confessar[22], em 1838 havia, em todo o termo, 10.644 habitantes de todas as idades, dos quais 9.149 eram livres e 1.515 escravos[23]. Atualmente, só a cidade já conta – segundo se afirma[24] – com 5.000 habitantes.

No princípio, os assassinatos e um grande número de outros crimes se multiplicaram de maneira assustadora no seio da nova colônia, que abrigava, como já disse, numerosos aventureiros e homens perseguidos pela justiça. À época de minha viagem, as coisas não tinham mudado muito. Franca ainda era considerada um repositório de homens perigosos e mal afamados, mas o então governador da província, João Carlos Augusto d'Oeynhausen estava tomando severas medidas para impedir novas desordens. Talvez essas medidas tenham tido, momentaneamente, bons resultados. Todavia, se mesmo depois de terem decorrido alguns séculos e uma longa série de revoluções cada povo ainda conserva alguns traços de sua origem, como poderiam deixar de persistir numa segunda e terceira geração os costumes do seus antepassados numa população extremamente escassa, perdida no meio do sertão sem nenhuma possiblidade de recuperação, e sobre a qual as leis e a polícia não poderiam se fazer sentir a não ser muito francamente? Em 1838, Franca foi teatro

---

[19] Creio que Luiz d'Alincourt se engana quando declara *(Mem. Viag)* que Franca recebeu esse nome porque, no princípio, se estabeleceu aí gente da toda espécie e de todas as regiões do país.
[20] Os autores do *Dicionário do Brasil* registraram (Vol. I) a data de 1836; prefiro a indicada por Pedro Müller *(Ensaio,* 43) que morava na Província de S. Paulo e, em consequência, se achava mais bem informado do que quem quer que seja sobre o que se passava ali.
[21] Pedro Müller, *Ensaio Estat.,* 43.
[22] D'Alincourt, *Mem. Viag.,* 60.
[23] Pedro Müller, *Ensaio Estat., apêndice, tabela 6.*
[24] Milliet e Lopes de Moura, *Dicionário Brasileiro,* I, 375.

de uma revolta instigada por um certo Anselmo Ferreira de Barcelos[25]. Cometeram-se terríveis barbaridades, muitas pessoas de bem fugiram e o crime saiu vitorioso. A sedição acabou por ser sufocada, e foi então que Franca passou a ser cabeça de uma comarca e a possuir um juiz de direito. Sendo estranhos à região, esses magistrados, de elevada categoria, formados em leis e habituados a distribuir justiça, acham-se mais capacitados a combater os malfeitores do que as autoridades locais, mais fáceis de ser intimidadas e até mesmo de manter uma perigosa cumplicidade com os criminosos. Os rebeldes de Franca foram colocados perante um júri que, sem dúvida temeroso de sua vingança, os absolveu por unanimidade. Em seu discurso à Assembleia Provincial de janeiro de 1840, e o Presidente Manuel Machado Nunes queixou-se de que as autoridades eram impotentes para manter a ordem nesses lugares remotos. "Teria sido preciso", declarou ele, "que os autores das atrocidades que neste momento deploramos fossem punidos de maneira exemplar, que o terror desaparecesse, que os fugitivos pudessem retornar em paz às suas casas e que as pessoas de bem concordassem em aceitar os empregos públicos. Infelizmente não é assim... A sedição conseguiu uma vitória completa, e é de temer que a tendência para a desordem e a insubordinação se enraíze cada vez mais nessa longínqua parte da província[26]."

Para ser justo, devo dizer, entretanto, que encontrei entre os habitantes da Franca muito mais polidez e menos selvageria do que entre os mais antigos colonos estabelecidos ao longo da estada que vai de Goiás a São Paulo.

À exceção de um pequeno número de artesãos e de comerciantes de produtos alimentícios, os habitantes do lugar eram todos agricultores, os quais, segundo o costume, possuíam casa na cidade apenas para aí passar o domingo, permanecendo o resto da semana em suas propriedades rurais. Cultivavam a terra, fabricavam tecidos de algodão e de lã[27] e se dedicavam principalmente à criação de bois, porcos e carneiros. Suas ocupações não se modificaram depois da época de minha viagem[28]. Todavia, a criação de gado expandiu-se extraordinariamente no distrito de Franca, e em 1838 esse distrito era um dos principais exportadores de gado. É o tipo de atividade a que se dedicam que os criadores da região

---

[25] Mill. e Lopes Moura, Idem, I, 373.
[26] *Discurso recitado no dia 7 de janeiro de 1840 por ocasião da abertura da Assembleia Legislativa Provincial*, 2,3.
[27] Pizarro, *Mem. Hist.*, III, 303.
[28] Pedro Müller, *Ensaio*, tabela 14. – Mill. e Lopes de Moura, *Dicionário*, I, 375.

devem ao fato de não precisarem de muitos escravos[29]. Isso lhe traz ainda outra vantagem. Andando sempre a cavalo, em perseguição aos bois nos pastos, eles vivem geralmente ao ar livre, mantendo-se assim saudáveis. E parece que nenhuma outra parte da província apresenta tantos exemplos de longevidade quanto o distrito de Franca do Imperador[30].

Enquanto eu me achava no arraial, José Mariano saiu para caçar. Voltou já bem tarde e me contou, ao chegar, que tinha sido picado por uma cascavel, acrescentando, porém, que não sentia nenhum receio pois havia sido benzido[31] por um curandeiro e depois disso já fora picado uma vez sem ter sofrido nada. Ele disse isso com um ar tão tranquilo e a fisionomia tão inalterada, afirmando com tanta segurança que sentia apenas um ligeiro entorpecimento na perna, que a princípio não me preocupei. Mas logo que vi a cobra e a marca da picada deixada por ela, juro que pouco faltou para que eu desmaiasse. Veio-me à lembrança a dolorosa perda que sofrera em São João Del Rei e imaginei que poderia perder também José Mariano, como acontecera com Prégent, e de uma maneira ainda mais cruel[32]. Essa viagem me parecia amaldiçoada pela Providência; meus olhos se encheram de lágrimas. José Mariano me contou que, ao ser picado, estava atravessando uma pequena mata. Ao pisar na cobra, esta o mordera mas continuara no mesmo lugar. Pedira, então, o Firmiano que a matasse com um pedaço de pau, porque, segundo ele, toda pessoa que foi *curada* (benzida) não deve matar, ela própria, a cobra que a picou nem permitir que a matem com um instrumento de ferro. José tinha duas perfurações pouco acima do calcanhar, uma mais profunda do que a outra. Os dentes da cobra não tinham ficado na ferida e, pelo que me contou Firmiano, tinha saído um pouco de sangue dela. José me disse que a dor que sentira no momento da picada se assemelhava apenas à de uma queimadura violenta. Resolvi fazê-lo tomar um pouco de álcali. Primeiramente, dei-lhe três gotas num copo d'água e com a ajuda de uma pena pinguei duas ou três gotas na ferida. No momento em que eu fazia essa aplicação o doente sentiu uma dor muito aguda, que se espalhou como uma labareda por sua perna acima, segundo explicou. Passado um quarto de hora repeti o tratamento. O doente estava pálido

---

[29] Ver mais acima.
[30] Em 1838 este distrito contava, segundo Pedro Müller, com 10.664 habitantes, dos quais 34 indivíduos livres e 22 escravos tinham idade que variava entre 90 a 100 anos *(Ensaios,* tabela 5, *continuação).*
[31] Ver *Viagem às Nascentes do Rio São Francisco.*
[32] *Viagem às Nascentes do Rio S. Francisco.*

e parecia abatido. Mandei que se deitasse e ele permaneceu de repouso cerca de meia hora, depois levantou-se e começou a preparar os pássaros e a cobra que o havia mordido. Queixava-se de entorpecimento no local do ferimento, mas a perna não inchou, e ao jantar ele comeu como de costume. Dois dias depois não sentia mais nada. Eu não podia acreditar na ciência dos curandeiros, e atribui ao álcali a cura de José Mariano. Entretanto, muito tempo depois, Firmiano, num momento de irritação, veio dizer-me: "O senhor acreditou que José Mariano tinha sido mordido por uma cobra. Ele inventou essa história." Não lhe dei resposta, para não encorajar delações, mas fiquei em dúvida. José Mariano era bem capaz de me enganar, mas, por outro lado, não era improvável que Firmiano estivesse mentindo.

Capítulo III

DE FRANCA A MOGI MIRIM

Descrição geral das terras situadas entre Franca e Mogi Mirim; mudança na vegetação; os campos no começo da primavera; época em que as chuvas começaram; costumes dos habitantes da região e suas ocupações; moeda corrente. Os campos que se estendem depois de Franca. Acidente ocorrido com duas malas. O Rio de Santa Bárbara e a fazenda do mesmo nome. O Rio Sapucaí. A fazenda da Paciência; seu proprietário. As terras depois de Paciência. O lugarejo de Batatais e a propriedade do mesmo nome; seu dono; uma aventura de Laruotte; o interior das casas é reservado às mulheres; uma história. Amuletos. As terras depois de Batatais. A propriedade de Lajes; seu dono. O lugarejo de Cubatão. Uma grande mata. Esquisitices de José Mariano. O Rio Pardo; um bicho chamado minhocuçu. Águas minerais do Rio Pardo; preferência do gado por essas águas. Um vendedor de diamantes. A inconstância dos empregados livres. Fazenda da Paciência. O arraial de Casa Branca; sua história. Um vendaval. Vegetação das terras que se estendem depois da Casa Branca. O Jaguarimirim. Fazenda de Itapeva e o ribeirão do mesmo nome. Os cães. O rancho do Urussanga; os ranchos em geral. Ciganos; uma consulta. O arraial de Mogi-guaçu. Região dos engenhos de açúcar. O Rio Mogi-guaçu, de águas muito insalubres; envenenamento dos peixes pelo timbó.

Entre Franca e Mogi Mirim, numa extensão de cerca de 40 léguas, as terras não têm a mesma aparência que vinham apresentando desde Goiás. As árvores mirradas, que por toda a parte chamam a atenção e cansavam a vista, praticamente desaparecem dos campos, e excelentes pastagens, caracterizadas – como as da região do Rio Grande – pelo capim-flecha, permitem que se descortine um vasto horizonte. Desde Caldas as montanhas tinham desaparecido da vista[1]. Uma pequena cadeia, ligada à Serra de Mantiqueira e à qual dei o nome de Serra do Rio Grande e do Paraná[2], aparece ao longe, para os lados do oeste, e dá uma certa variedade à paisagem.

As chuvas, que tinham começado fazia poucos dias, haviam dado aos campos um aspecto encantador. O capim já se mostrava abundante, e um verde tenro substituía as tonalidades cinzentas que durante a estação da seca afligiram por tanto tempo a minha vista. Embora não tão numerosas e variadas quanto nas regiões decididamente tropicais, as flores, já apareciam com mais frequência. Os insetos revoluteavam em torno dos estames e dos tenros brotos, e a Natureza despertava do calmo e silencioso entorpecimento em que havia permanecido durante vários meses, parecendo dizer, como no final de nossos tristes invernos: *Mortal, tu não foste esquecido*[3].

Não se deve imaginar que as chuvas comecem ao mesmo tempo em todas as partes do Brasil. A esse respeito podemos assinalar diferenças dignas de nota. No rumo que eu seguia então, dirigindo-me do noroeste para o sudeste, a seca parecia prolongar-se gradativamente à medida que nos aproximávamos do Trópico de Capricórnio, pois por cada lugar que eu passava, avançando para o sul, me diziam que nesse dia tinham caído ali as primeiras chuvas mais pesadas.

---

[1] Ver, com relação à Serra de Caldas, o meu relato *Viagem à Província de Goiás*, II.

[2] De acordo com as regras que estabeleci para a nomenclatura dos rios do Brasil *(Viagem às Nascentes do Rio São Francisco – Observations sur les diviseur des eaux de quelques-um de fleuves de l'Amérique*, etc., incluídas nos *Comptes rendus de l'Académie des sciences*), essa cadeia deve ter o nome que lhe dou aqui, já que faz desaguar seus afluentes do lado leste do Rio Grande, e do lado oeste no Rio Paraná. A cadeia me pareceu pouco elevada, mesmo se comparada apenas com as montanhas do Brasil, das quais as mais altas não chegam a ultrapassar os 2.000 metros (Eschwege, *Bras.*, II; Mart., *Physiognomie des Pflanzenreichs*), apresentando apenas uma vegetação que corresponde à que chamamos de *alpestre*. Tendo em vista tudo isso, é evidente que os habitantes do Rio de Janeiro, os quais pagam elevados fretes para importar gelo da América do Norte, ficariam surpresos se lessem, em duas obras impressas em Paris à custa dos contribuintes, que às portas de sua cidade, a uma altitude que não ultrapassa 2.000 metros, segundo Eschwege (obra citada) ou 7.500 pés ingleses, segundo Gardner *(Travels)*, "a Serra dos Órgãos apresenta cumes cobertos de neve e de geleiras, que refletem os raios do sol tropical" *(Voyage Bonite, Relation,* I), ou ainda que "a Serra dos Órgãos mostra-se algumas vezes cobertas de neve... e que essa neve longínqua lembra as geleiras das regiões polares" *(Voyage Vénus,* I).

[3] Rousseau.

Já ficou dito que, pouco depois da cidade de Santa Cruz, muitos emigrantes de Minas Gerais se estabeleceram nas terras que margeiam a estrada de Goiás-São Paulo, tendo eles fundado os arraiais de Farinha Podre[4] e de Franca. A escassa população existente no trecho situado entre esse arraial e a cidade Mogi Mirim é igualmente composta de uma mistura de antigos habitantes e novos colonos. Os primeiros, todos paulistas, e provavelmente mestiços, em diferentes graus, de índios e brancos, são, como os agricultores do Rio das Pedras, das redondezas de Pouso Alto, etc.[5], homens grosseiros, apáticos e sujos. Os segundos, nascidos geralmente na Comarca de São João del Rei, embora não possuam algumas das qualidades que distinguem (1816/1822) seus conterrâneos das comarcas de Ouro Preto, Sabará e Vila do Príncipe, diferem, no entanto, bastante de seus vizinhos. A limpeza reina em suas casas, eles são mais ativos, bem mais inteligentes, menos descorteses e mais hospitaleiros que os legítimos paulistas dessa região. Numa palavra, eles conservam todos os hábitos e costumes de sua terra natal.

Enquanto em Minas, ou pelo menos nas regiões mais civilizadas dessa província, as pessoas das classes inferiores demonstram bastante respeito por seus semelhantes, eu ouvi muitas vezes, depois de atravessar a fronteira de São Paulo, a gente do povo falar em matar com a mesma facilidade com que falaria em aplicar uma surra em alguém. *Chumbo na cabeça, faca no coração* – essas eram as palavras que eu ouvia frequentemente. Os antigos paulistas faziam quase tão pouco caso de suas próprias vidas quanto da dos outros. É bem possível que, na região que se estende desde o Rio Grande até Mogi, os descendentes desses aventureiros audaciosos prezem mais sua própria existência do que o faziam seus pais, mas não parece que tenham grande apreço pela do próximo. Na verdade, como poderiam eles perder a sua rudeza hereditária? Não recebem nenhum ensinamento religioso; os maus exemplos dos malfeitores de Minas, que fogem para o seu meio, estimulam-nos ainda mais para o mal, e nessas regiões remotas as leis são praticamente inexistentes.

Os fazendeiros aproveitam-se das excelentes pastagens que o lugar oferece, dedicando-se à criação de ovelhas e de numeroso gado, não negligenciando também a de porcos. Os mais ricos[6] enviam as suas crias, por sua própria conta, à capital do Brasil, e os negociantes da Comarca de

---

[4] *Viagem à Província de Goiás.*
[5] Ver mais acima.
[6] Donos de fazendas ou de grandes propriedades (ver meus relatos precedentes).

São João del Rei vão comprar nas próprias fazendas o gado dos criadores menos prósperos. Um grande número de bois da região é enviado também para as redondezas de São Paulo, onde são usados no trabalho dos engenhos de açúcar. Ali, a má qualidade das pastagens não tarda a fazer com que a maioria morra, o que força os seus proprietários a comprar outros. Alguns anos antes da época de minha viagem, os bois não valiam ali mais do que 3.000 réis; em 1819 os negociantes compravam-nos até por 5.000.

É sabido que, nas regiões auríferas, a moeda é contada em vinténs de ouro, correspondendo cada vintém a 37,50 réis, ou seja, o valor em ouro do peso igualmente chamado vintém[7]. Por outro lado, as regiões onde não existem minas só aceitam o vintém da prata, no valor de 20 réis, como se faz em Portugal e no Rio de Janeiro. Nas partes da Província de Goiás que percorri, o vintém de ouro – moeda fictícia – é o único usado. A partir do Rio das Velhas até Farinha Podre inclusive, as moedas correntes são também o vintém de ouro e o de prata. Quando atravessei a fronteira de São Paulo não ouvi mais falar nessas moedas. Numa região onde não há minas de ouro em exploração, não existe nenhuma razão para se abandonar um uso generalizado e adotar o peso de ouro como representante de valores diversos. Em São Paulo, Santa Catarina e Rio Grande ninguém sabe o que é um vintém de ouro.

A descrição geral que acabo de fazer pode dar uma ideia da região que se estende desde Franca até a cidade de Mogi. O itinerário que dou mais abaixo completará o quadro.

Depois de ter deixado Franca[8], ainda encontrei em suas redondezas um grande número de casas. É a pouca distância dessa cidadezinha que

---

[7] Ver *Viagem pelas Províncias do Rio de Janeiro e de Minas Gerais*.
[8] Itinerário aproximado da cidade de Franca à de Mogi Mirim:
De Franca a Santa Bárbara ....3 léguas
De S. Bárbara a Paciência, fazenda ....4½ léguas
De Paciência a Batatais, fazenda ....2 léguas
De Batatais a Araraquara, fazenda............................3 léguas
De Araraquara a Lajes, fazenda................................3 léguas
De Lajes a Cubatão, lugarejo....................................3 léguas
De Cubatão a Rio Pardo ....3 léguas
De Rio Pardo a Paciência, fazenda...........................4 léguas
De Paciência a Casa Branca, arraial, hoje cidade......3½ léguas
De Casa Branca a Olhos d'Água, fazenda................4 léguas
De Olhos d'Água a Itapeva, sítio.............................3 léguas
De Itapeva a Urussanga, sítio...................................4 léguas
De Urussanga a Mogi Mirim, cidade.......................2 léguas
42 léguas

as terras, como já disse, mudam inteiramente de aspecto. Não somente sua vegetação passa a se compor exclusivamente de gramíneas e subarbustos, como também pequenos morros começam a aparecer.

A uma meia légua do lugar chamado Santa Bárbara, onde parei, há uma das maiores fazendas que me foi dado ver nos últimos tempos.

Pouco antes de Santa Bárbara atravessa-se um aponte sobre um pequeno rio (Rio de Santa Bárbara)[9]. Enquanto José Mariano seguia na frente para pedir hospedagem num sítio vizinho[10], o novo tocador, totalmente inexperiente, caminhava atrás vagarosamente. Os burros, não tendo quem os conduzisse, meteram-se por um caminho abanado que ia dar no Rio de Santa Bárbara, e um deles, carregado com duas malas cheias de plantas secas, caiu dentro d'água e se pôs a nadar. Julguei que fosse perder, num minuto, quase todo o fruto de uma viagem tão prolongada, tão penosa e que me custaria tantas privações. Perdi a calma e me entreguei ao desespero. Firmiano lançou-se ao rio para segurar o burro, enquanto chegava o tocador. Mas só com grande dificuldade é que conseguiram retirar o animal da água.

As pastas com as plantas estavam colocadas nas malas laterais, e uma de suas bordas molhou-se, sendo necessário secar cada folha de papel, separadamente. Enquanto nos ocupávamos com esse tedioso trabalho, desabou uma chuva torrencial. A água entrou na casa onde nos achávamos hospedados, molhando novas folhas dos cadernos. Tivemos de secá-las por sua vez, perdendo dois dias e meio em Santa Bárbara, sufocados pela fumaça e os rostos ardendo pelo calor do fogo. Entre Santa Bárbara e Paciência, num trecho de 4 léguas, as terras são onduladas, e a leste, para os lados da Província de Minas, cujos limites ficam muito próximos da estrada, veem-se pequenos morros (Serra do Rio Grande e do Paraná)[11]. Por toda parte se estendem campos unicamente cobertos de capim e entremeados de pequenos tufos de árvores. O terreno é geralmente arenoso, à exceção de alguns trechos, em que se torna vermelho escuro, e no meio dos pastos reaparecem as árvores mirradas.

A 2 léguas de Santa Bárbara encontra-se o Rio Sapucaí *(Lecythis)*, nome que esse curso d'água deve, sem dúvida às árvores que cresciam

---

[9] Santa Bárbara, ou seu rio, deu o nome de um dos distritos da cidade de Franca (Pedro Müller, *Ensaio*).
[10] Os sítios são propriedades muito menores do que as fazendas (ver meus relatos precedentes).
[11] Ver mais acima.

outrora em suas margens, e talvez ainda existam hoje. Desnecessário é dizer que a ponte de madeira sobre a qual atravessei o rio se achava em péssimo estado de conservação. No interior do Brasil as pontes são construídas para serem abandonadas, em seguida, às intempéries, à força destruidora das águas e aos estragos causados pelos burros e o gado. As margens do Sapucaí são cobertas de árvores cujos ramos se curvam sobre a água, chegando muitas vezes a tocá-la. No ponto onde o rio atravessa a estrada, a sua largura é pouca. Segundo me disseram, sua nascente fica a cerca de 16 léguas de Paciência, perto de Jacuí, cidade da Província de Minas. Depois de receber as águas de vários outros rios entre eles o de Santa Bárbara[12], que mencionei mais acima, ele se lança no Rio Grande[13].

A Fazenda da Paciência, onde parei, e que não deve ser confundida com uma outra do mesmo nome, da qual falarei em breve, é exatamente igual às grandes propriedades da Comarca de São João del Rei, na Província de Minas, assim como os campos que a rodeiam se assemelham aos de Oliveira e de Formiga[14]. Minhas malas foram descarregadas no paiol, mas no momento em que aí entrei, meus pés ficaram cobertos de bichos-de-pé *(Pulex penetrans)*, e resolvi trabalhar do lado de fora. O proprietário da fazenda veio ver-me, e logo fiquei sabendo que se tratava de um mineiro. Falei-lhe de sua terra, e em pouco tempo ficamos bons amigos. Ele permitiu que me instalasse em sua casa e ali armasse a minha cama.

Na manhã seguinte, mal clareou o dia, as vacas encheram o pátio da fazenda. Os filhos do dono começaram a ordenhá-las, misturados com as negras. O pátio era muito amplo e cercado por grossos mourões, como o de todas as fazendas da Comarca de São João del-Rei. Em resumo, eu encontrei na casa do meu hospedeiro todos os hábitos dessa comarca.

---

[12] Mill. e Lopes de Moura, *Dicionário*, II.
[13] Segundo Luís d'Alincourt *(Mem. Viag.)*, é no Rio Pardo que se lança o Sapucaí. Entretanto, Casal e Milliet, assim como eu, consideram esse rio um dos afluentes do Rio Grande *(Corog. Bras.,* I. – *Dicionário,* II). Milliet acrescenta que em 1843 um grupo de homens se associou e propôs ao governo um plano para tornar navegável o Sapucaí num trecho de 40 léguas até a sua foz, mas o projeto ficou apenas no papel, devido às dificuldades oferecidas pela corredeira denominada Itapiché.
[14] A respeito desses dois povoados, que foram elevados a arraiais em 1839, ver o que escrevi em meu relato *Viagem às Nascentes do Rio São Francisco*. No que se refere à Comarca de São João del Rei em geral, pode ser consultada a mesma obra e o primeiro volume de *Viagem pelo Distrito dos Diamantes*, etc.

As terras que atravessei depois de Paciência diferem pouco das que eu percorrera na véspera. O verdor dos campos ainda era o da nossa primavera, e mesmo nos pastos que não haviam sido queimados durante a seca havia um maior número de brotos do que de folhas secas. Por toda parte o capim-flecha, gramínea essencialmente propícia ao gado, aparece no meio de outras ervas. E se as terras ainda são despovoadas, pelo menos deixam à vista um belo horizonte. As poucas e mirradas árvores não chegam a ocultar dos olhos do viajante as ondulações bastante variadas do terreno, os morros que se elevam a leste completam a paisagem. Entre esses últimos, é impossível deixar de notar a Serra do Baú, que deve o seu nome à sua forma singular.

As duas léguas de Paciência parei na Fazenda de Batatais, instalando-me num rancho cercado por grossos mourões, que o protegiam dos animais. Desde que deixara a cidade de Goiás eu ainda não encontrara um rancho construído com tanto capricho.

Batatais faz parte de um pequeno povoado do mesmo nome, situado a pouca distância da estrada, do lado leste, e que não cheguei a visitar. Por razões políticas, provavelmente, essa vila foi elevada a cidade a 14 de março de 1839[15], e ali foram absolvidos por um júri alguns homens que, no ano anterior, tinham cometido bárbaros crimes durante a revolta de Franca[16].

No rancho de Batatais pude entregar-me tranquilamente às minhas ocupações habituais, o que, lamentavelmente, nem sempre acontecia. Quando terminei o meu trabalho, fui dar uma volta pelos campos. O sol acabava de se pôr, e a Natureza inteira estava mergulhada numa calma profunda. Um frescor delicioso pairava no ar, e esse entardecer me fez lembrar os da nossa primavera, na Europa.

Na manhã seguinte fui fazer uma visita ao dono da propriedade. Tratava-se de um velho jovial e bem posto, que fazia lembrar nossos granjeiros da Beauce. Recebeu-me maravilhosamente bem, insistindo para que eu almoçasse com ele. Manuel Bernardo do Nascimento – era esse o seu nome[17] – também era um mineiro da Comarca de São João del-Rei. Criava gado, fabricava queijos, e suas atividades lhe tinham dado uma certa propriedade. Sua casa era muito limpa e bem arrumada, sendo

---

[15] *Discurso recitado no dia 7 de janeiro de 1840 por ocasião da abertura da Assembleia Legislativa Provincial*, 3.
[16] Ver mais acima.
[17] D'Alincourt, *Viag.* 57.

nesse particular muito diferente das dos paulistas de toda a região. Esse homem possuía também um engenho de açúcar, igualmente bem cuidado onde destilava a cachaça.

Um pouco antes da minha visita, Larroutte já tinha estado na casa da fazenda, onde fora pedir permissão para levar ali as nossas plantas, que no rancho estavam sendo espalhadas por todo lado pelo vendo. Esquecendo os costumes da região, ele entrou por uma porta dos fundos, deparando com um bando de mulheres, que fugiram assustadas à sua vista. Apesar disso ele continuou a avançar, o que causou um grande alarido. O dono da casa veio ver de que se tratava, e se mostrou muito contrariado. O pobre Larruotte desculpou-se como pôde e, graças à sua qualidade de estrangeiro, foi perdoado. Como já disse em outro trabalho[18], o quintal e o interior das casas são em Minas, Goiás e no norte de São Paulo, reservado às mulheres, e penetrar nessa parte, para os homens, constitui o máximo da temeridade. A mais modesta choupana tem na frente uma sala, e é nessa peça que são recebidos os estranhos. Lembro-me de que, ao chegar ao Rio de Janeiro, em 1816, fui convidado por uma senhora, que eu conhecera no Jardim Botânico e se achava acompanhada de um oficial superior, para ir à sua casa. Atendi ao convite. Entrei no vestíbulo da casa onde ela morava, bati palmas, chamei por alguém, mas tudo em vão. Ninguém apareceu. Ao fim de algum tempo surgiu um negrinho na escada, e eu fiz menção de subir os degraus. O menino, entretanto, abriu as pernas e os braços, formando uma barreira para me impedir a passagem. Felizmente, a dona da casa ouviu qualquer coisa e apareceu no alto da escada, tirando-me dessa situação embaraçosa e mandando que o pequeno escravo, tão zeloso em manter os velhos costumes, se retirasse.

Como já tive ocasião de dizer, a maioria dos habitantes pobres do interior do Brasil trazem ao pescoço não apenas um rosário mas também vários amuletos. Receoso de parecer ignorante ou indiscreto, eu raramente indagava para que serviam esses últimos. Quando me encontrava em Batatais, entretanto, um homem que trazia um comprido dente pendurado ao pescoço explicou-me que se tratava de um dente de lobo e que não havia nada melhor para evitar mau-olhado.

Depois de Batatais as terras continuam a apresentar ora pastagens, ora pequenas capoeiras. Uma dessas últimas, cortada pela estrada, mostra uma vegetação bastante vigorosa e é chamada de Mato Grosso, porque,

---

[18] *Viagem pelas Províncias do Rio de Janeiro e de Minas Gerais.*

segundo me disseram, é muito extensa. Os morros que se elevam a leste, entre os quais se vê a Serra do Baú, emprestam variedade à paisagem.

A parte oriental dessa região fica apenas a poucas léguas dos limites da província de Minas Gerais, mas não acontece o mesmo do lado ocidental. Desde Santa Cruz de Goiás até ali[19], apenas uma estreita faixa de terra tinha sido ocupada até então (1819) pelos portugueses. Depois dela estendem-se vastas terras selváticas habitadas por hordas de índios caiapós. Nas vizinhanças de Farinha Podre[20] os fazendeiros já travaram relações com esses indígenas. Mas, ainda que não façam nenhum mal aos brancos, os índios evitam comunicar-se com eles, pois não esqueceram, sem dúvida, as atrocidades que os homens de nossa raça praticaram contra os seus ancestrais.

A três léguas de Batatais parei para dormir na pequena fazenda de Araraquara, que é rodeada por algumas choupanas. O seu nome, tirado da *língua geral,* significa *toca das araras,* e é também dado, na Província de São Paulo, a dois morros, uma colina, um rio e uma pequena cidade recém-fundada, situada 30 léguas a sudoeste de Mogi Mirim[21]. Araraquara, localizada numa baixada, é quase toda cercada de matas e dominada por um pico que, talhado quase a prumo, lembra uma velha fortaleza, o que dá à paisagem um aspecto bastante pitoresco.

O proprietário dessa fazenda era criador de gado, como todos os seus vizinhos. Pelo mau estado de conservação da casa, pela desordem que nela reinava e a simplória rusticidade de seus moradores calculei, ao primeiro olhar, que se tratava de paulistas. Não tardei a verificar que não me tinha enganado.

Fazia vários dias que não éramos atormentados pelos borrachudos, insetos importunos que nos haviam feito sofrer enormemente na Província de Goiás[22]. Em Araraquara eles se tornaram novamente muito incômodos.

---

[19] *Viagem pela Província de Goiás.*
[20] Obra citada.
[21] Luís d'Alincourt escreve, como eu, Araraquara (*Mem. Viag.* 56), e é incontestável que é esse o nome por que é designada essa propriedade na região. Quanto à mais alta das duas montanhas que têm o mesmo nome, Casal e Milliet chamaram-na simplesmente de *Araquara* (*Corog.*, I. – *Dic.*, I); mas Pedro Müller escreve *Araraquara,* referindo-se ao mesmo tempo à montanha e à cidade. Parece evidente que a forma *Araquara* constitui uma corruptela. Essa palavra, como observou Francisco dos Prazeres Maranhão (*Revista trim.*, I, 2ª. série) derivaria de *ara*, dia, e *coara,* buraco; mas *buraco do dia* não faz nenhum sentido, e geralmente as palavras compostas tiradas do guarani ou do dialeto do litoral têm um significado muito preciso.
[22] Ver meu primeiro e segundo relatos.

Num trecho de 3 léguas, entre essa fazenda e Lajes, encontrei apenas uma choupana. O solo é bastante arenoso e, embora as terras desse tipo só produzam capim e subarbustos, encontrei ali arbustos mirrados em vários trechos dos campos. Um pouco depois de Lajes atravessamos uma mata bastante densa, onde a vegetação é tão exuberante quanto a das grandes florestas virgens. Antes de entrarmos na mata subimos uma encosta extremamente pedregosa, denominada Pé do Morro[23].

A propriedade de Lajes, onde parei, deve o seu nome às pedras chatas sobre as quais corre um pequeno rio em suas vizinhanças (Rio das Lajes)[24]. A propriedade é bastante grande, vendo-se aí um engenho de açúcar, um grande curral cercado por grossos mourões e um quintal cheio de laranjeiras. Como o rancho pertencente à fazenda se achasse totalmente ocupado por uma tropa de burros, José Mariano foi pedir pousada no engenho de açúcar. Seu pedido foi recusado e tivemos de nos acomodar de qualquer maneira no rancho, onde o vento tornava quase impossível o meu trabalho. Fui até a casa da fazenda para comprar algumas provisões e verifiquei que os seus proprietários eram homens muito rudes, sem dúvida descendentes dos antigos habitantes da região.

Depois de Lajes o solo continua muito arenoso e os campos apresentam ora pastos, ora pequenos grupos de árvores. Às vezes os campos se mostram cobertos apenas de gramíneas, mas de um modo geral crescem neles algumas árvores mirradas, de folhagem pouco abundante. À direita veem-se pequenos morros cobertos de matas.

Fazia algum tempo que meus burros – não sei por que razão – se afastavam bastante do local de pouso durante a noite, e a manhã já ia avançada quando conseguiam encontrá-los. Dessa forma, viajando sempre nas horas de calor mais forte, chegávamos muito cansados ao próximo ponto de parada. Isso aconteceu de novo no dia em que deixamos Lajes para ir a Cubatão[25], um lugarejo composto de uns poucos casebres construídos numa baixada, onde começava um trecho montanhoso e coberto de matas. Acomodamo-nos num rancho miserável e coberto pela metade, onde

---

[23] Luís d'Alincourt (*Mem. Viag.*) dá a essa encosta o nome de Serra do Morro, que, segundo me parece, não é menos estranho que o de Pé de Morro. Foi provavelmente a essa mesma encosta que Manuel Felizardo de Sousa e Melo quis referir-se em seu discurso à Assembleia Legislativa de 1844 (*Discurso recitado no dia 7 de janeiro de 1844*), quando disse que a câmara municipal de Batatais tinha mencionado a necessidade de retificar a Serra de Lajes.
[24] Obra citada.
[25] Será encontrado frequentemente o nome de Cubatão neste relato de viagem. Procurei inutilmente a sua origem; Pizarro diz que significa *ravina entre duas montanhas* (*Mem. Hist.*, IX).

eu teria uma grande dificuldade em proteger minhas coisas se chovesse e onde me vi atormentado, mais do que em qualquer outro lugar, por inumeráveis borrachudos.

Na manhã seguinte, quando me preparava para deixar esse miserável lugarejo, um cavalo assustou-se, empinou, e caiu com todo o seu peso sobre a pequena cama de campanha que me vinha servindo desde a minha terceira viagem. Ao viajar por Minas eu tinha usado inicialmente uma rede, mas ao cair dela certa noite, quando estava mergulhado num sono profundo, resolvi fazer como os tropeiros e dormir no chão sobre um couro cru. De volta ao Rio de Janeiro, comprei a cama de campanha que acabo de mencionar, e creio ter devido a ela a saúde de que vinha desfrutando nos últimos nove meses. O prestativo Laruotte conseguiu habilidosamente fazer com que a cama pudesse ainda ser aproveitada, embora estivesse toda quebrada.

Depois de Cubatão atravessei a mata mais bela e talvez mais exuberante que tinha visto nos últimos oito meses, isto é, depois que havia deixado as florestas virgens para entrar na região dos campos[26]. Quase todas as árvores que a compõem têm o tronco enlaçado por um denso rendilhado de lianas, cujos aramos caem às vezes até o chão. Depois dessa mata, que se estende longamente – segundo dizem – no sentido leste-oeste, encontramos novos campos onde os capões se multiplicam[27]. À época de minha viagem (9 de outubro) a vegetação ainda não tinha reverdecido, o que vem provar mais uma vez que nessa parte do Brasil as chuvas começam tanto mais tarde quanto mais próxima fica a zona tropical[28].

Eu havia combinado com o meu arrieiro José Mariano que passaríamos um dia nas margens do Rio Pardo, a fim de que ele tivesse tempo de caçar alguns papagaios, uma ave que costuma afluir em numerosos bandos às fontes de água mineral próximas desse rio. José tomou a dianteira para ir pedir hospedagem em alguma casa, e quando cheguei ele informou-me de que não havia encontrado nenhum local onde pudéssemos acomodar as nossas coisas. Em vista disso, teríamos de andar mais 1 légua. Essa perspectiva atrapalhou meus planos, e além do mais eu não achava que fosse possível atravessar o rio e alcançar outro ponto de

---

[26] *Viagem às Nascentes do Rio S. Francisco.*
[27] Esse termo designa as pequenas matas esparsas pelos campos e, como já expliquei antes, significa *ilha* na língua indígena (*Caapoam*). Luís d'Alincourt escreve erroneamente *campeões*, já que essa palavra, aumentativo de campo, significaria campos grandes, e é evidente que ninguém jamais pensaria em dar esse nome a um grupo de árvores.
[28] Ver mais acima.

pouso antes da noite. Apresentei minhas objeções nos termos mais cautelosos que consegui arranjar, mas tudo em vão, pois José recusava-se a aceitá-las. Concordei então em continuar o caminho. Já agora, porém, ele queria ficar, e no final nossas malas foram descarregadas e colocadas numa casinha habitada por uma pobre viúva, a única habitação que havia nesse lugar. Durante todo o resto da noite José Mariano deu mostras de um mau-humor insuportável, mudando de ideia três ou quatro vezes, ora dizendo que devíamos seguir viagem no dia seguinte, ora que seria melhor ficar ali para caçar os papagaios. Tive o cuidado de não irritá-lo ainda mais, pois começava a temer por sua sanidade mental. Ele passava vinte e quatro horas sem comer, mantinha os olhos apenas entreabertos, tinha a tez amarelada e uma aparência intratável. Procurava briga com todo mundo, e se por acaso dirigia alguma palavra amável a uma pessoa era fácil ver que sua atitude era forçada.

O Rio Pardo, à beira do qual passei dois dias, tem sua nascente nos campos vizinhos da cidadezinha de Caldas, que dependia outrora da Comarca de São João del-Rei e atualmente faz parte da de Sapucaí[29], Província de Minas Gerais. Suas águas, perturbadas por algumas corredeiras, recebem vários pequenos afluentes, entre os quais o Rio Araraquara[30], e vão desaguar no Rio Grande.[31] No local onde é atravessado pela estrada Goiás-São Paulo, ele se acha, segundo me disseram, distante de sua nascente cerca de 20 léguas e deve ter aproximadamente a largura de nossos rios de quarta ou quinta ordem[32]. Suas duas margens são cobertas de matas e suas águas têm uma coloração marrom, não sendo muito boas para beber. As vizinhanças do Rio Pardo são muito menos insalubres do que as do Rio Grande. Não obstante, aparecem esporadicamente aí as febres intermitentes. Existe a lenda de que na época das cheias aparecem, no meio desses rios, mamíferos anfíbios de tamanho monstruoso, alguns parecendo porcos, outros semelhantes a touros. Essas histórias me fazem lembrar naturalmente as que ouvi em Goiás sobre o célebre *minhocão*, e tenderiam a confirmar a existência desse animal[33]. Essa lenda é também confirmada pelo que escreveu Luís d'Alincourt, o qual, ao falar das lagoas situadas a cerca de 13 léguas do Rio Pardo, perto de Olhos d'Águas,

---

[29] Milliet e Lopes de Moura, *Dicionário*, I.
[30] Casal, *Corog.* I – d'Alincourt, *Mem. Viag.*
[31] Luís d'Alincourt diz (obra cit.) que esse rio leva suas águas diretamente ao Paraná, mas nesse ponto ele está em contradição com Casal e Milliet.
[32] O rio teria, segundo Alincourt (obra cit.), 150 braças (230 metros).
[33] *Viagem à Província de Goiás.*

acrescenta que, segundo os fazendeiros da região, elas são habitadas por um animal monstruoso, cujo corpo tem o formato de um tonel que é chamado de *minhocuçu*[34]. As águas minerais a que já me referi têm sua nascente numa densa mata, situada a cerca de uma légua do rio. Lá se veem grandes clareiras, próximas umas das outras, onde não cresce nenhuma árvore e onde existe apenas, em meio a alguns tufos de capim, uma lama espessa, revolvida pelas patas dos animais. No meio desse brejo veem-se pequenos poços de água esverdeada e lodosa, que não têm escoamento. São essas as águas minerais do Rio Pardo. Não são amargas como as de Araxá[35], mas têm um gosto de ovo podre muito pronunciado. Creio que seu aspecto turvo se deve exclusivamente aos animais, que as pisoteiam sem cessar, pois há um outro poço, menos frequentado por eles, em que a água é límpida, embora tenha uma cor avermelhada. Como as de Araxá, as águas do Rio Pardo são muito apreciadas pelos animais, atraindo um grande número de pássaros, principalmente araras, papagaios e pombos. Os bois bebem delas prazerosamente, substituindo assim o sal que lhes precisa ser dado, no interior do Brasil, se se deseja conservá-los. Entretanto, apenas os fazendeiros mais próximos levam o seu gado ao bebedouro. O sal ali não é muito caro, e os bois se tornam mais mansos quando vão até a fazenda, de tempos em tempos, comer a sua ração do que quando são levados às fontes de água mineral. O que eu disse acima sobre o sabor dessas águas basta para mostrar que elas são essencialmente sulforosas e que, em consequência, poderiam ser empregadas com sucesso no tratamento das moléstias cutâneas, infelizmente tão comuns no Brasil. Não obstante, e ao passo que são muito preconizados os banhos de Caldas Novas e Caldas Velhas, perto de Santa Cruz de Goiás, cujas águas, evidentemente, possuem poucas propriedades[36], as fontes do Rio Pardo são totalmente ignoradas, a não ser nas suas próprias vizinhanças, não tendo eu até agora visto nenhum autor mencioná-las. Gostaria de recomendá-las aos administradores da Província de São Paulo. Achando-se pouco afastadas de grandes centros de população, como Mogi Mirim, Campinas e Jundiaí, elas poderiam ser usadas com grande proveito.

As terras vizinhas do Rio Pardo são apropriadas a todo tipo de cultura, principalmente à da cana-de-açúcar. Refiro-me aqui apenas aos capões, naturalmente, já que no sistema de agricultura adotado pelos brasileiros não se pode semear nos campos. Mas estes também têm grande

---

[34] *Mem. Viag.*
[35] *Viagem às Nascentes do Rio S. Francisco.*
[36] *Viagem à Província de Goiás.*

utilidade para os colonos, já que oferecem excelentes pastagens para a criação de gado.

Enquanto me encontrava no Rio Pardo, um homem das redondezas veio oferecer-me, com certo mistério, alguns diamantes. Declarei a ele que pretendia apenas examiná-los, e o homem começou por me mostrar alguns cristais brancos e em seguida, desembrulhando cuidadosamente pequenos pacotes de papel, acabou por me apresentar um punhado de diamantes coloridos, bastante ordinários, que havia encontrado à beira do rio. Agradeci a sua gentileza, e o negócio terminou aí.

Antes que eu deixasse o Rio Pardo, Pedro, o meu novo tocador, declarou-me que estava doente e foi embora. Essa gente nos cansa pela sua inconstância. Já não me sentia mais com coragem, como havia planejado, para viajar até o Rio Grande do Sul. Com outros empregados, eu não teria hesitado em ir até o fim do mundo.

Ao deixar a casinha da pobre viúva do Rio Pardo, fiz a travessia do rio numa canoa. O pedágio é cobrado por conta do fisco. Pagam-se 400 réis (1819) por pessoa, 60 réis por burro e 20 réis pela carga de cada um dos animais, o que acarreta uma despesa enorme para os donos das tropas.

Depois do Rio Pardo se estende uma bela planície, levemente ondulada e coberta de capim, no meio da qual se veem, em certos trechos, algumas árvores mirradas. A não ser isso, só há o extenso capinzal, em que sempre se faz notar a presença do capim-flecha, tão favorável ao gado.

A Fazenda da Paciência, onde parei (não confundir com outra do mesmo nome, que mencionei mais atrás), é bastante grande e possui um excelente engenho de açúcar (1819). Coloquei minhas coisas no engenho, mas no fim do dia o dono da fazenda, um mineiro próspero, convidou-me para jantar com ele em sua casa. Mais uma vez encontrei, nesse homem, a polidez e a franqueza características dos habitantes de Minas.

Depois de Paciência nota-se que está próxima alguma cidade, pois as casas começam a se tornar menos raras. A região, descampada e ondulada, apresenta campos entremeados de capões. À época em que por ali passei (12 de outubro de 1819), os pastos se mostravam permanentemente verdes, mas quase não se viam flores.

O Arraial de Casa Branca, onde parei, compõe-se (1819) de algumas casinhas esparsas e de uma rua bastante larga e regular, porém curta, na extremidade da qual se ergue uma pequena igreja consagrada a Nossa Senhora das Dores e situada a uma distância igual das duas fileiras de casas. É esse o traçado geral da maioria dos arraiais de Minas. As casas que formam a rua principal de Casa Branca, em número de vinte e quatro, foram construídas para famílias de açorianos que haviam sido trazidas para povoar a região. O governo pagara todas as despesas de viagem, e a cada família tinha sido dada uma casa, bem como implementos agrícolas e meia légua de terra coberta de mata. Os recém-chegados se assustaram diante do tamanho das árvores que tinham de derrubar para fazer o plantio. Dezoito famílias fugiram, atravessaram a Província de Minas Gerais e foram lançar-se aos pés do rei, suplicando-lhe que as tirasse de Casa Branca. Foram-lhes dadas outras terras, perto de Santos, e a Vila de Casa Branca ficou praticamente abandonada[37]. Entretanto, havia cinco anos, à época de minha viagem, que Casa Branca se tinha tornado sede de uma paróquia povoada por um numeroso grupo de agricultores, espalhados por suas terras, a qual se estendia desde Cubatão até o Rio Jaguari-mirim, num trecho de cerca de 16 léguas. Casal e Pizarro não fazem a menor referência a essa vila, e agora vemos como ela era em 1819. Dessa época até 1823 o povoado progrediu de uma maneira notável[38]. Uma lei provincial de 23 de fevereiro de 1844 elevou-o a cidade, dando-lhe um distrito particular à custa do de Mogi Mirim[39].

Alojei-me em Casa Branca numa casa bastante ampla, que ainda não contava senão com o arcabouço e o telhado. No começo da noite desabou uma terrível tempestade, com a água caindo em torrentes. A casa foi inundada, mas graças às precauções tomadas por José Mariano, que colocara as malas sobre algumas peças de madeira, protegendo-as com os couros usados para cobrir a carga dos burros, nada foi molhado. Durante a tempestade eu me encontrava na casa do irmão do vigário, que eu fora visitar embora não o conhecesse. Foi-me impossível pôr os pés do lado de fora, e confesso que eu me senti mortalmente preocupado com as coleções de história natural que havia alguns meses eu vinha recolhendo com tanta dificuldade. É um verdadeiro suplício viajar no Brasil, na estação das chuvas, transportando coleções.

Depois de Casa Branca as terras se mostram sempre onduladas, apresentando ora alguns capões, ora campos, uns simplesmente cobertos de capim, outros salpicados de árvores mirradas e de pouca folhagem. É bom notar que essas árvores pertencem quase todas às espécies que

---

[37] Luís d'Alincourt diz (*Mem. Viag.*) que os insulares açorianos fugiram de Casa Branca porque o governo não lhes dera tudo o que havia prometido. É bem possível que esse motivo se tenha juntado ao que mencionei como causa de sua deserção.
[38] Luís d'Alincourt, *Mem. Viag.*
[39] Milliet e Lopes de Moura, *Dicionário*, I.

crescem espalhadas no meio dos pastos em regiões bem mais próximas da linha equinocial – o sul de Goiás e o noroeste de Minas Gerais.

A 4 léguas de Casa Branca parei na propriedade Olhos d'Água quando cheguei ao pequeno rio de Jaguari-mirim, que corta a estrada e que atravessei a vau. Esse rio separa a paróquia de Casa Branca da de Mogi-guaçu. Tem sua nascente na Província de Minas e vai desaguar no Mogi, um dos afluentes do Paraná. Seu nome, tirado da *língua geral*[40], significa *riacho das onças*.

O rancho da Fazenda de Itapeva, situado à beira do ribeirão do mesmo nome, não me ofereceu melhor abrigo do que o de Olhos d'Água. O nome de Itapeva que é também o de uma pequena cidade da Província de São Paulo – da qual falarei mais adiante – é formado de duas palavras da língua geral, *ita* e *peba,* que podem ser traduzidas por *pedra chata*[41].

As terras dessa região são muito boas e especialmente indicadas para a cultura do milho e da cana-de-açúcar. As pastagens também são excelentes, havendo aí uma grande criação de gado, que é vendido em São Paulo e no Rio de Janeiro.

Nessa região, como ocorre em todas as províncias do interior, os fazendeiros possuem um grande número de cães. Na Alemanha e no norte da França esses animais são tratados com grande carinho. Não ocorre o mesmo no Brasil. Comumente mal lhes dão de comer, nunca lhe fazem agrados e batem neles frequentemente, sem nenhuma razão. Sempre rodeados de escravos, os brasileiros estão habituados a não ver senão escravos em todos os seres a quem são superiores seja pela força, seja pela inteligência. A mulher é, na maioria das vezes, a primeira escrava da casa[42], e o cão o último.

---

[40] A *língua geral,* dialeto guarani, era falada entre os índios do litoral e muito usada pelos antigos paulistas. Os jesuítas organizaram um dicionário e uma gramática dessa língua (ver minha *Viagem pelo Distrito dos Diamantes e Litoral do Brasil*).

[41] Ao contrário do que escreveu Luís d'Alincourt, o nome não é *Itapeba*, que significa *cascata plana*. Não há cascata no local, e não existe nenhuma cascata que seja plana.

[42] Aqui está como se exprime um autor brasileiro que, em meio a grandes exageros, diz entretanto algumas verdad: "Creio que é meu dever declarar que as mulheres brasileiras não fazem parte da sociedade; exceção feita das grandes cidades, elas são tratadas como escravas... As mulheres que pertencem às classes inferiores os maiores louvores pelo entusiasmo com que se dedicam ao trabalho, enquanto que seus maridos, indolentes e efeminados, passam a vida dormindo ou se balançando nas redes que elas tecem. Principalmente nas províncias da Bahia, Sergipe e Alagoas... são as mulheres que sustentam os maridos... Não é uma companheira que o homem do povo procura, ele se casa para ter uma escrava." (Antônio Muniz de Sousa, *Viagem de um Brasileiro*).

Depois de Itapeva, terras planas, descampados e capões; uma vegetação verdejante e bela, mas poucas flores (16 de outubro). As casas tornam-se ainda mais frequentes, e encontram-se algumas pessoas pelo caminho. Passei por um pasto cercado por uma sebe seca e, finalmente, pela primeira vez desde que deixara São João del-Rei, isto é, depois de sete meses, encontrei uma venda à beira da estrada. Tudo isso anunciava que deixávamos para trás os sertões e nos aproximávamos de uma cidade importante.

A 4 léguas de Itapeva parei no sítio de Urussanga, que também pertencia a um mineiro cujo nome, derivado do guarani Urusangaí significa *riacho da galinha choca*. A chuva me forçou a passar três dias nesse lugar, num rancho coberto pela metade e que eu compartilhei com duas tropas.

Não dispúnhamos senão de lenha úmida para acender o nosso fogo. A fumaça nos incomodava terrivelmente, e eu tinha de ficar permanentemente atento, noite e dia, para evitar que minhas coleções se molhassem. É verdadeiramente lamentável que os fazendeiros que vendem o seu milho aos viajantes não se disponham a fazer a menor despesa para conservar os seus ranchos. Asseguraram-me que o novo governador de São Paulo, João Carlos d'Oeynhausen, acabava de dar a esse respeito ordens muito severas, mas duvido de que tenham sido levadas a efeito.

Havia em Urussanga, quando ali estive, um numeroso bando de ciganos. Esses homens se achavam instalados num arraial vizinho, o de Mogi-guaçu, mas se espalhavam pela região toda, dedicando-se, conforme o costume de sua raça, à troca de burros e de cavalos. Tinham erguido uma choupana em Urussanga, e quando não precisavam dos serviços de seus burros eles os soltavam nos pastos vizinhos, que eram excelentes. Pareceu-me um povo muito unido, e fui tratado por eles com grande benevolência. Não os ouvi jamais usar outra língua senão a portuguesa. Vestiam-se como brasileiros, mas usavam barbas e cabelos longos. Perguntei-lhes por que deixavam crescer a barba, em desacordo com os usos da região, mas a esse respeito só recebi respostas evasivas. Todos pareciam em boa situação; possuíam escravos, havendo entre eles alguns bastante ricos. "Os ciganos", diz Eschwege, "foram convidados para as festas que se celebravam na capital do Brasil por ocasião do casamento da filha mais velha do Rei D. João VI com um infante da Espanha[43].

---

[43] A princesa que mais tarde desposou em segundas núpcias a D. Carlos, irmão do rei da Espanha Fernando VII.

Os moços dessa nação entraram no circo montando belos cavalos ricamente ajaezados e levando na garupa as suas noivas. Os casais saltaram ao chão com incrível agilidade e executaram, em conjunto, as mais lindas danças que já vi até hoje. Todos os olhos se achavam voltados para os jovens ciganos, e se tinha a impressão de que as outras danças tinham por único objetivo fazer ressaltar a beleza das suas[44]".

Os ciganos de Urussanga passaram um dia inteiro tentando fazer trocas com os donos das tropas que compartilhavam comigo o rancho. Gracejando, comentei com um deles sobre a falta de probidade de que era acusado o seu povo. "Eu trapaceio o mais que posso", respondeu-me ele com seriedade, "mas todos os com quem negocio fazem o mesmo. A única diferença é que eles põem a boca no mundo quando se veem apanhados, ao passo que nós, quando isso acontece, não dizemos nada a ninguém[45]".

O mais idoso do bando, um velho de grande robustez, veio consultar comigo certa noite. "O senhor é médico", disse-me ele, ao que respondi negativamente. "O senhor não quer admitir isso, mas se não fosse médico não andaria colhendo uma variedade tão grande de plantas". Defendi-me como pude, mas foi inútil. Tive de me resignar a aceitar o título de doutor. "Pois bem, vejamos. Que é que o senhor está sentindo?", perguntei ao velho. "Outrora", respondeu ele, "era um prazer ver-me galopar pelos campos, o senhor não poderia deixar de me admirar. Hoje não aguento mais nada, já não tenho mais forças." Foi exatamente essa consulta que Irene fez ao oráculo[46], e a resposta que dei ao velho foi a seguinte: "É porque o senhor já está envelhecendo", mas não tive coragem de ajuntar, como fez o oráculo: "Já chegou a sua hora de morrer". Minhas palavras foram menos cruéis. "O senhor já trabalhou muito, agora é a vez de seus filhos. Não o aconselho, porém, a ficar em repouso absoluto. Continue a

---

[44] *Brasilien die neue Welt,* II.
[45] "Existem nos sertões da Bahia, Sergipe e Alagoas, em quase todo o Brasil", diz Antônio Muniz de Sousa *(Viagens),* "certos homens chamados *ciganos,* que nascem, vivem e morrem em cima de um cavalo, e que não pensam em outra coisa senão matar e roubar... Andam em bandos bem armados, procurando uma ocasião propícia para se apoderarem dos bens alheios e cometendo os mais bárbaros assassinatos... A cada momento ouve-se falar de roubos e mortes cometidos por esses homens perversos, que jamais são perseguidos pela justiça... e que transmitem aos próprios brasileiros os seus hábitos condenáveis". Na região que percorri, ouvi falar dos roubos e patifarias dos ciganos *(Viagem à Província de Goiás),* jamais, porém, dos terríveis crimes que lhes atribui Muniz. Se tomássemos ao pé da letra o que esse autor e o próprio Eschwege escreveram, não poderíamos pisar o solo brasileiro sem que tremêssemos de pavor.
[46] *Les Caractères,* de la Bruyère.

montar a cavalo, mas apenas o necessário para se divertir. Pare quando sentir que o cansaço começa a dominá-lo. Não tome nenhum remédio, alimente-se bem e de vez em quando beba um pouco de vinho." A receita agradou ao doente, pois, passados alguns instantes, ele me mandou prato de carne – um presente que eu soube apreciar devidamente, tanto mais quanto fazia um mês que eu vinha comendo apenas arroz e feijão preto.

Entre Urussanga e Mogi-guaçu as terras ainda apresentam campos descobertos pequenos capões.

O pequeno arraial do Mogi-guaçu foi construído à margem esquerda do rio do mesmo nome e possui uma igreja dedicada a Nossa Senhora da Conceição. É sede de uma paróquia que outrora incluía Franca, Batatais e Casa Branca, mas que, devido ao aumento de sua população, foi sendo diminuída pouco a pouco até ficar reduzida ao território situado entre Jaguari-mirim e o Rio Mogi-guaçu, de que falarei mais adiante. É na paróquia de Mogi-guaçu que começa uma vasta região, bastante populosa, que é a maior produtora de açúcar de toda a Província de São Paulo e compreende os termos de Mogi Mirim, são Carlos, Jundiaí, Itu, Capivari, Porto Feliz e Constituição[47]. Somente na Paróquia de Mogi-guaçu já havia, em 1819, vinte engenhos de açúcar, sendo consideradas muito boas as terras dessa região.

Deixando o Arraial de Mogi-guaçu atravessa-se o rio do mesmo nome por uma ponte estreita e mal conservada, a qual, não possuindo parapeito, é muito perigosa para os burros (1819). O rio Mogi-guaçu, ou simplesmente Mogi, tem sua nascente na Serra da Mantiqueira ou em um de seus contrafortes. Deve ter, abaixo do arraial, a mesma largura de nossos rios de quarta ordem[48]. Seu curso ainda não é bem conhecido. Esse rio fornece excelentes peixes aos habitantes do lugar, mas suas águas são insalubres e costumam causar febres intermitentes[49]. Essa a razão principal do pequeno aumento de população ocorrido no arraial, ao passo que os povoados vizinhos cresceram de maneira sensível.

Luís d'Alincourt relata que[50], pelos fins do século passado, uma devastadora epidemia manifestou-se na paróquia de Mogi-guaçu. Para apanhar mais facilmente o peixe, os habitantes tinham o condenável costume de envenená-lo, lançando timbó no rio, nome dado a várias espécies

---

[47] Pedro Müller, *Ensaio*, tab. 3.
[48] Luís d'Alincourt calcula a sua largura em sessenta e oito passos *(Mem. Viag)*.
[49] D'Alincourt, *Mem. Viag.*
[50] Obra cit.

de um cipó pertencente à família das Sapindáceas. Naquele ano foi morta dessa maneira uma prodigiosa quantidade de peixes. Seus corpos apodreceram e empestaram o ar com miasmas fétidos, causando uma terrível doença que dizimou numerosas pessoas[51].

Entre Mogi-guaçu e a cidade de Mogi Mirim as terras apresentam apenas capoeiras, o que vem provar que outrora foram cobertas de matas.

---

[51] É aos índios que os brasileiros devem atualmente o conhecimento das propriedades do cipó *timbó*, bem como de inúmeras outras plantas. O Pe. Anchieta diz que, na época da desova, um bando de peixes maiores do que o resto sai à procura de um local remansoso onde depositar suas ovas. Quando encontravam o lugar que lhes convém, eles guiam até lá o restante dos peixes. Mas os índios, ajunta ele, têm o cuidado cercar previamente esses remansos, deixando apenas uma passagem estreita. Espalham no lugar o *suco de uma certa planta, a que dão o nome de timbó, e os peixes, entorpecidos, se deixam capturar facilmente, às vezes em número de doze mil.* (José de Anchieta, *Lit. in Not. Ultram.*, I).

Capítulo IV
MOGI MIRIM E CAMPINAS

A cidade de Mogi-mirim, sua história, suas ruas, suas casas, suas igrejas. Fertilidade de seus arredores; sua produção. Os camaradas que acompanham as tropas que vão de São Paulo a Goiás. Começo de mudança na vegetação; a Pteris caudata. Engenho de açúcar de Pirapitingui; cultura de cana-de-açúcar. Mudança total na vegetação; notável exceção. O Rio Jaguari-guaçu. Os emigrantes espanhóis. O Rio Tibaia; considerações sobre os pedágios. A barba-de-bode (Choeturis pallens). Região bastante populosa. – O que a cana produz; maneira de transportar açúcar. O mate. A casa do capitão-mor de Campinas. Costumes das mulheres. O rancho de Capivari; impolidez dos habitantes do lugar. Começo de hábitos citadinos.

Moji-mirim, ou simplesmente Mogi[1], como se diz comumente por abreviação, fica situada à altura do 22°20'30 lat. sul, tendo recebido o título de cidade em 1769, sob o governo de D. Luíz Antônio de Sousa Botelho. Sede de uma paróquia e de um termo, essa cidade pertencia outrora à Comarca de São Paulo e era administrada por juízes ordinários[2]. Depois da independência do Brasil ela passou, incialmente, a fazer parte da terceira comarca, cuja sede é Jundiaí. Mas quando foi formada em 1839, como já disse, uma sétima comarca, com sede em Franca, ficou decidido que esta incluiria Mogi-mirim. Essa cidade fica situada numa região plana, cortada de pastagens e capões. Em 1819 compunha-se unicamente de duas ruas

---

[1] Essa palavra aparece escrita de diversas maneiras. Adotei a que me pareceu mais racional. Um hispano-americano muito versado na língua guarani procurou inutilmente a etimologia de Mogi. O termo derivaria talvez do guarani *môangi*, que significa pequena quantidade, e teria sido dado aos dois rios por causa de sua pequena importância.
[2] Ver o que escrevi sobre os juízes ordinários em *Viagem pelas Províncias do Rio de Janeiro e Minas Gerais*.

paralelas, e se fosse na Província de Minas ela não passaria de sede uma paróquia. As casas são baixas, muito pequenas e, em sua maioria, feitas de paus cruzados e barro cinzento, o que lhes dá uma aparência muito triste. Não creio que, à época de minha viagem, o seu número passasse muito de cem, tendo eu visto apenas duas que eram sobrados. Além da igreja paroquial, que é muito modesta e foi dedicada a São José, há ainda em Mogi uma outra, consagrada a Nossa Senhora do Rosário. Vê-se na cidadezinha um grande número de vendas muito mal providas, além de um par de lojas, sendo uma delas muito bonita (1819). De um modo geral, os habitantes de Mogi são agricultores, que só vêm à cidade aos domingos.

São eles, ao que parece, os maiores criadores de porcos de toda a província[3]. Suas terras são muito boas e apropriadas ao cultivo da cana, principalmente. Existe também na região um grande número de engenhos de açúcar. Os grandes proprietários enviam o seu açúcar para o Rio de Janeiro, embarcando-os no porto de Santos. Os menos prósperos vendem o que fabricam aos negociantes de São Paulo, que vêm buscar o açúcar nas próprias fazendas, pagando-o à vista e muitas vezes fazendo adiantamentos (1819). Apesar da fertilidade desse distrito, as frequentes doenças que assolam Mogi e seus arredores devem forçosamente emperrar o progresso do lugar. Esse progresso é também entravado pelas altas taxas de pedágio que os agricultores têm de pagar para o transporte de seus produtos, desvantagem essa que não onera os habitantes das cidades mais próximas de São Paulo. Entre 1818 e 1823 numerosos mineiros vieram estabelecer-se, é bem verdade, nos arredores de Mogi, trazendo capitais. Entretanto, ainda hoje (1849) não parece que a cidade tenha adquirido grande importância[4].

Essa cidade, assim como Campinas e Jundiaí, situadas na mesma estrada, porém mais perto de São Paulo, fornece uma boa parte dos *camaradas* que acompanham as tropas de burros e partem da capital da província para Goiás e Mato Grosso. É esse um dos meios de vida da região. Um tocador recebe, para ir de São Paulo a Vila Boa, entre 20 a 30.000 réis por viagem, a qual dura cerca de quatro meses. O chefe da tropa fornece a alimentação dos cavalos de todos os seus camaradas, mas a volta fica inteiramente por conta destes. O arreiro, ou, como dizem na região, o *arreiador*, é pago proporcionalmente ao número de burros que lhe cumpre cuidar e guiar. Cada camarada pode ter, na tropa, um burro

---

[3] Pedro Müller, *Ensaio*, tab. 3.
[4] Luís d'Alincourt, *Mem. Viag.*; – Milliet e Lopes de Moura, *Dic.*, II.

carregado com mercadorias de sua propriedade. Antes da partida o chefe dá os adiantamentos necessários para a compra do burro e das mercadorias, e à chegada essa quantia é descontada do dinheiro que o camarada tem para receber (1819).

Parei em Mogi num rancho grande, situado à entrada da cidade e suficientemente coberto para que não temêssemos ser molhados durante a noite – uma vantagem de que nem sempre pude usufruir desde que começara a estação das chuvas.

Não quis deixar Mogi antes de fazer uma visita ao capitão-mor do distrito. Dirigi-me à sua casa, onde me deixaram esperando durante meia hora para finalmente me informarem que ele se achava doente.

A região que percorri depois de deixar a cidade Mogi[5] é ainda ondulada, oferecendo uma alternativa de pastagens e capões. Estes, porém, são muito mais numerosos do que vinham sendo desde Santa Cruz de Goiás. Essa diferença serve para mostrar também ao viajante que ele em breve deixará inteiramente a região dos campos. Pela primeira vez, após muito tempo, vi numa dessas matas, cujas árvores tinham sido queimadas, a grande samambaia *(Peteris caudata,* ex Mar.) que em Minas costuma invadir as terras esgotadas[6]. Parece que essa planta cresce exclusivamente na região das grandes florestas, pois não a encontrei nem em Goiás, nem na parte de Minas que pertence à região dos campos[7].

A três léguas de Mogi parei no engenho de açúcar de Parapitingui ou Pirapitingui (do guarani *pirapitagi*, peixe avermelhado)[8], que é de certa importância. O engenho é muito bonito, mas a casa do dono, embora seja um sobrado, é muito pequena (1819), e nada ali faz lembrar as fazendas da Província de Minas. Contudo, fomos muito bem recebidos, tendo-nos sido cedido o engenho para nosso alojamento.

---

[5] Itinerário aproximado da cidade de Mogi-mirim até a de Jundiaí:
De Mogi-mirim a Parapitingui, fazenda .... 3 léguas
De Paratipingui às margens do Rio Tibaia .... 4 léguas
Do Rio Tibaia a Campinas, cidade .... 3 léguas
De Campinas e Capivari, rancho .... 4 léguas
De Capivari e Jundiaí, cidade .... 3 léguas
17 léguas

[6] Ver *Viagem pelas Províncias do Rio Janeiro,* etc., vol. VII.

[7] Obra cit.

[8] É essa propriedade que foi registrada sob o nome de Pirapitanga na bela carta topográfica de S. Paulo que apareceu no Rio de Janeiro em 1847.

O feitor do engenho disse-me que nessa região a cana produz dois anos seguidos e que, após a segunda safra, ela é arrancada, plantando-se no mesmo lugar uma nova muda. Essa operação pode ser repetida até cinco vezes, quando então a terra é deixada em descanso durante três anos. Finalmente, terminado esse prazo, a capoeira já se mostra bastante vigorosa para ser cortada e queimada[9], sendo as cinzas aproveitadas como adubo, na recuperação da terra. Não se vê aí o capim-gordura, essa perniciosa gramínea que em Minas se apodera de imensas extensões de terras[10], e o grande feito de que já falei mais acima só aparece nos terrenos pobres.

Depois de Pirapitingui atravessei, como na véspera, uma região cortada por campos e capoeiras bastante numerosas. Mal, porém, cheguei ao lugar denominado Borda do Campo, limite da região descoberta, após ter andando apenas 1 légua, notei que a vegetação mudava inteiramente. Penetrei numa floresta virgem de grande extensão que não deixava de ter a sua beleza, embora sua vegetação não sobressaísse por sua exuberância. Já falei, em outra parte, que a Serra da Mantiqueira forma o limite entre os campos e as matas e expliquei que estas últimas cobrem geralmente morros abruptos e escarpados, os quais servem mutuamente de anteparo contra a ação dos ventos. Em Borda do Campo eu me achava a 14 léguas da Serra de Jundiaí, de que falarei mais tarde. O terreno ali era tão pouco montanhoso quanto o que eu percorrera nos dias anteriores, e no entanto voltei a encontrar uma floresta extensa, sem dúvida um prolongamento das Minas, do Rio de Janeiro e do Espírito Santo. Encontrei, pois, ali uma notável exceção, que confesso não me ser possível explicar de maneira satisfatória. Havia vários dias eu vinha notando também que os capões não se localizam particularmente nas baixadas, como ocorre na Província de Minas, o que constitui uma outra exceção.

A duas léguas de Pirapitingui a estrada é cortada pelo Rio Jaguari-guaçu, que não deve ser confundido com o Jaguari-mirim, mas setentrional, e já mencionado por mim[11]. Atravessa-se o Jaguari-guaçu por uma ponte estreita, mal conservada e sem proteção dos lados. Aí é cobrado um pedágio, mas fui isentado da taxa devido à minha portaria.

---

[9] Como já expliquei em outro relato, as capoeiras são matas secundárias que crescem em terras onde primitivamente havia uma floresta virgem.

[10] *Viagem pelas Províncias do Rio de Janeiro,* etc.

[11] Ver mais acima.

O funcionário encarregado de receber o dinheiro dos viajantes julgou que eu fosse espanhol, como já me havia acontecido outras vezes, desde que iniciara a viagem de Goiás a São Paulo. Durante muitos anos passaram por essa estrada emigrantes espanhóis de todo tipo, que se dirigiam à capital do Brasil depois de terem atravessado a Província de Mato Grosso. Eram os únicos estrangeiros que o povo da região conhecia. Por conseguinte, todo estrangeiro devia ser espanhol. De resto, parece que o governo português concedeu a esses homens todas as facilidades possíveis para a sua viagem a que os brasileiros, por seu lado, jamais tiveram queixa de sua conduta.

Após uma jornada de 4 léguas, parei num rancho construído no meio de uma mata, à beira do Rio Tibaia. O tempo estava magnífico, e jamais o azul do céu se mostrara tão luminoso. O verde das árvores, mais viçoso talvez do que o de nossos bosques na primavera, propiciava um delicioso descanso à vista, e as flores das laranjeiras que rodeavam o posto de pedágio embalsamavam o ar com o seu perfume.

O Rio Tibaia, ou Atibaia, como comumente se escreve[12], nasce a cerca de 17 léguas da estrada, nas proximidades do lugar denominado Nazaré. Reunindo-se ao Jaguari-guaçu, ele forma o Piracicaba, um dos afluentes do Tietê. No ponto onde ele atravessa a estrada, deve ter mais ou menos a largura de nossos rios de quarta ordem. Enormes pedras afloram à sua superfície, e suas margens são cobertas de matas. A sua travessia é feita por uma ponte que, como os rios Mogi e Jaguari-guaçu, tem uma porteira que só é aberta aos que pagam o pedágio. As pessoas a pé pagam 40 réis, exigindo-se 12 réis às que estão a cavalo e aos animas de carga, e finalmente 1.200 réis aos carros-de-bois. Cobrando taxas tão elevadas, a administração poderia pelo menos manter as pontes em melhor estado. Mas esse é um assunto que pouco lhes interessa.

Luís d'Alincourt já explicou[13] que de Paciência até São Paulo, num trecho de aproximadamente 45 léguas, havia cinco travessias de rio que eram cobradas, e devo acrescentar que de Goiás até Paciência havia mais cinco. Daí resulta que o algodão enviado, por exemplo, de Meia-Ponte a São Paulo, terá de pagar dez vezes as taxas, ao passo que o açúcar de Campinas e de Jundiaí não paga um tostão. De onde se

---

[12] A palavra guarani atibai quer dizer *testa*, ou cabelos que caem sobre a testa (Antonio Ruiz de Montoya, *Tesoro de la lengua*); mas um hispano-americano muito versado na língua acha que *Tibaia* podia derivar de *Tobajay*, rio do cunhado. Francisco dos Prazeres acredita que Tibaia vem de *tyba*, fábrica, e *va,* rio. É ele, provavelmente, que encontrou a verdadeira etimologia.

[13] Mem. Viag.

conclui que os impostos aumentam em proporção à distância; que, quanto mais dispendioso o transporte, mais alta a quantia cobrada pelo fisco; enfim, que quanto menos favorável é a localização de uma cidade, mais sobrecarregado de impostos é o seu comércio. Não havia, certamente, nenhuma razão especial para prejudicar Mogi-mirim e favorecer Campinas, ou para sobrecarregar Meia-Ponte e ajudar Mogi-mirim. Se um rio atravessa a estrada, é preciso cobrar o pedágio, porque o pedágio aumenta as rendas do tesouro público. É esse o único raciocínio que foi feito. Não passou pela cabeça da administração que, ao agir assim, ela estava prejudicando totalmente o comércio e a agricultura de regiões longínquas, que, mais do que tudo, precisavam de estímulo.

Entre o Rio Tibaia e a cidade de Campinas sofri bastante com o calor. Viajava ainda no meio da mata. Os bambus são muito comuns ali, tendo eu visto também, em grande quantidade, uma Composta arborescente, de 10 ou 12 metros. Pareceu-me pertencer ao grupo das Vernoniáceas. Numa clareira bastante extensa não encontrei outra coisa senão uma gramínea denominada de barba-de-bode *(Choeturis pallens*, var. Mees e Mart.) e considerada como boa forragem. Essa espécie forma tufos espessos, geralmente isolados uns dos outros, e tem folhas e panículas espiciformes inclinadas. Deve crescer em sociedade, e em certos trechos ela sozinha cobre grandes extensões do terreno. Encontrei-a pela primeira vez em 1816, perto de Gama na estrada do Rio de Janeiro a Ouro Preto, e bem mais recentemente recolhi-a em Lajes[14]. Algumas cartas topográficas indicam vastos campos de barba-de-bode ao nordeste da Serra da Canastra.

À medida que avançava na direção da cidade de São Paulo eu percebia que me afastava cada vez mais das regiões desérticas. Encontrava outros viajantes, passava frequentemente por terras cercadas de sebes e por extensas plantações de cana-de-açúcar. Enfim, estou certo de que num trecho de 3 léguas, entre Tibaia e a cidade de Campinas, encontrei pelos menos meia dúzia de engenhos de açúcar, alguns dos quais me pareceram de tamanho considerável.

Ao chegar a Campinas instalei-me à entrada da cidade, num vasto rancho coberto de telhas e protegido por sólidas paredes de taipa. A partir daí até São Paulo encontra-se uma série de ranchos construídos dessa maneira, os quais são chamados de *reais*. A administração arcou com todas as despesas de sua construção, e nesse particular merece todo louvor. A agricultura tem tudo a ganhar com esse ato meritório, que protege as

---

[14] Ver mais acima.

tropas da cupidez e da incúria dos proprietários e ajuda a impedir uma rápida deterioração dos ricos produtos da terra. Prouvesse ao céu que sempre houvesse esse empenho em favorecer o comércio e os esforços dos agricultores!

Eu acabava de me alojar no rancho de Campinas quando chegaram três tropas de burros carregados de açúcar, que ali se instalaram também.

É à fabricação do açúcar que a cidade de Campinas deve a sua origem. Durante muito tempo acreditou-se que as terras pretas das redondezas de Itu fossem as únicas apropriadas ao cultivo da cana-de-açúcar, em toda essa parte da província. Entretanto, apesar desse conceito já muito arraigado, alguns agricultores tentaram, por volta de 1770, plantar essa gramínea em algumas terras de tom vermelho escuro pertencentes ao atual termo de Campinas. O sucesso coroou seus esforços, e em breve o seu exemplo foi seguido por um grande número de agricultores. Construiu-se uma igreja, consagrada a Nossa Senhora da Conceição[15], sendo nela celebrada uma missa pela primeira vez em 1776[16]. Formou-se um povoado, que recebeu o nome de Campinas, e não tardou que sua igreja se tornasse paroquial. Finalmente, em 1797, o capitão-geral Antônio Manuel de Melo Castro e Mendonça elevou a arraial e a sede de termo, com o nome de São Carlos, o novo povoado, que até então tinha pertencido ao termo de Jundiaí. A administração da justiça foi confiada a juízes ordinários, nomeados pelo povo. Entre 1818 e 1823 o arraial de São Carlos, ou Campinas, desenvolveu-se consideravelmente. Seu progresso tornou-se ainda mais notável depois que o Brasil adquiriu sua independência, e em 1840 o governo provincial de São Paulo deu-lhe o título de cidade, com o nome de São Carlos[17].

À época de minha viagem o nome oficial ainda não prevalecia, e tudo indica que ainda hoje o seu uso não se generalizou, pois só se encontra menção a *Campinas* nos relatórios dos presidentes da província à Assembleia Legislativa (1845, 1847)[18].

---

[15] É esse o nome que Luís d'Alincourt e Pizarro dão a essa igreja *(Mem. Viag.,; Mem. hist.,* VIII), e é sabido que o último autor é digno de todo o crédito no que se refere às igrejas do Brasil.

[16] Luís d'Alincourt, obra cit.

[17] Milliet e Moura, *Dicionário*, I.

[18] Vejamos como se exprime um anglo-americano sobre a mudança do nome de Campinas: "Embora eu admire o nome de S. Carlos, tanto quanto qualquer outro santo do calendário, não posso concordar com o sistema de nomenclatura regional que a política sacerdotal impôs aos brasileiros, a despeito de seu bom senso e bom-gosto. Se a harmonia, o sentido e a variedade são qualidades desejáveis nos nomes próprios, é difícil encontrar nomes mais

Num trecho de cerca de 8 léguas o termo de Campinas contava, em 1819, com aproximadamente 6.000 habitantes[19] e, em 1838, 6.689, entre os quais se incluíam 3.917 escravos, tanto negros quanto mulatos. O aumento da população foi, em consequência, e guardadas as devidas proporções, bem menos aí do que em outras partes do Brasil. Mas isso não deve causar espanto. Esse termo, confinado dentro de estreitos limites, já era bastante populoso em 1819, não comportando grande levas de novos imigrantes, e nas condições atuais as terras dos engenhos não aguentarão novas subdivisões.

A cidade de Campinas é totalmente rodeada de matas. As ruas não são muito largas, as casas são novas (1819), muito juntas uma das outras, cobertas de telhas e feitas de barro, em sua maioria. Várias delas podem ser consideradas bastante bonitas. A igreja paroquial, pequena e modesta (1819), ergue-se numa praça de formato retangular. Por ocasião

---

perfeitos do que os dos rios, das montanhas e de inúmeras localidades da América, seja do Norte, seja do Sul (Kidder, *Sktches,* I)". Eu já mostrei em outro relato as inúmeras vantagens da língua indígena, e lamento, como Kidder, a supressão de alguns nomes que haviam sido tirados dela. Não convém, entretanto, exagerar a harmonia dessa língua. Com efeito, se os nomes *Itapetininga, Araraquara, Itaquaquecetuba, Pindamonhangaba* e *Guaratinguetá,* por exemplo, fossem substituídos pelos de alguns do calendário grego ou romano, não me parece que teríamos muito a perder. Nunca procurei esconder os erros do clero brasileiro, e por isso mesmo acho-me no dever de defendê-lo quando o acusam de faltas inexistentes. Os portugueses que eram católicos, consideravam os santos como intercessores e colocavam sob a sua proteção todos os lugares que descobriam. Se chegavam à beira de um rio no dia de um determinado santo, era o seu nome que dava ao curso d'água. Agindo assim, eles estavam simplesmente seguindo a sua fé; não atendiam a nenhuma combinação política, nem cediam a nenhuma imposição. Esse costume ainda estava em uso no meu tempo. Julião chegou às margens do Jequitinhonha no dia de S. Miguel, e era evidente que não se achava sob a influência de nenhum padre quando deu o nome de S. Miguel ao lugarejo que fundou ali *(Viagem pelas Províncias,* etc.). De resto, se os antigos paulistas mudaram alguns nomes pertencentes à *língua geral,* por outro lado usaram muitos outros derivados dessa mesma língua. Em todo caso, parece-me que a mudança do nome de Campinas para S. Carlos quase nada prova no que diz a respeito à supressão das palavras indígenas, pois Campinas é uma palavra portuguesa. E prova menos ainda no que se refere à intenção de honrar os santos substituindo os antigos nomes pelos deles, pois que não foi absolutamente em honra de S. Carlos, arcebispo de Milão, que o nome de Campinas foi mudado, e sim em homenagem à rainha Carlota Joaquina, mulher de D. João VI (Luís d'Alincourt, *Mem.*). Da mesma forma, os franceses, ao darem o nome de *Sainte-Amélie* a uma aldeia da Argélia, tinham em mente apenas a sua rainha na época, Marie-Amélia. Quanto às zombarias com que o Sr. Kidder termina o seu artigo sobre Campinas, nada direi sobre elas, pois não se coadunam com o nosso século, em que as diversas seitas cristãs aprenderam a respeitar uma às outras. E se por acaso algum católico se sentisse ofendido com suas palavras, eu o aconselharia a ler o trecho, tão nobre, com que o mesmo autor inicia o seu livro e que encherá de felicidade todos os cristãos.

[19] Em 1822 Pizarro registra 5.999 habitantes em toda a paróquia *(Mem. hist.,* VIII), e esta tem a mesma extensão do termo.

de minha viagem havia construções por todo lado, e era fácil ver que a cidade de Campinas iria adquirir em breve uma grande importância.

A maioria dos habitantes das redondezas de Campinas são agricultores. Esse termo é o maior produtor de açúcar de toda a Província de São Paulo. Em 1819 já havia ali uma centena de engenhos de açúcar, incluindo as destilarias, e em 1838 já se contavam noventa e três engenhos propriamente ditos e um igual número de destilarias onde se fabricava a cachaça[20]. Entre os senhores de engenho[21] há alguns bastantes prósperos. Luís d'Alincourt faz referência a um deles[22], cuja renda se elevava, em 1817, a 80.000 cruzados. As propriedades que à época de minha viagem eram consideradas importantes empregavam cerca de vinte escravos, e afirmava-se que com esse número obtinham-se facilmente 2.000 arrobas de açúcar. Quanto mais vermelha é a terra, mais favorável ela é à cultura da cana, a qual produz aí durante três anos consecutivos, sendo então arrancada e substituída. Algumas terras boas produziram, depois de desmatadas, durante vinte anos, parecendo esgotar-se ao fim desse prazo. Foram, então, deixadas em repouso durante três anos, mas à época de minha viagem não se sabia ainda se, nesse segundo período, elas iriam render tanto quanto tinham rendido no primeiro. Tudo o que foi dito acima mostra que, embora o solo do termo de Campinas ainda não se possa comparar, em matéria de fertilidade, com o dos Campos dos Goitacases, é no entanto, mais produtivo do que geralmente são as terras de Minas Gerais onde se planta a cana-de-açúcar[23]. Creio poder garantir a veracidade do que acabo de dizer sobre as terras de Campinas porque esses dados me foram fornecidos pelo capitão-mor da cidade e por um padre que não me pareceu destituído de instrução.

Alguns proprietários do termo de Campinas possuem (1819) suas próprias tropas de burros, que transportam o seu açúcar até o porto de Santos. Outros recorrem aos serviços de tropeiros para essa finalidade, os quais cobram à razão de 340 a 400 réis por arroba. As tropas levam doze dias para fazer a viagem. Cada burro carrega 8 arrobas, divididas em dois sacos que são colocados em jacás. Esses cestos são achatados e quase quadrados, assemelhando-se bastante aos usados para o transporte dos queijos de Minas Gerais à capital do Brasil[24].

---

[20] Pedro Müller, *Ensaio*, tab. 4.
[21] *Viagem pela Província do Rio de Janeiro,* etc.
[22] *Mem. Viag.*
[23] É dado no Brasil o nome de planta à primeira produção de cana-de-açúcar; a segunda chama-se *soca*, e a terceira *ressoca*.
[24] Ver *Viagem às Nascentes do Rio S. Francisco.*

No dia em que cheguei a Campinas fui à noite fazer uma visita ao capitão-mor da cidade, que me recebeu muito bem e me convidou para jantar em sua companhia no dia seguinte. Mal eu havia chegado ofereceram-me à guisa de chá uma beberagem feita de mate, ou erva do Paraguai[25]. Como veremos mais tarde, acabei por me acostumar a essa bebida e achá-la deliciosa, mas nessa primeira vez achei seu gosto pouco agradável, seja porque a *erva* – como dizem no lugar – não fosse de boa qualidade ou porque eu não me achasse habituado a ela.

A casa do capitão-mor, que era nova e muito bonita, mostrava que o seu proprietário era um homem de posses. As salas de visita e de jantar e os quartos que me foram mostrados tinham as paredes pintadas a óleo até meia altura, imitando mármore, e em seguida caiadas até o teto, ornado com guirlandas de flores. Nessa época esse tipo de decoração, não de todo destituído de elegância, parecia bastante em uso entre os brasileiros ricos.

O dia seguinte ao da minha chegada a Campinas era um domingo. Vi passar diante do rancho um grande número de agricultores, homens e mulheres, que chegavam a cavalo para a missa. A cidade se encheu de gente.

Ali, como em todo o interior do Brasil, as mulheres montam a cavalo de modo semelhante ao dos homens. Quando vão cavalgar usam um chapéu de feltro e uma espécie de traje de amazona feito comumente de um grosso tecido azul. A partir de Mogi não encontrei um único homem, principalmente se estivesse a cavalo, que não usasse o seu *poncho*, vestimenta que já descrevi antes. Durante a missa, as mulheres de Campinas, como as do litoral, envolviam a cabeça e o corpo num longo manto de tecido preto.

Depois de Campinas o caminho continua através das matas virgens que eu já viera percorrendo nos dias anteriores. Quase em toda a sua extensão haviam sido cortadas as árvores de um lado e de outro, até uma certa distância, a fim de que o ar pudesse circular mais livremente e secar com mais rapidez a terra.

Passei por vários casebres e pelo rancho de Jurabatuba, construído à maneira do de Campinas, às custas do tesouro real. Depois de ter andado 4 léguas parei no lugar denominado Capivari[26]. O rancho que encontrei ali tinha sido feito também às expensas do fisco. Era extremamente amplo e capaz de comportar uma enorme quantidade de mercadorias,

---

[25] Aqui, como em outros relatos, escrevo essa palavra conforme deve ser pronunciada em francês.
[26] Capivari significa rio da capivara; é um nome que se encontra no Brasil em vários lugares diferentes.

mas estava coberto de pó e de sujeira, e o seu chão pululava de pulgas e bichos-de-pé. Ao cabo de alguns instantes o meu pessoal se achava com os pés e as pernas cobertos desses bichos. Quanto a mim, minhas botas ofereciam apenas uma proteção limitada. A poucos passos do rancho de Capivari havia uma pequena fazenda, onde se vendia milho aos viajantes. Censurei o seu proprietário por não mandar varrer o rancho, que lhe dava tanto proveito, permitindo que os viajantes fossem devorados pelos insetos que os infestavam. "Quem é que vai varrer um rancho?", retrucou-me ele em tom grosseiro.

Sem dúvida, encontrei mais de uma vez nessa estrada pessoas amáveis e delicadas, mas, de um modo geral, os que moram à beira dela são poucos corteses. Suas maneiras são vulgares, eles têm uma expressão fria, estúpida, triste, apática, e dentre eles muitos homens pertencentes à nossa raça só se distinguem dos camponeses franceses porque lhes falta sua alegria e vivacidade. São bem diferentes dos brancos das comarcas de Ouro Preto, Sabará, Serro do Frio, na Província de Minas, os quais, em sua maioria, pertencem a uma classe um pouco mais elevada (1819). De resto, apresso-me a acrescentar que, se representa uma grande injustiça julgar os mineiros em geral tomando como exemplo os que habitam às margens da grande e frequentada estrada que liga o Rio de Janeiro a Diamantina, não seria menos injusto pretender que todos os paulistas sejam iguais a esse pequeno número de homens que se veem forçados, por assim dizer, a viver no meio de uma multidão de tropeiros, de negros, de camaradas ignorantes, grosseiros e cheios de vícios, que desfilam continuamente diante deles.

Entre Campinas e Capivari sofri terrivelmente com o calor. Reboavam trovoadas, e logo após a minha chegada a tempestade desabou, despejando torrentes de água do céu. No dia seguinte o tempo mostrava-se totalmente nublado, mas os bichos-de-pé atormentavam de tal maneira o infeliz Laruotte e ele me parecia tão abatido que resolvi partir. A chuva não tardou a cair, mas por sorte durou pouco e, como é comum acontecer, só depois do jantar voltou a desabar torrencialmente.

A mesma mata continua a se estender entre Capivari e Campinas. O terreno começara a se elevar um pouco e agora se mostrava declaradamente montanhoso. Finalmente, nas proximidades de Jundiaí vi montanhas muito altas, que certamente estão ligadas à Serra da Mantiqueira. Parei a meia légua dessa cidade, no lugar denominado Ponte, onde há um pasto fechado e pequenas casas que são alugadas aos viajantes. São costumes próprios das cidades. Despois que eu começara a atravessar as

153

matas os meus burros se mostraram bem menos satisfeitos. Os campos lhe tinham oferecido durante longo tempo um capim abundante e fresco, mas no meio da mata só havia pastos fechados, artificialmente formados pela derrubada das árvores e já tão desgastados que os animais quase nada conseguiam arrancar deles.

Capítulo V
JUNDIAÍ – CHEGADA A SÃO PAULO

A cidade de Jundiaí; população de seu termo; produção das terras vizinhas. Visita ao capitão-mor de Jundiaí; como se organizam as tropas de burros que vão de S. Paulo para Goiás e Mato Grosso. O bócio em Jundiaí. O ferrador; Rancho do Feliz. Vegetação e aspecto dos campos entre esse lugar e o rancho do Capão das Pombas; O Morro de Jaraguá; uma paisagem brasileira descrita por um anglo-americano; as minas de Jaraguá. Encantadora região situada depois do rancho das Pombas. O Rio Tietê. Chegada a S. Paulo. O albergue de Bexiga. Novo trato feito com José Mariano. O Sr. Grellet. O autor se aloja numa casa de campo perto da cidade.

Jundiaí, que em breve alcancei, fica à altura dos 23°21 de lat. sul[1], nas proximidades da margem esquerda de um pequeno rio do mesmo nome. Esse rio, que se lança no Tietê, recebeu o nome de Jundiaí por causa da grande quantidade de um peixe chamado *jundiá* encontrado em suas águas[2]. Foi em 1656 que se lançaram os primeiros fundamentos de Jundiaí, fato

---

[1] Pizarro, Mem. hist., VIII.
[2] Francisco dos Prazeres Maranhão, que publicou na *Revista trimensal* (I, 75, *seg. série*) um interessante trabalho sobre as etimologias brasileiras, acredita que Jundiaí venha de *jandy vg,* rio do óleo. *Jandy,* na *língua geral,* ou dialeto do litoral, significa realmente óleo (*Dicionário português e Brasiliano,* 18); mas não *jandi* que entra na composição da palavra em questão, e sim *jundiá;* e se é pouco razoável dar a um curso d'água o nome de *rio do óleo,* nada mais natural do que chamar de *rio dos Jundiaís* uma corrente onde é encontrada uma grande quantidade desses peixes. Levei para o Museu de Paris um indivíduo dessa espécie, e o Sr. Valenciennes identificou-o como pertencente ao gênero *Platystome,* da família dos Sisuróides, tendo-lhe dado o nome de *Platystoma emarginatum* (*Pois.,* XV, 19).

esse atribuído ao Conde de Monte Santo, que se tinha arvorado em herdeiro do primeiro donatário da Capitania de São Vincente[3].

A cidade de Jundiaí é pequena; suas ruas não são largas e suas casas, muito juntas umas das outras como em nossas cidades, são baixas e pequenas. Além da igreja paroquial, consagrada a Nossa Senhora do Desterro, há ainda duas outras, uma das quais pertence a um pequeno convento de beneditinos (*hospício*).[4]

Como em Campinas e Mogi, as funções judiciárias eram outrora exercidas no termo de Jundiaí por juízes ordinários.

Em todo o termo, que provavelmente não é muito maior do que o de Campinas, havia à época de minha viagem 6.000 habitantes aproximadamente, e parece que a população não aumentou quase nada, pois em 1838 o seu total ainda não passava de 5.885 indivíduos[5]. É evidente que as causas que impediram um aumento maior são as mesmas que levaram a resultados semelhantes no termo de Campinas, e que já mencionei mais acima[6].

Os habitantes de Jundiaí são, em sua maioria, agricultores que só ali aparecem aos domingos. Passei um dia da semana na cidade, e as casas estavam todas fechadas. Surgiu um feriado, elas se abriram e as ruas se encheram de gente.

Durante muito tempo só se cultivaram nos arredores de Jundiaí o arroz, o feijão o milho e outros produtos desse gênero, que eram enviados a São Paulo ou vendidos no próprio lugar. Havia alguns anos, porém, que o cultivo da cana-de-açúcar fora introduzido na região. As terras não são tão favoráveis à cana quanto as de Campinas; no entanto ela é cultivada com bons resultados no sopé da Serra de Japi[7], cadeia de montanhas que se estende ao sul da cidade[8].

---

[3] Pizzaro, *Mem: hist.*, VII.
[4] Em português a palavra *hospício* conserva o significado que tinha outrora entre nós, designando os pequenos mosteiros onde eram recebidos os religiosos em viagem.
[5] Pedro Müller, *Ensaio*, tab. 5.
[6] Ver p. 146.
[7] Talvez de *iape*, clava (ind).
[8] Luís d'Alincourt diz (*Mem. Viag*) que em 1818 havia cerca de 40 engenhos de açúcar no termo de Jundiaí, incluídas as destilarias, e em 1838 Pedro Müller (*Ensaio*, tab. 4) indica apenas duas destilarias e vinte e nove engenhos onde se fabricavam não só o açúcar como a cachaça. Não me parece provável que o número de engenhos tenha diminuído de 1818 a 1838; por conseguinte, deve ter havido algum erro numa das duas estimativas.

Jundiaí fornece às tropas que vão a Goiás e Mato Grosso um número de camaradas ainda maior do que Mogi Mirim[9], e, segundo me afirmara, eles são os melhores dentre todos os distritos vizinhos.

Depois que Pedro, o meu tocador, me deixou[10], tomei a decisão de arranjar em Jundiaí o seu substituto, e para isso dirigi-me ao capitão-mor da cidade, que se ocupava especialmente em agenciar camaradas para as tropas. Ele se encontrava em sua fazenda, situada a uma légua e meia da cidade. Guiado por um negro que conhecia bem a região, atravessei um trecho montanhoso e quase todo coberto de matas. Em alguns lugares pedregosos, entretanto, só havia arbustos. Em outros, onde as árvores tinham sido cortadas e queimadas, viam-se modestas capoeiras, e alguns trechos, frequentados pelos animais, tinham-se transformado em pastos. Finalmente, havia algumas baixadas úmidas, onde provavelmente sempre cresceram apenas plantas herbáceas. O capitão-mor de Jundiaí acolheu-me calorosamente. Verifiquei que se tratava de excelente homem, extremamente prestimoso e disposto a fazer tudo o que fosse possível para me agradar. Algum tempo antes ele havia recebido em sua casa dois ilustres prussianos, o Sr. Sellow, de quem falarei mais tarde, e o Sr. d'Olfers, homem igualmente instruído e dedicado às coisas do espírito. Depois de ter desempenhando missões diplomáticas no Brasil e em Portugal, este último se tornou mais tarde diretor dos museus de Berlim. Foi o capitão-mor de Jundiaí que, fazia alguns anos, reorganizava a caravana dos cientistas Spix e Martius quando estes foram abandonados pelo seu arrieiro e se viram ameaçados de não poder continuar a viagem[11].

Quase todas as terras que percorri para ir do rancho de Ponte à casa do capitão-mor pertenciam a essa autoridade, e era em sua propriedade que se organizava a maior parte das tropas de burros que iam de São Paulo para Cuiabá e Goiás. Para a temporada das viagens ele comprava um milhar de burros, e até mais, na vizinha cidade de Sorocaba, onde fica localizado o mercado desses animais. Em seguida revendia os burros, em lotes, aos chefes das tropas, arranjando-lhes também provisões e camaradas. Cada tropa dispunha, em sua propriedade, de um pedaço de terreno onde os burros podiam pastar, bem como de um rancho separado, ao lado do qual havia uma área com mourões dispostos geometricamente e a espaços regulares um do outro. Era ali que se reuniam as mercadorias

---

[9] Ver mais acima.
[10] Ver mais acima.
[11] Spix e Martius, *Reise*, I.

a serem transportadas, que se arrumavam as cangalhas dos burros, que se ferrava os animais. O rancho e os pastos onde as tropas se reúnem para os preparativos da viagem têm o nome de *invernada*[12].

Segundo me disse o capitão-mor, Spix e Martius, durante sua passagem por ali, tinham-se valido do hipnotismo para curar um homem ameaçado de hidropisia. Dois anos já haviam passado, e ainda não se tinha manifestado no homem nenhum sintoma da moléstia[13].

Não posso deixar de mencionar que o bócio, infelizmente tão comum em certas partes da Província de São Paulo, é ainda mais frequente em Jundiaí e nas suas redondezas, sendo mesmo dado aos habitantes da cidade o apelido de *papudos de Jundiaí*. Como bem observaram Spix e Martius, essa doença, entre os brasileiros, não vem acompanhada do idiotismo completo que caracteriza os papudos dos vales suíços, e se os doentes de certas partes da Província de São Paulo - por exemplo, da região situada entre Itu e Itapeva – são apáticos e pouco inteligentes, o mesmo acontece, na verdade, com os seus conterrâneos que não se acham atacados da moléstia[14].

---

[12] A palavra *invernada* significa, literalmente, o que acontece durante o inverno (ver Morais, *Dicionário português*, II, 3ª. ed.) e só imperfeitamente poderia ser traduzida pelo termo francês *hivernage*. É bastante compreensível que o termo seja aplicado, no Brasil, aos locais onde se reúnem ou se organizam as tropas de burros, antes de se iniciar a temporada das viagens.

[13] Os dois cientistas dão conta, em seu relato de viagem, do que fizeram a esse respeito, e chegam a conclusões muito curiosas *(Reise,* I).

[14] Pode-se consultar, a respeito do bócio dos brasileiros, o que escreveram Siguad, Faivre e Freire Alemão *(Du climat et des maladies du Brésil,* 162; - *Analyse des euax de Caldas;* - *Memória sobre o papo que ataca no Brasil os homens e os animais)*. Spix e Martius, bem como Kidder *(Reise,* I; - *Sketches*, I), dizem que na Província de São Paulo é costume tratar as pessoas atacadas de bócio dando-lhes de beber um pouco de água misturada com terra de casa de cupim, ao mesmo tempo em que são aplicados, sobre o local afetado, cataplasmas feitos, segundo Kidder, com a mesma terra do formigueiro e, de acordo com Spix e Martiu, com abóbora. Kidder, falando sobre bócio, julgou dever dar a tradução portuguesa dessa palavra, mas a que ele indica tem um significado inteiramente diferente, como ele poderia ter verificado pela leitura do capítulo de Pison, *De lue venerea*. Provavelmente Kidder foi induzido a erro por algum gaiato ignorante. Os viajantes que percorrem o Brasil, principalmente os que conhecem mal a língua do país, precisam ser muito cautelosos ao aceitarem informações dadas por guias, arrieiros, camaradas e vagabundos. Não há dúvida de que é a alguns galhofeiros dessa classe que se deve a lenda segundo a qual os brasileiros não comem galinha aos domingos por motivos religiosos, bem como a história dos pigmeus que habitam as matas de Minas, dos frutos do *Solanum lycocarpum*, A.S.H., que rolam pelas estradas e são tão grandes como a cabeça de uma criança, das formigas brancas que são confundidas com pássaros, dos negros devorados por morcegos sem se darem conta disso, etc. Quanto à história de um turista que montou a cavalo sobre um jacaré, creio que pode ser atribuída a uma outra causa, assim como o relato seguinte: Um viajante, ao atravessar uma mata virgem, ouve ruídos que lhe fazem lembrar as cidades fabris de sua terra; pontos

Depois de ter deixado o rancho da Ponte (27 de outubro), passei pela cidade Jundiaí e atravessei as montanhas que a cercam.

Todas as terras que percorri num trecho de 4 léguas são montanhosas e cobertas de matas[15]. Em quase toda a extensão da estrada foram cortadas as árvores grandes de ambos os lados, e não se veem, à direita e à esquerda, senão tufos de arbustos, no meio dos quais cresce em abundância o feto-gigante. Durante longo tempo o caminho bordeja um vale estreito e profundo, passando pela encosta dos morros que os limitam. Depois que comecei a viajar no meio da mata tive o prazer de ouvir de novo, como nas florestas de Minas e do Rio de Janeiro, a araponga ou ferrador *(Casmarhynchos nudicollis)*. Esse pássaro, enquanto faz ressoar o seu canto metálico, que se assemelha alternadamente ao ruído de uma lima e de um martelo, permanece imóvel no topo de uma árvore de galhos inteiramente nus.

Nesse dia passei por algumas casas e vários ranchos. Encontrei um grande número de tropas que voltavam do porto de Santos, aonde tinham ido levar sacos de açúcar. Algumas voltavam sem carga, outras traziam sal.

Parei num rancho real, denominado Rancho do Feliz, semelhante ao de Capivari e igualmente sujo, mas onde os bichos-de-pé eram menos numerosos. Várias tropas já tinham descarregado ali as suas mercadorias. Os sacos de sal e os jacás de açúcar estavam dispostos em ordem num canto do rancho. Havia fogos acesos em vários pontos, e a fumaça e a poeira enchiam o rancho, tornando difícil trabalhar ali.

Na manhã seguinte, bem cedo, deixamos o rancho. O ar estava carregado de bruma que logo se dissipou, entretanto, permitindo-me apreciar a beleza do céu, que nessa época é luminoso e de um azul profundo. Durante longo tempo desfrutamos de um frescor delicioso e, quando o sol começou a adquirir força, o céu se cobriu de nuvens. Foi uma jornada muito agradável.

---

luminosos semelhando fogueiras completam a ilusão, trazendo-lhe à lembrança as usinas europeias; ele se sente em sua pátria, seu coração estremece. Ele se aproxima: o ruído das forjas é o coaxar de alguns sapos; os fogos são os clarões dos pirilampos. A propósito de tudo isso convém ler o que escreveu Gardner, um autor que merece fé, sobre as histórias fantasiosas que os europeus estabelecidos no Rio de Janeiro contam frequentemente aos recém-chegados *(Travels in the interior of Brazil)*.

[15] Itinerário aproximado da cidade de Jundiaí até S. Paulo:
De Jundiaí ao rancho do Feliz .... 4 léguas
Desse rancho ao rancho do Capão das Pombas .... 3 ½ léguas
Do capão das Pombas a S. Paulo .... 3 léguas
10 ½ léguas

A região que percorri, sempre montanhosa, é uma das de colonização mais antiga em todo o Brasil meridional e, em consequência, não deve causar surpresa que as florestas que a cobriam outrora tenham sido destruídas. Seu lugar foi tomado pela samambaia gigante *(Pteris caudata)*. Como as folhas dessa planta ainda permanecem na haste muito tempo depois de secas, e são mais numerosas do que as novas, elas dão ao campo um aspecto triste e cinzento.

Do alto de alguns morros descortina-se uma ampla paisagem, e no meio dos campos, agora desprovidos de seu antigo revestimento, só se veem (1819) alguns escassos tufos de árvores aqui e ali, que escaparam do fogo e do machado. Entre todos os morros das redondezas, o mais elevado é o Morro de Jaraguá[16] que, visto de longe, se assemelha a um cone de duas pontas.

Durante essa jornada tornei a encontrar muitas tropas, umas levando açúcar para Santos, outras voltando de lá sem carga. Vi também no caminho dois ou três carros-de-bois, que iam de Franca para São Paulo. Os bois tinham sido desatrelados, e sob os carros se tinham acomodados algumas mulheres, que comiam ou cuidavam de si. Eu já havia encontrado na estrada vários desses carros, que vinham às vezes de muito longe e serviam aos colonos de transporte para os seus produtos até a capital da Província[17]. Os donos desses carros para dormir ou fugir da chuva – exemplo que eu próprio segui quando, mais tarde, viajei numa enorme carroça pela Província do Rio Grande, pelas redondezas de Montevidéu e pela região das Missões.

Passei por alguns casebres e parei ali para pedir informações e um pouco de água para beber. Fui, porém, recebido com uma grosseria que parece ser, em toda essa parte de São Paulo, um apanágio dos homens das classes inferiores. Como já tive ocasião de dizer, não se pode esperar muitas mostras de cortesia numa estrada tão frequentada e por onde passa constantemente um tão grande número de tropeiros e de negros.

---

[16] O nome de Jaraguá designa também uma pequena cidade da Província de Goiás e significa *água que murmura* (ver *Viagem às Províncias de Goiás*). É encontrado, ainda, na Província das Alagoas e na de Santa Catarina (Milliet e Lopes de Moura, *Dic.*, I). Não há dúvida de que Alincourt erra ao chamar de *Jaraguay* o morro da Província de S. Paulo.

[17] Já foi explicado mais atrás, no capítulo intitulado *Início da Viagem à Província de São Paulo,*etc., que alguns colonos dos arredores do Rio Grande transportam até S. Paulo, em carros-de-bois, o toucinho e o algodão que produzem, gastando três meses nessa viagem. A distância total percorrida, de ida e volta, soma 158 léguas.

Passei a noite num rancho real denominado Rancho do Capão das Pombas. Era o maior de todos os que eu tinha visto até então. Media 39 pés de comprimento por 16 de largura e suas paredes, onde havia três amplas aberturas, eram feitas de taipa, como as dos outros ranchos reais. E como os outros, esse também era coberto de telhas e a armação do telhado era muito bem feita.

Tinha chegado cedo a esse rancho, e como só tivesse achado pelo caminho duas plantas em flor, no meio das samambaias e dos alecrins-do-campo (*Baccharis*) que cobriam as terras, fui colher plantas no Morro de Jaraguá, que já mencionei e fica apenas um quarto de légua do rancho. Esse morro tinha sido cercado de fossos e de sebes, a fim de poder ser usado como pasto. Transpus a cerca e comecei a subir. Por toda a extensão da encosta crescem as samambaias gigantes (*Pteris caudata*), às quais é ateado fogo de tempos em tempos a fim de permitir que nasçam folhas mais tenras e mais úteis. Em alguns pontos veem-se ainda pequenas matas, em outros a rocha se apresenta inteiramente nua. O morro, que de longe me parecia um cone de duas pontas, como já disse, tem na verdade quatro cumes. Caminhando sempre sobre um terreno coberto de samambaias queimadas, alcancei o cume menos elevado e de lá me dirigi ao mais alto de todos. Antes de alcançá-lo notei o desaparecimento da perniciosa criptógama que compõe a quase totalidade da vegetação dessa região. Mas quando foram queimados os tufos dessa planta localizados mais em baixo, o fogo se propagou até o cume do morro, consumindo tudo. Não encontrei durante toda a caminhada uma única planta em flor. No cume mais elevado há uma cavidade profunda, dentro da qual jaziam numerosas formigas, aladas, provavelmente entorpecidas pela umidade. A minha presença fez com que uma perdiz levantasse vôo de dentro do buraco, onde sem dúvida se achava ocupada em devorar as formigas. Essa cavidade a que me refiro deve ser obra de antigos mineradores, segundo um viajante anglo-americano. Esse mesmo autor acrescenta, entretanto, que o povo da região garante que se trata do local onde os índios enterravam os seus mortos[18].

---

[18] Kidder, *Sketches*, I. – Kidder diz, em determinado momento, que os indígenas escolhiam como local de suas sepulturas os pontos mais elevados. Eu nunca ouvi falar nesse costume. Se esse mesmo autor menciona como sendo muito penosa a subida do Morro de Jaraguá, isso se deve provavelmente ao fato de que ele não tinha o hábito de andar por regiões montanhosas. Não creio que fosse mais difícil chegar ao cume do Jaraguá do que subir ao topo da montanha de Monhtéry ou de Montmartre, antes de terem sido abertas as estradas de acesso a eles. É bem verdade que o excelente botânico francês, Guillemin – de quem terei oportunidade de falar mais tarde – se recusou a acompanhar Kidder em sua excursão ao cume do

Até pouco tempo atrás, todos os viajantes que procuravam descrever o Brasil eram europeus, e era unicamente com a Europa que o comparavam. Talvez seja interessante saber quais as impressões que causaram as terras vizinhas de Jaraguá a um homem que não tinha visitado o Velho Mundo e só conhecia os Estados Unidos, uma terra ainda mais nova do que o Brasil. Transcreverei aqui as palavras de Kidder: "A vista que descortinei do alto do Jaraguá era tão variada e tão bela que me seria impossível descrevê-la, e me recompensou cem vezes de todos os esforços da subida. A pouca distância veem-se vestígios de lavagens de ouro, em lugares onde a terra foi revolvida e despojada de sua vegetação pelos antigos mineradores. Do outro lado fica situada a capital da Província, em terras que eram chamadas outrora de planície de Piratininga. Dali avistei as cidades de Campinas, Itu, Sorocaba e Mogi das Cruzes. O aspecto geral da região se assemelha ao dos campos da América boreal. À exceção de algumas plantas que cresciam à beira dos precipícios mais próximos, eu não conseguia distinguir nitidamente as coisas, devido à distância, e me sentia levado a acreditar pela primeira vez, desde que chegara ao Brasil, que a paisagem que se estendia diante dos meus olhos pertencia aos Estados Unidos. No momento em que essa associação se formou em minha mente ela deixou aí uma impressão que jamais esquecerei. Eu me achava então na extremidade meridional da zona tórrida, e é bem possível que, a partir do equador, eu ainda não tivesse visto nada que me recordasse a pátria. Ali, a proximidade das regiões temperadas do Sul e o meu momentâneo afastamento das coisas que tinham ficado lá em baixo reavivaram em meu espírito a lembrança de outros tempos e de outros lugares. A necessidade de descer de novo a montanha iria, infelizmente, dissipar essas ilusões tão agradáveis (*Sketches*, I,239)."

O Morro do Jaraguá propriamente dito e os outros vizinhos podem ser considerados, na minha opinião, como componentes da extremidade meridional da longa cadeia conhecida pelo nome de Serra da Mantiqueira[19]. O pico principal é tão pouco elevado que na região lhe é dado apenas o nome de morro (Morro de Jaraguá). No entanto, essas pequenas elevações têm, na história do Brasil, uma certa notoriedade, visto que contém minas de ouro cuja exploração remonta a uma época muito antiga. Sua descoberta ocorreu, segundo se diz, em 1590 e foi devida a um

---

Jaraguá. Ele havia feito coletas de plantas nos Alpes, e por conseguinte não poderia recear uma escalada tão fácil, mas ao chegar ao pé do morro sentiu sintomas do mal que pouco tempo depois iria privar para sempre os seus amigos do seu convívio.

[19] Pedro Müller, *Ensaio*.

certo Afonso Sardinha, que nesse ano teria também verificado a existência de ferro na serra de *Arraçoiaba*[20]. Durante todo o século XVII foram retiradas consideráveis quantidades de ouro das minas de Jaraguá, tendo elas sido apelidadas – segundo se afirma – de Peru do Brasil. Ainda estavam sendo exploradas quando o inglês Mawe as visitou, no início do ano de 1808, e, embora Kidder não tenha notado nenhuma atividade nelas em 1839, é pouco provável que nessa época elas estivessem inteiramente abandonadas[21].

As minas de Jaraguá e o pico do mesmo nome fazem parte de uma fazenda muito importante que pertenceu, no começo do século, ao governador da Província, Antônio José da Franca e Horta, e na qual ele introduziu alguns melhoramentos[22]. Em 1839 essa fazenda se encontrava nas mãos de uma viúva, Dona Gertrudes, que a explorava com grande inteligência. Essa senhora acolheu com extrema gentileza o viajante anglo-americano Kidder[23], bem como o naturalista francês Guillemin[24] e o Sr. Houlet, subchefe da seção tropical do museu de Paris.

À medida que nos afastamos do Pico do Jaraguá e do Capão das Pombas, as terras se tornam menos irregulares, acabando por se transformar numa vasta planície ondulada, limitada ao norte pelos morros que acabamos

---

[20] Mawe, Kidder e Eschwege consideram as jazidas de Jaraguá as mais antigas de que se teve notícia no império do Brasil (*Travels,* 77; - *Plut. Bras.,* 4; - Sketches, *I, 235*); *mas as de Paranaguá* são ainda mais antigas, pois Pizarro, que sempre recorreu a fontes fidedignas, faz remontar a sua descoberta ao ano de 1578 (*Mem. hist..,* VIII, 265).

[21] *Sketches,* I, 237.

[22] Mawe, *Travels,* 81.

[23] *Sketches,* I, 236, 247.

[24] Antoine Guillemin nasceu em Pouilly-sur-Saône, no departamento da Côte-d'Or, no dia 20 de janeiro de 1796, e morreu em Montpellier em 15 de janeiro de 1842. Foi um dos discípulos favoritos do ilustre Candolle, e a ciência deve a ele inúmeros trabalhos sobre vários ramos da botânica. Em 1838, o ministro da Agricultura e do Comércio encarregou-o de estudar, no Brasil, a cultura do chá, bem como de levar desse país algumas plantas que pudessem aclimatar-se na França. Depois de passar alguns meses na capital do Brasil, Guillemin embarcou para S. Paulo. Ali visitou as principais fazendas de cultivo de chá, e ao retornar ao Rio de Janeiro passou pelas de Ubatuba, onde se havia formado uma pequena colônia francesa. Finalmente percorreu a Serra dos Órgãos, de grande interesse para os botânicos. De volta à França, ele publicou sobre sua viagem um trabalho onde falou sobre si próprio com uma modéstia muito pouco comum, e sobre o resultado de suas pesquisas com uma sinceridade mais rara ainda. A fisionomia aberta de Guillemin anunciava a franqueza de seu caráter e a constância de seu temperamento. Jamais ele se mostrou ávaro de seus conhecimentos de botânica, de que tantos outros se teriam mostrado ciumentos; estendia generosamente a mão aos jovens principiantes e se opunha vivamente a todo tipo de injustiça. Sua perda foi lamentada por todos aqueles que dão um valor muito maior à ciência quando a ela se unem a afabilidade e a nobreza de sentimentos.

de transpor. Essa planície apresenta pequenos grupos de árvores pouco altas, ocupando uma pequena extensão e muito próximas umas das outras, com as copas às vezes quase se tocando, grupos esse disseminados no meio de um capinzal rasteiro. É difícil determinar se os trechos cobertos de árvores são mais numerosos do que os pastos. Forma-se uma espécie de mosaico com dois matizes de verde bem diferentes e bem marcados – o da relva, em tom suave, e o das árvores, em tom escuro. São esses os aprazíveis campos que os primeiros habitantes da região denominaram, como os índios, de planície de Piratininga, e que chamavam também de *paraiso terrestre* e de *Campos Elíseos* do Brasil. O nome de Piratininga, já caiu em desuso, mas os campos a que ele se refere nada perderam de sua beleza, e hoje acham-se animados pela presença de numerosos burros, cavalos e bois que pastam ali tranquilamente em grandes parques, por assim dizer, rodeados de fossos profundos[25]. Se não houvesse testemunhos históricos para provar que a vegetação dessa planície, na época de sua descoberta, era a mesma que é hoje[26], confesso que estaria disposto a acreditar, baseado na minha experiência, que ela outrora tinha sido coberta de matas. A probabilidade de se cometer semelhante erro mostra como é essencial analisar – como sempre fiz – a natureza da vegetação primitiva nos lugares onde ela ainda não foi destruída. De qualquer maneira, ainda que no seu aspecto geral a vegetação dos campos de Piratininga não tenha sofrido alterações sensíveis desde o

---

[25] O nome de *Piratiga* ou *Piratinim* refere-se, segundo o Pe. Gaspar da Madre de Deus, a um ribeirão que se lança no Tietê (*Mem. S. Vicente*, 106). Acrescentarei que ele é encontrado na Província do Rio Grande do Sul e que lhe podem ser atribuídas, como iremos ver, duas etimologias diferentes. De acordo com Diogo de Toledo Lara Ordoñes, que anotou·a carta do Pe. Anchieta sobre a história natural de S. Vicente (*Not. Ultram.*, I, 167), o termo significaria *peixe seco,* e teria sido dado aos campos vizinhos de S. Paulo porque, depois das enchentes do Tamandataí, muitos peixes ficavam antigamente retidos nos campos e se tornavam secos pela ação do sol. Nesse caso, *Piratininga,* ou antes *Piratinim,* derivaria das palavras *pirá,* peixe, e *tini,* seco (Ruiz de Montoya, *Tes. leng. guar.,* 391 bis). É essa mesma etimologia que adotei há muito tempo (*Viagem pelo Litoral*) e que foi aceita por Francisco dos Prazeres Maranhão; ele fez derivar *Piratininga,* nome de uma lagoa da Província do Rio de Janeiro (*Revista Trimestral,* I, seg. série), de *pirá,* peixe e *tening,* secar; com efeito, o *Dicionário Português-Brasiliano* registra *motining* como secar, e *tining* como seca. Mas um hispano-americano muito versado na língua guarani traduziu *Piratinim, Paratinim* ou, mais precisamente, *Piratiny* pelas seguintes palavras: *rio do peixe que faz barulho* (de *pirá,* peixe, e *tinyni,* barulho, zoeira, *ex* Montaya). Atualmente eu me sentiria mais inclinado a aceitar essa última etimologia, tanto mais quanto *Piratininga* ou *Piratinim* era inicialmente o nome de um curso d'água – como já expliquei mais acima – e é pouco provável que se encontre uma justificativa para dar a um rio o nome de *peixe seco.* Em todo caso, é mais do que evidente que Piratininga não pode significar *paraíso terrestre,* acepção que é encontrada no *Dicionário do Brasil,* vol. II, p.328.

[26] José de Anchieta, *Epístola in Not. ultramarin.*, I, 136 - Gaspar Madre de Deus, *Memórias para a História de Cap. De S. Vicente,* 105. – João Manuel da Silva, *Plutarco brasileiro,* I, 34.

tempo da descoberta, um observador atento não deixará de perceber, à primeira vista de olhos, que uma mudança real há de se ter processado com o decorrer dos anos. O capim rasteiro que se vê nesses campos não pode ter pertencido à vegetação primitiva, sendo evidente que resulta da presença contínua de burros e cavalos. Creio poder afirmar, sem receio de erro, que antes da chegada dos portugueses crescia no meio das árvores um capim muito mais alto e viçoso. A Província de Minas apresenta, de acordo com a altitude de suas regiões e o seu maior ou menor afastamento da linha equinocial, numerosas e acentuadas diferenças de vegetação. Não me lembro, porém, de ter visto em nenhuma parte dessa província nada que pudesse, pelo seu aspecto, ser comparado à planície de Piratininga.

A cerca de 1 légua da cidade de São Paulo há uma ponte de madeira (1819) sobre o Rio Tietê, que não é muito largo nesse ponto, embora suas águas fluam com rapidez. Quase às suas margens via-se, à época de minha viagem, uma bela casa de campo ensombrada por uma Araucária[27], junto à qual havia uma plantação de café, com as árvores dispostas como num tabuleiro de xadrez (em quincunce). Desde que deixara a chácara do vigário de Santa Luzia, em Goiás[28], isto é, desde o começo de junho – e já estávamos em fins de outubro – eu não havia encontrado uma única casa de campo. A regularidade e a ordem denunciadas pela presença do homem industrioso não podiam deixar de encantar o viajante, cujos olhos se achavam cansados de contemplar durante vários meses o tristonho aspecto do sertão, a indolência e a pobreza.

Creio dever dar aqui alguns dados sobre o Rio Tietê, que acabo de mencionar e que tem uma grande importância na história da Província de São Paulo. Originalmente, esse rio tinha os nomes de Rio Grande e Anhambi[29], mas em tempos mais recentes passou a chamar-se Tietê, nome que se compõe das palavras guaranis *ti*, água, e *éte*, boa, genuína[30].

O rio nasce a cerca de 20 léguas de São Paulo, entre a Serra do Mar e a Serra da Mantiqueira. Corre inicialmente para o oeste, quase paralelamente à primeira dessas cadeias, da qual depois se desvia, dirigindo-se mais ou menos para o noroeste. Recebe um grande número de afluentes,

---

[27] Ver *Viagem às Nascentes do Rio S. Francisco.*
[28] Ver *Viagens à Província de Goiás.*
[29] Gaspar de Madre de Deus, *Mem. S. Vicente,* 105 – Em *Orbis novus,* de Van Laez, impresso em 1630, encontra-se frequentemente *Injambi.*
[30] Ruiz de Montoya, *Tes. Leng. guar.,* 386,126. – É evidente, tendo em vista a etimologia indicada aqui, que não se deve escrever *Thyeté*, e muito menos *Tiéti*, como fez o inglês Mawe.

num curso extremamente sinuoso, que é prejudicado por uma longa série de corredeiras e cachoeiras. Após um percurso de cerca de 200 léguas ele se lança no Paraná, o qual, depois de reunir-se ao Uruguai e ao Paraguai, acaba por se transformar no Rio da Prata[31]. Assim, como observou Frédéric Varnhagen, o Tietê, cuja nascente fica a 8 ou 10 léguas do Oceano, percorre quase um milhar de léguas antes de desaguar no mar, ao passo que o Paraíba chega ao litoral após um percurso de cerca de 200 léguas. Uma vez que, no seu começo, os dois rios quase chegam a se encontrar no lugar denominado Nossa Senhora da Escada, situado a pouco mais de 200 metros acima do nível do mar, torna-se claro que as águas do primeiro devem fluir, de um modo geral, com muito menos celeridade que as do segundo[32]. Várias aldeias se formaram outrora às margens do Tietê; hoje não há nem vestígio delas. Os indígenas que ali viviam estão mortos ou se dispersaram. A de Arariguaba ainda existe, é bem verdade, mas chama-se hoje Porto Feliz e se transformou num pequeno arraial, habitado unicamente por descendentes dos portugueses. Era ali que os paulistas embarcavam, descendo o Tietê até o Paraná e enfrentando mil perigos, para depois, seguindo sempre por via fluvial, chegarem a Cuiabá em busca do ouro[33].

À medida que nos afastamos do Tietê e nos aproximamos de São Paulo, as casas vão-se tornando mais numerosas, embora nenhuma seja de tamanho considerável (1819). A cerca de meia légua da cidade ainda se encontra um rancho real, o de Água Branca, muito confortável para os viajantes, que em São Paulo têm tanta dificuldade em encontrar alojamento quanto nas outras cidades do interior do Brasil[34].

Indicaram-me o albergue de um certo Bexiga[35], que possuía, em São Paulo mesmo, vastas pastagens. Foi a essa hospedaria que me dirigi. Entramos na cidade por uma rua larga (29 de outubro de 1819), margeada por casas pequenas mas bem cuidadas, e depois de passarmos por uma fonte bastante bonita e, em seguida, pela ponte de Lorena, feita de

---

[31] Para maiores informações sobre o curso do Tietê, consultar a *Corografia* do abade Manuel Aires de Casal, I., 210.
[32] F. Varnh, *in* Eschw., *Journ. von Brasilien*, II, 239.
[33] Ver mais adiante o capítulo intitulado *A Cidade de Itu*, etc.
[34] Faz alguns anos que foi aberto, entre Jundiaí e S. Paulo, um caminho mais curto que o usado por mim. Esse caminho está destinado a se transformar numa nova estrada, que já havia sido começada em 1847 (*Discurso recitado pelo presidente da Província de S. Paulo no dia 7 de janeiro de 1847*).
[35] Existe em S. Paulo uma ponte que se chama Ponte do Bexiga, a qual talvez deva o seu nome a esse hoteleiro ou a um de seus antepassados.

pedras, sobre o Córrego de Anhangabaú, chegamos ao albergue do amável Bexiga. Meus burros foram levados para um pátio lamacento, limitado de um lado por um fosso e dos outros dois por pequenas construções. Tratava-se dos alojamentos destinados aos viajantes. Bexiga dava a estes permissão para levarem os burros para os seus pastos, mediante o pagamento de 1 vintém por noite e por cabeça, e ao viajante não era cobrado nada. Quando não se paga, não se pode ser muito exigente. Entretanto, não pude deixar de sentir um arrepeio quando me vi um cubículo úmido, infecto, de uma sujeira revoltante, sem forro, sem janela, e tão apertado que, embora nossas malas tivessem sido empilhadas uma sobre as outras, pouco espaço sobrava para nos mexermos[36]. Esse triste alojamento me fez ansiar ardentemente pelos ranchos do sertão. Mas José Mariano era muito menos cordato do que eu e foi sobre mim, evidentemente – que nada podia fazer – que desabou todo o seu mau-humor. "Estou muito satisfeito", resmungou ele, em pleno pátio do Bexiga, "de ter afinal chegado a São Paulo. Das duas coisas que eu era obrigado a fazer até agora, de hoje em diante só vou fazer uma. Ou cuido dos burros, ou preparo os pássaros." Havia tempo eu vinha pensando em dispensá-lo de cuidar dos burros, a fim de lhe deixar mais tempo para a caça e lhe dar menos oportunidade de se mostrar mal-humorado. Contentei-me em lhe responder, entretanto, que aquele não era o lugar próprio para tratarmos desse assunto e que discutiríamos o caso no momento oportuno.

Logo que nossas malas foram descarregadas, apressei-me a ir à casa de um suíço por nome de Grellet, que vendia mercadorias francesas por conta de uma casa estabelecida no Rio de Janeiro e ficara encarregado de receber toda a minha correspondência. Não o encontrei, pois ele se achava em viagem, e pude conversar apenas com um jovem caixeiro totalmente inexperiente, que depois de ter rebuscado todos os cantos da loja me entregou duas cartas cuja data era de um ano atrás. Esperava receber

---

[36] Kidder diz que em 1839 havia em S. Paulo uma hospedaria francesa, mas que o ilustre Guillemin encontrou grande dificuldade em hospedar-se nela por não trazer consigo uma carta de recomendação; e enquanto esperava que o dono do albergue mudasse de ideia, o famoso naturalista não teve outro recurso senão asilar-se numa taverna coberta de imundícia e de cujo teto a água da chuva caía em borbotões (*Sket.*, I). Em 1846, Mme. Ida Pfeiffer bateu inutilmente à porta de três hospedarias, uma alemã, outra francesa e a terceira portuguesa; não foi recebida em nenhuma das três, pela mesma razão pela qual Guillemin fora recusado: ela não trazia uma carta de recomendação (*Eine Frauenfahrt um die Welt*, I, 116). As precauções tomadas pelos hoteleiros de S. Paulo certamente não mostram que depois que por lá passei o Brasil tenha sido visitado por pessoas muito respeitáveis.

notícias recentes das pessoas que me eram caras, e me enchi de desânimo, sentindo-me tentado, por um momento, a voltar ao Rio de Janeiro.

No dia seguinte, logo que me levantei, tive uma conversa com José Mariano, ficando combinado que suas principais ocupações seriam, a partir de então, a caça e a preparação dos animais. Entretanto, ele continuaria a lidar com as cangalhas, o que exige uma certa experiência, e a ferrar os burros. Afora isso, todos os serviços da tropa seriam confiados a um camarada, que seria contratado por mim.

Depois de ter feito esse arranjo, voltei à casa de Grellet para saber se o seu caixeiro tinha encontrado outra carta para mim. Ele não encontrara mais nada, mas Grellet tinha chegado. Era um homem prestimoso e afável, que soubera conquistar a estima dos habitantes de São Paulo. Enquanto eu me achava em sua casa várias pessoas graduadas vieram cumprimentá-lo por seu feliz regresso. Ele me arranjou uma encantadora casa de campo, situada a pouca distância da cidade de onde pude desfrutar, durante minha permanência ali, de toda a liberdade possível.

Dormi ainda uma noite no albergue do Bexiga, mas logo que me levantei recolhi minhas malas e me dirigi ao meu novo alojamento. Atravessei a cidade de São Paulo. Ao chegar ao Convento das Carmelitas, de onde se descortina uma bela vista, desci uma rua pavimentada e muito íngreme, que vai até a beira do Córrego Tamandataí e é margeada de um lado pela parte baixa da cidade e forma o seu limite. Sua travessia é feita por uma ponte de pedra, de um só arco. Depois da ponte vê-se uma vasta planície que, embora apresentando desníveis muito pronunciados, deve ser uma continuação da de Piratininga. Sendo muito pantanosa nas vizinhanças do córrego, ela apresenta alternadamente, mais adiante, pastos e tufos de árvores pouco elevados. Num trecho de algumas centenas de passos a partir da ponte o caminho é orlado e embelezado por densos tufos de uma tasneirinha de flores amarelo-ouro. Depois desse trecho veem-se várias chácaras. A que eu iria ocupar, e pertencia a um coronel de milícia, Francisco Alves, era uma das primeiras. Alojei-me ali desde o dia 1º de novembro até 9 de dezembro, e foi nessa mesma casa que me instalei, ao voltar a São Paulo em fevereiro de 1822.

Capítulo VI
DESCRIÇÃO DA CIDADE DE SÃO PAULO

História da cidade de S. Paulo. Sua população e a de seu distrito. As diversas classes que compõem essa população. Número de casas. Localização da cidade. As diferentes vistas que podemos descortinar fazendo o seu contorno. As ruas. As praças públicas. As casas. Mobiliário. Igrejas; conventos; o palácio episcopal. A Câmara Municipal e a cadeia. O palácio do governador. Hospitais. Pontes. O jardim público. Comércio; lojas; bancos. A manufatura de armas. Clima; salubridade, Médico; farmacêuticos; parteiras. Hábitos sociais; cortesia. As prostitutas. Comparação dos habitantes da cidade com os dos campos de S. Paulo e Ouro Preto. A pronúncia dos camponeses paulistas. Explicação do termo caipira.

Mal haviam chegado ao Brasil, os jesuítas fundaram um colégio na Vila de São Vicente, recém-criada. Mas a vila era habitada por portugueses, e os padres da Companhia de Jesus tinham por principal objetivo a catequização dos indígenas. Resolveram, pois, se estabelecer no meio destes. Tendo descoberto um local admirável a oeste da cadeia marítima, na vasta planície de Piratininga, ali construíram uma choupana. Foi esse o início de uma cidade cujos habitantes iriam ter um papel tão importante na história do Brasil.

Uma capelinha coberta de folhas de palmeira[1] foi em breve erguida ao lado da choupana que abrigava os religiosos europeus e os seus discípulos. A primeira missa foi aí celebrada a 25 de janeiro de 1553, dia da

---
[1] Diogo de Toledo Lara Ordoñez, *Adnotationes in Notic. ultram.*, I, 165.

conversão de São Paulo, tendo sido dada à nova colônia o nome de São Paulo de Piratininga, nome cuja primeira parte foi conservada até hoje[2].

Tibiriçá, cacique dos goianases, abandonou a antiga aldeia de Piratininga, onde haviam vivido os seus antepassados, e com todos os índios sob a sua guarda mudou-se para a aldeia dos jesuítas. Uma das ruas de São Paulo, a de São Bento, foi designada por longo tempo, em honra desse cacique, pelo nome de Martim Afonso, que ele havia recebido no batismo. O exemplo de Tibiriçá foi seguido pelo venerável cacique Caiobig e por vários outros que habitavam a planície de Piratininga[3]. Mas o principal aumento da população de São Paulo ocorreu quando o governador geral, Mem de Sá, anexou a ela a de Santo André, pequeno povoado cuja destruição ele havia ordenado. Até essa época São Paulo não tinha passado de uma humilde aldeia. Foi-lhe dado o título de cidade, com todos os privilégios disso resultantes e, em honra de sua nova posição, foi fincado diante da casa dos jesuítas o mastro da justiça que havia sido trazido de Santo André.

Em vão procuraríamos naqueles tempos, nos campos vizinhos de São Paulo e na própria cidade, a doce tranquilidade que hoje podemos usufruir ali. Os habitantes viviam sob o temor constante do ataque dos índios, e muitas vezes ouviam ressoar no meio da mata o esturro de suçuarana *(Felis concolor,* S.). O permanente terror que sentiam das onças levava muitas vezes os homens a dormirem amontoados com seus companheiros. Em toda parte pululavam as cobras venenosas, e o viajante não podia atravessar os campos sem correr risco de ser picado por um desses répteis[4].

Nessa época, as casas dos paulistas eram provavelmente feitas de barro e paus cruzados, ou diferiam ainda menos das dos selvagens. Entretanto, ficamos sabendo, por uma carta do venerável José de Anchieta, enviada em 1563 ao superior de sua ordem, o Pe. Lainez, que São Paulo nessa época tinha uma porta de entrada e que, para defender a cidade do ataque dos índios, os portugueses haviam construído à sua volta uma paliçada. Os jesuítas tinham plantado hortas, os campos das redondezas começavam a ser cultivados, e inúmeros rebanhos de vacas pastavam nas campinas[5].

---

[2] Ver o primeiro capítulo deste livro.
[3] Gaspar da Madre de Deus, *Notícia dos anos em que se descobriu o Brasil*, etc., in *Revist. trim.*, II, 432. – Id., *Mem. S. Vicente.*
[4] José de Anchieta, *Epistol, in Notic. ultramar.*, I.
[5] José de Anchieta, *Carta de S. Vicente, para o Pe. Mestre Diogo Lainez, in Revist. trim.*, I.

Pouco a pouco os paulistas, por meio de um combate incessante aos selvagens, tornaram-nos menos temíveis. Ajudados por numerosos escravos, expandiras suas lavouras, construíram engenhos e prosperaram bastante. Enquanto isso acontecia, a cidade de São Vicente, cuja localização não era muito favorável e cujos privilégios tinham sido usurpados por Santos, entrava em declínio[6]. Foi decidido que ela não merecia o título de sede da capitania, e em 1581 esse título foi transferido para São Paulo de Piratininga[7].

Contudo, a população de São Paulo sofreu uma grande baixa quando, por volta de 1570, os goitacases se retiraram da cidade[8], e em 1585 não havia ali mais do que 120 habitantes, não se incluindo nesse total os índios escravizados[9]. A população diminuiu ainda mais à época da expulsão dos jesuítas (1640), mas o que entravou realmente a sua expansão foram as longas expedições que os paulistas realizaram durante um século e meio, à procura do ouro e de escravos indígenas. Enquanto os aventureiros paulistas percorriam os sertões, as mulheres permaneciam sozinhas em suas casas, e grande foi o número delas que jamais voltou a ver os maridos.

No início do século XVII não havia em São Paulo mais do que 200 habitantes, uma centena de casas, uma igreja paroquial, um convento de beneditinos, um convento de carmelitas e o colégio dos jesuítas[10]. No fim desse século a população tinha aumentado sensivelmente, mas ainda sim não ia além de 700 habitantes. Entretanto, como bem observa um historiador, "as terras dos arredores deviam ser muito povoadas, do contrário a província não teria podido fornecer os numerosos bandos de aventureiros que levaram a devastação ao Paraguai e exploraram o centro do continente americano[11]". São Paulo devia assemelhar-se, então, às cidades de Minas Gerais e Goiás que permanecem desertas durantes toda a semana e só se povoam quando a missa dominical faz com que para ali afluam os agricultores das redondezas.

---

[6] S. Vicente, a cidade de Martim Afonso de Sousa, está hoje em decadência. O porto e o canal que separava da terra firme a ilha onde se acha situada a cidade estão praticamente cobertos de entulho. Em 1838 sua população não ia além de 745 habitantes; suas casas se acham semi-arruinadas, sua câmara municipal mal se compara a uma escola de aldeia, na Inglaterra, e se ainda existe um pouco de vida na cidade isso se deve aos habitantes de S. Paulo e Santos, que costumam ir até ali tomar banho de mar, atraídos pelo suave declive de suas praias (Piz., *Mem. hist.*, VII; - Daniel P. Müller, *Ensaio*; - Kidder, *Sketches*.

[7] Diogo de Toledo, *Adnotationes in Notic. ultramar.*, I.

[8] Gaspar de Madre de Deus, *Mem.*

[9] Fernão Cardim, *Narrativa epistolar*, 102.

[10] Lart., *Orb. Nov.*, 580.

[11] Southey, *hist.*, II, 668.

Em diferentes épocas, os soberanos de Portugal concederam privilégios à cidade de São Paulo e enviaram cartas aos seus cidadãos mais graduados para lhes agradecer as importantes descobertas que tinham feito no interior do país.

Quando, em 1712, a Província de São Paulo deu início à formação de um governo local, sua capital foi escolhida como residência dos capitães-generais ou governadores, tendo recebido o título de *cidade*. Durante muito tempo, como acontecia com o resto da capitania, ela tinha estado sob a jurisdição dos bispos do Rio de Janeiro. Em 1746, ela própria tornou-se sede de um bispado[12]. Convém esclarecer, entretanto, que, embora contasse com extraordinária vantagem de congregar as principais autoridades da capitania, ela só veio a adquirir real importância nos fins do século passado, quando a cultura das terras circunvizinhas se expandiu de maneira notável e os engenhos de açúcar se multiplicaram. Segundo dados fornecidos por uma alta autoridade, que ali se estabeleceu em 1772, só havia nas cidades seis casas de dois pavimentos.

As obras que pude consultar não indicam quais eram, no decorrer do século XVIII, as cifras correspondentes aos sucessivos aumentos da população de São Paulo. Mas é inegável que foi principalmente à época da chegada de D. João VI ao Brasil que a sua expansão se tornou mais acentuada. Parece que em 1807 a cidade e seu distrito[13] não contavam com mais de 20.000 habitantes, e em 1817 o total destes, em ambos, era de 23.760[14]. Em 1822, a cidade e o distrito apresentavam 25.682 habitantes, distribuídos em 13 paróquias. É bem verdade, entretanto que em 1839 o cômputo da população indicava apenas 21.933 habitantes, mas o distrito inteiro, inclusive a cidade, tinha sido reduzido a 9 paróquias e uma sucursal[15]. Somente a população da cidade e

---

[12] Devo dizer que os autores não estão de acordo quanto às duas datas que indico. Pizarro assegura que o primeiro capitão-geral de S. Paulo foi nomeado no dia 23 de novembro de 1709, tendo tomado posse no dia 18 de julho do ano seguinte. Ele acrescenta que o bispado de S. Paulo foi desanexado do Rio de Janeiro em 1746, mas que o primeiro bispo já havia sido nomeado pelo rei anteriormente a essa data, tendo sido confirmado, em 1745, pelo soberano pontífice *(Mem. hist.,* VIII). O próprio autor se espanta com o fato de ter nomeação do bispo precedido a criação do bispado; essa anomalia foi repetida pela Igreja da França em época bem mais recente, tendo sido facilmente justificada pelas circunstâncias.

[13] John Mawe, *Travels*, 68.

[14] Casal, *Corog. Bras.,* I, 235.

[15] Vejo-me forçado a repetir aqui que tem havido grande confusão no emprego das palavras *termo* e *distrito*. Assim, Müller inclui no termo da cidade de S. Paulo, além das 8 paróquias de Santa Efigênia, Bom Jesus do Brás, Conceição dos Guarulhos, N. S. do Ó, Cutia, N. S. da Penha, S. Bernardo e Juquiri, as duas cidades de Santo Amaro e Paranaíba *(Ensaio,* tab. 1);

suas redondezas, distribuída por 3 paróquias – a catedral, a Igreja de Santa Efigênia e a de Bom Jesus do Brás – elevava-se em 1839 a 9.991 indivíduos, sendo 5.668 para a primeira dessas paróquias, 3.664 para a segunda e 659 para a terceira[16]. No total, havia 33 pessoas livres, 8 escravos de idade que variava entre 80 a 90 anos e 2 pessoas com mais de 90 anos, uma livre, outra escrava.

São tão vagos os dados que dispomos até hoje sobre a população de São Paulo, e deixam tantas dúvidas, que não ouso afirmar como sendo exatas as cifras referentes às diversas castas que compõem. Não obstante, creio poder declarar que em 1839 o número de brancos mal chegava a 4/5 do relativo aos homens de cor – negros e mulatos; que deve ser considerado como quase nulo o número de índios; que o das mulheres livres, brancas, mulatas e negras, sobrepujava sensivelmente o dos homens livres das mesmas raças; finalmente, que os escravos não constituíam mais do que um terço da população total. De acordo com Daniel Pedro Müller[17], teria havido em 1838, com base na cifra de 9.991, referente à população das três paróquias da cidade de São Paulo, 52 casamentos entre pessoas livres e 7 entre escravos; 448 nascimentos, sendo 311 entre os homens livres e 137 entre os escravos; finalmente, 464 óbitos entre os primeiros e 156 entre os segundos.

Eu não saberia dizer qual é o número de casas da cidade de São Paulo, mas Spix e Martius nos informam[18] que, em 1815, quando o distrito de que a cidade era sede ainda compreendia 12 paróquias, havia ali um total de 4.142 famílias; segundo Eschwege[19], de acordo com Daniel Pedro Müller[20], as 9 paróquias e a sucursal de que se compunha o

---

mais adiante, porém (obra cit., *cont. do apend. A tab. 5*), ele indica que apenas as 8 paróquias citadas acima, juntamente com a sede, compõem o termo. Creio que a primeira indicação, e não a segunda, é que seja exata, e que as 9 paróquias formam apenas o distrito compreendido no termo. Acredito, enfim, que as cidades de Santo Amaro tenham cada uma o seu próprio distrito.

[16] Esses dados foram extraídos do quadro do *Ensaio estatístico,* onde o autor, Daniel Pedro Müller, registra a população da província inteira, classificada segundo o seu estado civil. Creio dever observar, entretanto, que esse quadro não está absolutamente de acordo com o do *Ensaio*, onde essa mesma população é classificada segundo as castas, pois nesse último são identificados para as 3 paróquias da cidade de S. Paulo apenas 9.401 habitantes, ao invés de 9.991. Preferimos esses últimos dados, porque, salvo erro do copista, são os mesmos registrados nos *Sketches* de Kidder, publicados em 1845. Além disso, o quadro de onde eles foram tirados dá menos margem a erros do que o outro, em que a população é dividida por castas.

[17] *Ensaio estatístico*, tab. 5, *cont.*
[18] *Reise*, I, 238.
[19] *Journ. von Bras.*, II, 69.
[20] *Ensaio estatístico*, tab. 5, *cont.*

distrito contariam, em 1839, com um total de 4.168. Eschwege, supondo que as cifras relativas a todo o distrito se referem unicamente à cidade de São Paulo, afirma existirem nessa cidade 6 pessoas por casa. É evidente, porém, que não se poderia chegar a um resultado preciso dispondo-se de elementos tão heterogêneos, nos quais se incluem as cifras de uma população urbanda de mistura com as da população de paróquias rurais, situadas a uma distância da cidade que varia de 1 a 7 léguas[21].

Funcionários de todas as categorias, artesãos de variadas profissões, numerosos negociantes, proprietários de casas urbanas e de terras – os quais, ao contrário dos de Minas Gerais, não moram nas suas fazendas – compõem a população da cidade São Paulo, contando-se ainda umas poucas pessoas que vivem da venda de legumes e frutas que cultivam em suas chácaras.

A cidade fica situada, como já disse, à altura dos 23°33'10" de lat. sul, numa elevação que constitui a parte final do planalto que se atravessa quando se vem das montanhas de Jaraguá[22]. A seus pés se estendem vastas terras planas (terrenos de várzea). Seu contorno é bastante irregular e de forma ligeiramente alongada, situando-se ela no delta formado pelos córregos Anhangabaú e Tamandataí[23], os quais, após se juntarem no sopé da elevação onde fica a cidade, vão desaguar no Tietê.

---

[21] Eschwege não é o único autor que considerou a população de todo o termo de S. Paulo como sendo unicamente a da cidade. O mesmo erro foi cometido por muitos outros, resultando disso uma confusão quase inextricável. Kidder critica John Mawe (*Sketches*, I) por ter exagerado a população de S. Paulo; o erro deste último foi ter registrado, como referente à cidade, o número de habitantes correspondente ao termo inteiro. Os autores da valiosa obra intitulada *Dicionário geográfico do Brasil* não cometeram esse mesmo engano quando indicaram (vol. II) o total de 22.032 habitantes para o ano de 1845, pois eles dizem claramente que esse número se refere à população *das diferentes paróquias do distrito da cidade de S. Paulo*. Trata-se evidentemente de uma informação exata, já que, levando-se em conta uma diferença de sete anos, ela concorda com a que Pedro Müller registra com referência ao ano de 1839. Como explicar, entretanto, os 40.000 habitantes que os autores do Dicionário atribuem, na página seguinte, à mesma população? Os 22.032 se refeririam, na verdade – assim como o número indicado por Pedro Müller – a 9 paróquias e uma sucursal, e os 40.000 – sempre de acordo com os nossos autores – seriam relativos a 14 paróquias; o distrito não poderia, entretanto, ser composto na mesa época de 9 e 14 paróquias, e além do mais o acréscimo de cinco paróquias às nova já existentes não iria, ao que me parece, fazer com que duplicasse a população.

[22] Fried. Varnhagem *in* Eschw., *Journ. von Bras.*, II.

[23] Não creio que se deva escrever, como Spix e Martius, *Inhagabahy* (*Reise*, I), nem *Anhangabaú*, como Daniel P. Müller (*Ensaio*). Não convém igualmente escrever como este último, *Tamanduatehy*; entretanto, essa grafia nos leva à verdadeira etimologia de *Tamandataí*, que me parece derivar das palavras da *língua geral tamanduá, etê, yg* (rio do tamanduá verdadeiro).

Se, para termos uma ideia exata da extensão e posição da cidade, tivermos o trabalho de contorná-la, veremos que ao norte o seu horizonte é limitado de leste a oeste[24] por uma cadeia de pequenas montanhas, distinguindo-se no meio destas o pico de Jaraguá, que dá o nome a toda a cadeia. Esse pico é mais alto do que os morros vizinhos, e em um de seus flancos é separado deles por uma razoável distância. Visto de longe parece ter um cume amplo e arredondado, na extremidade do qual há uma pequena proeminência. Do lado leste, o terreno, mais baixo do que a cidade, é inteiramente regular e se estende até o arraial de Nossa Senhora da Penha, que se avista na linha do horizonte. Em outras partes mostra-se mais ou menos irregular, e para os lados do sul e do oeste se projeta acima da cidade. A região apresenta ora encantadores grupos de árvores, ora pastos de capim rasteiro. Por todo o lado se veem bonitas casas espalhadas pelo campo. Araucárias e algumas palmeiras ressaltam acima do arvoredo, e de todo esse conjunto resulta numa paisagem das mais agradáveis. O Anhangabaú, um simples filete de água, vai desaguar, abaixo do convento dos beneditinos, no Tamandataí, que em seguida sai serpeando no meio dos pastos brejosos contribuindo para quebrar a monotonia da paisagem.

Não somente é encantadora a localização de São Paulo, como aí se respira um ar muito puro. O número de casas bonitas é bastante grande, as ruas não são desertas como as de Vila Rica (Ouro Preto), os edifícios públicos são bem conservados, e o visitante não se vê afligido, como na maioria das cidades e arraiais de Minas Gerais, por uma aparência de abandono e de miséria.

As ruas da cidade situadas na encosta da colina, e que dão acesso aos campos, são as únicas em declive. As outras são planas, largas[25] e retas, permitindo a circulação de veículos. As mais bonitas são a Rua

---

[24] Em meios às fantasiosas histórias que contaram sobre a origem, o governo e os costumes dos antigos paulistas, o Pe. Charlevoix e François Correal disseram também alguma coisa sobre a localização de S. Paulo. O primeiro afirma que "a cidade é cercada de todos os lados por montanhas inacessíveis" (*Voyage aux Indes ocidentales,* I); o segundo, que ela "está situada no alto de um penhasco e só poderá ser tomada por meio do cerco da fome" (*Histoire du Paraguay,* I). S. Paulo é hoje demasiadamente conhecida para que se torne necessário desmentir essas histórias. Não posso, porém, deixar de observar aqui como era pouco conhecido o Brasil à época em que iniciei a minha viagem. Os curiosos relatos dos autores que acabo de citar ainda foram, com efeito, reproduzidos em 1816, numa reedição do *Abrégé de l'histoire générale des voyages,* da Harpe, vol. XII.

[25] Kidder afirma que elas são estreitas *(Sketches,* I); Spix e Martius declaram que são muito largas *Reise,* I). Na minha opinião, a verdade está no meio termo.

Direita e a Rua Antônio Luís. Algumas são pavimentadas, mas o calçamento é mal feito[26]; outras só são calçadas defronte das casas.

Existem em São Paulo várias praças públicas, como por exemplo a do Palácio, a da Catedral, a da Câmara, mas são todas pequenas e nenhuma tem um traçado regular. Há, porém, na periferia da cidade uma praça muito ampla, a do *Corro*, cujo nome, que significa a arena onde se realizam as touradas, indica claramente a sua finalidade. Essa praça é rodeada de muros, e à sua volta toda foi plantada uma fileira de cedros, árvore que cresce com extrema rapidez e dá boa sombra. Descortina-se ao longe uma bela vista, formada pelas montanhas que limitam o horizonte. Na praça havia também, à época de minha viagem, uma arquibancada feita de madeira e de bom acabamento, cuja construção se devia ao engenheiro Daniel Pedro Müller, autor do *Ensaio Estatístico*. Diga-se de passagem que, pelo fato de existir em São Paulo um local destinado às touradas, não devemos concluir que esse tipo de espetáculo seja comum no Brasil e apreciado de um modo geral pelos seus habitantes. Não tive ocasião de assistir a uma única tourada durante a minha longa permanência no país[27].

As casas, feitas de taipa e bastante sólidas, são todas caiadas e cobertas de telhas. Nenhuma delas sugere opulência, mas vê-se um grande número de sobrados, que chamam atenção por seu aspecto vistoso e limpo. Os telhados não se projetam muito para fora, apenas o suficiente para darem sombra e protegerem as paredes da chuva, e as janelas não são tão juntas umas das outras, como se vê comumente no Rio de Janeiro. As dos sobrados são quase todas as envidraçadas, com postigos pintados de verde e com sacadas. As casas de um só pavimento têm gelosias que se abrem de baixo para cima e são feitas de paus cruzados em diagonal.

Achei as moradas dos habitantes mais graduados de São Paulo tão bonitas por fora quanto por dentro. O visitante é geralmente recebido numa sala muito limpa, mobiliada com gosto. As paredes são pintadas de cores claras, e as das casas antigas são ornadas com figuras e arabescos. Nas nascentes, as paredes são lisas, com cercaduras e lambris, à

---

[26] No relatório apresentado no dia 7 de janeiro pelo presidente Manuel da Fonseca Lima e Silva, ele diz que pouco melhorou o antigo sistema de pavimentação e atribui o fato principalmente à falta de operários especializados e das ferramentas indispensáveis, bem como à má qualidade das pedras.

[27] Apesar de ter sido pouco o tempo que Spix e Martius permaneceram em S. Paulo, eles tiveram oportunidade de assistir a uma dessas touradas. Disseram eles que os touros não lhes pareceram dotados de muita coragem, e que os toureiros não eram nem tão hábeis nem tão valentes quanto os da Espanha *(Reise,* I).

semelhança do nosso estilo europeu. Como não haja lareiras, os objetos de enfeite são colocados sobre as mesas, como, por exemplo, castiçais, frascos de cristal, relógios de pêndulo, etc. Comumente, também, as salas são ornadas de gravuras, as quais, entretanto, são constituídas pelo refugo das lojas europeias. Era tão pouca a noção de arte do povo do lugar, à época de minha viagem, que eles nunca deixavam de me chamar para admirar suas obras-primas.

Entre 1818 e 1820 só havia em São Paulo duas igrejas, a catedral e a de Santa Efigênia, construída no bairro do mesmo nome, à margem esquerda do Anhangabaú. Em época mais recente foi erguida uma terceira, a de Bom Jesus do Brás[28]. Além das três igrejas paroquiais, há ainda em São Paulo várias capelas.

Entre 1819 e 1822 a cidade contava com dois asilos[29] e três conventos de frades, o dos beneditinos, fundado em 1598, o dos carmelitas descalços, datado de 1596, e o dos franciscanos[30]. Os três conventos foram construídos em locais privilegiados e bastante afastados uns dos outros, nos limites da plataforma situada no topo da colina, e de cada um deles se descortina uma vasta extensão da planície. A igreja do convento dos carmelitas é muito bonita, com ornamentos de bom-gosto e enriquecida por muitas douraduras. Além do altar-mor, tem três outros de cada lado, onde acham representadas as fases mais importantes da Paixão. Essa igreja me pareceu bastante superior à catedral. Atualmente, o convento dos franciscanos é ocupado por uma escola de Direito[31].

O palácio episcopal ocupa um prédio bastante vasto, mas muito feio, cujo reboco tinha caído inteiramente à época de minha viagem.

A casa da Câmara forma um dos lados de uma praça quadrada. É um belo prédio de dois pavimentos, ornado por um frontão e medindo aproximadamente setenta passos de comprimento por vinte de largura, com nove janelas na fachada. A cadeia ocupa o lado direito do andar térreo e uma parte do mesmo lado do pavimento superior. Quero frisar que considero vantajosa a instalação das cadeias no mesmo prédio das câmaras.

---

[28] Daniel P. Müller, *Ensaio estatístico.*
[29] Casal, *Corog. Bras.,* I.
[30] Gaspar da Madre de Deus, *Notícia dos anos, etc.,* in Revist. Trim., II. Em lugar da data indicada por Müller para a fundação do mosteiro de S. Bento *(Ensaio,* tab. 19), dou preferência à registrada pelo Pe. Gaspar da Madre de Deus, que havia compulsado cuidadosamente os arquivos da Província de S. Paulo e pertencia à ordem dos beneditinos, devendo, pois, estar bem a par de sua história.
[31] D. P. Müller, *Ensaio.* – Kidder, *Sketches,* I.

O regulamento exige que elas tenham janelas iguais às do resto do prédio, e em consequência são bastante arejadas. Em São Paulo, como em outras cidades, os presos podem ficar à janela e conversar com os passantes[32].

É no antigo convento dos jesuítas que os capitães-gerais estabeleceram sua residência. O prédio, depois de desocupado pelos jesuítas, recebeu o nome de palácio, mas sua aparência não passa realmente da de um mosteiro. O palácio – já que é forçoso dar-lhe esse nome – é um prédio grande, de dois pavimentos, composto de duas alas que se encontram, formando um ângulo reto, na extremidade de uma das quais fica localizada a igreja. Nessa ala as janelas ficam muito próximas umas das outras, ao passo que na outra, pelo contrário, se acham muito espaçadas, o que não deixa de ser uma incongruência. No mais, a posição do palácio é tão privilegiada quanto a de todos os outros prédios construídos no Brasil pelos jesuítas. Erguido numa das extremidades da cidade, sua frente é voltada para a cidade, com as duas alas formando dois dos lados de uma praça quadrada. O fundo do prédio dá para os campos. O seu interior tem as divisões habituais dos conventos – algumas salas muito amplas, uma série de celas e numerosos corredores. As paredes dos quartos são pintadas de cores agradáveis e o mobiliário é escasso, como ocorre geralmente nas casas portuguesas. Quando lá estive reinava por toda parte uma grande limpeza. Em 1819 a contadoria tinha os seus escritórios instalados no andar térreo do palácio, e talvez ainda estejam ali até hoje. É numa das salas desse edifício que se realizam atualmente as sessões da assembleia provincial[33].

Das janelas do palácio que dão para os campos descortina-se uma vista maravilhosa, e da planície que já descrevi. Abaixo da cidade vê-se

---

[32] José Carlos Pereira de Almeida Torres, presidente da Província no ano de 1843, achou muito pequena a cadeia e concebeu o projeto de ocupar com ela o prédio inteiro da Câmara, que para isso seria transferida para outro lugar *(Discurso recitado*, etc.); parece, entretanto, que esse projeto não foi levado avante pelos presidentes que o sucederam. Em todos os países onde o poder permanece por muito pouco tempo nas mãos de uma pessoa, cada recém-chegado considera uma questão de honra fazer novos projetos e desprezar predecessores. Os planos acumulam-se, e se nada é realizado. Contudo, foi iniciada em S. Paulo, há vários anos, a construção de uma casa de correção, mas a obra progride vagarosamente, e ainda não havia sido terminada em 1847 *(Disc. Recit. pelo presidente no dia 7 de janeiro de 1847)*. O governo da Província mostrava-se indeciso quanto ao sistema que seria adotado para a recuperação dos criminosos. Num assunto tão sério e tão difícil, a indecisão constitui um motivo de louvor; o que nos surpreende, porém, é que a construção do prédio tenha sido iniciada antes que tivesse sido tomada uma decisão sobre o sistema a ser adotado *(Disc. recit. pelo presidente no dia 7 de janeiro de 1844)* – id., 1845.

[33] Kidder, *Sketches*, I.

o Tamandataí, que vai coleando por uma campina semi-alagada (novembro), no fim da qual se estendem os pastos pontilhados de tufos de árvores baixas. À esquerda, do lado do noroeste, o horizonte é limitado pelas serras de Jaraguá, que descrevem um semicírculo. À direita da planície se estende a perder de vista, sendo cortada pela estrada do Rio de Janeiro, que é margeada de chácaras. Animais pastam espalhados pela campina, e a paisagem ainda se torna mais animada com as tropas de burros que chegam e saem da cidade com a presença de numerosas mulheres lavando roupa à beira do córrego. À direita da estrada algumas velhas Araucárias chamam a nossa atenção. Admiramos seu talhe gigantesco e principalmente os seus galhos que, nascendo em planos diferentes, se elevam à semelhança de castiçais e terminam todos no mesmo ponto, formando uma copa perfeitamente regular. Grupos de esguias palmeiras contrastam com a rigidez dessas coníferas por suas longas folhas flexíveis, que pendem de seus troncos e são agitadas pelo vento. O verde é talvez mais belo, mas matizado do que os dos campos da Europa no começo da primavera e, segundo me afirmara, conserva o seu viço praticamente o ano todo.

Após ter descrito essa encantadora paisagem, é com pesar que me vejo forçado a mencionar os tristes estabelecimentos destinados a abrigar as misérias da nossa raça. Esses contrastes são a imagem da nossa vida, a imagem de toda uma sociedade.

Por ocasião da minha viagem, o hospital militar ficava situado nas vizinhanças de Santa Efigênia. Uma escadaria dava acesso a ele, havendo no centro do prédio um pátio quadrado. Na farmácia, cuja porta dava para a rua, vendiam-se remédios ao público, em benefício do hospital. A farmácia era grande, muito limpa e bem organizada, encontrando-se nela um sortimento completo de medicamentos.

Existe em São Paulo um hospital de leprosos, onde ficam internados os infelizes atacados dessa horrível moléstia[34], que só a caridade nos impede de olhar com repulsa. Ainda que a doença seja lamentavelmente comum nas regiões próximas da estrada que liga São Paulo ao Rio de Janeiro, o hospital não dispõe de mais de vinte e quatro leitos, e no entanto numerosos leprosos vagueiam pelos povoados, vivendo de esmolas[35].

---

[34] Ver *Viagem pela Província do Rio de Janeiro, etc.*, vol. VII, e *Viagem à Província de Goiás*, II. – Ver também o trabalho de Faivre intitulado, *Analyse des eaux thermales de Caldas Novas*.

[35] *Discurso recit.*, pelo presidente Manuel Machado Nunez no dia 7 de janeiro de 1840. – *Discurso recit.* pelo presid. Manoel Felizardo de Sousa e Melo no dia 7 de jan. de 1844.

O hospital de leprosos depende da Santa Casa de Misericórdia, que tem por finalidade socorrer os indigentes e principalmente os doentes pobres. Essa confraria é encontrada em várias cidades do Brasil e vem fazendo uma obra meritória. Infelizmente, os meios de que dispõe não são suficientes para que ele possa desincumbir-se satisfatoriamente desse encargo. Em São Paulo, a Santa Casa possui alguns bens de raiz, cuja renda é somada às esmolas dos fiéis e a uma contribuição anual dos membros da confraria. Em 1819 foi decidido também que uma parte das rendas dos teatros revertesse em seu benefício. Atualmente a Santa Casa de São Paulo tem um hospital próprio, mas à época de minha viagem os seus doentes eram internados no hospital militar, ficando a diária por conta da confraria.

Há em São Paulo três pontes principais, duas sobre o Anhangabaú e a terceira sobre o Tamandataí. São feitas de pedra, muito pequenas, e de um só arco, e em nenhuma outra parte do mundo mereceriam ser mencionadas, a não ser no Brasil. Não obstante, até fins de 1819 não encontrei no interior do país nenhuma ponte que fosse feita com tanta arte como as de São Paulo[36]. A do Tamandataí, que tem o nome de Ponte do Ferrão e fica localizada à saída da estrada para o Rio de Janeiro, mede cerca de 37 passos de comprimentos por 7 de largura, e ao longo de seu parapeito veem-se bancos de pedra. A ponte de Lorena, sobre o Anhangabaú[37], deve medir 12 passos de largura por 95 de comprimento. É quase plana e guarnecida de parapeitos sem ornamentos, servindo para fazer ligação entre a cidade propriamente dita com o bairro de Santa Efigênia. Mede aproximadamente 150 passos de comprimento por 16 de largura. A extremidade que dá para a cidade é em aclive, a outra parte quase plana, e não falta os seus parapeitos uma certa elegância arquitetônica.

Quando me achava em São Paulo, a cidade se ressentia da falta de um parque público. A administração provincial acabou por perceber que era indispensável aos habitantes de uma cidade um lugar desse tipo, onde eles pudessem respirar um ar mais puro do que o de seus mercados e ruas. Criou-se, pois, um parque em 1825, que era chamado de *passeio público* ou *jardim botânico*, e cujo projeto já havia sido feito em 1779[38]. Vejamos como se expressa sobre o assunto um viajante que visitou o parque em 1839: "Em local privilegiado, bem junto da cidade, há um jardim

---

[36] O que digo aqui explica o epíteto de magníficas que Casal dá às três pontes de pedra em questão *(Corog. Bras.,* I); esses cálculos são apenas estimativos.
[37] O nome de Lorena é o mesmo de um capitão-geral que governou a Província em 1788.
[38] Müller, *Ensaio*, tab. 21.

botânico, organizado há aproximadamente dez anos, onde se vê uma fonte de água cristalina. As aleias foram traçadas com capricho, formando graciosas curvas, e proporcionam agradável sombra aos frequentadores do lugar. O jardim é vasto, e seria encantador se pudesse receber os cuidados adequados. Infelizmente, a pobreza do tesouro provincial não permite que lhe seja dada a atenção[39]". Em época mais recente (1844), o presidente da província, Manuel Felizardo de Sousa e Melo, declarou o seguinte na assembleia legislativa: "Traçado sobre um terreno vasto e perfeitamente regular, com aprazíveis aleias de árvores frutíferas e uma profusão de outras árvores tanto nativas quanto exóticas, e apresentando uma grande variedade de arbustos e de flores, o jardim público oferece aos habitantes de nossa cidade um lugar de lazer onde eles aprendem a dar valor a todas as belezas da Natureza." Após esse panegírico, o presidente incitou os deputados a concordarem com alguns sacrifícios em prol do embelezamento do jardim, acrescentando, com bastante razão, que seria vantajoso formar-se nele um viveiro de árvores e outras plantas exóticas, cujas mudas seriam depois distribuídas entre os agricultores[40].

A cidade de São Paulo possui, como já foi dito, diversos edifícios públicos, e todos concordam que se trata de uma cidade bonita e agradavelmente situada. Mas seria inexato dizer que sua localização é muito favorável ao comércio. É bem verdade que ela não dista mais de 9 ou 12 léguas do mar. Não obstante, quando se vem de Santos – o porto mais próximo - a viagem não leva menos de dois dias, uma vez que se torna necessário subir o trecho extremamente íngreme da cadeia marítima que tem o nome de Serra do Cubatão.

A cidade não passa de um grande depósito das mercadorias que vêm da Europa e de um local de trânsito dos produtos da região. O porto de Santos lhe é absolutamente indispensável, ao passo que este poderia passar sem ela. São Paulo jamais se teria tornado mais florescente do que Santos se não tivesse transformado em sede da província e não se localizasse nela a residência de todas as autoridades civis e eclesiásticas.

Encontra-se na cidade uma profusão de lojas bem sortidas e bem instaladas, onde se vê uma variedade tão grande de artigos quanto nas do Rio de Janeiro. Os comerciantes obtêm dos seus fornecedores da capital um desconto de cerca de vinte e cinco por cento sobre os preços de varejo, e não vendem muito mais caro do que eles. Todavia, comerciando

---

[39] Kidder, *Sketches*, I.
[40] *Discurso recitado, etc., no dia 7 de janeiro de 1844.*

com uma boa parte dos pequenos povoados da província, obtêm um lucro regular garantido, e além do mais as despesas ali são bem menores do que no Rio de Janeiro.

Há em São Paulo algumas casas realmente faustosas, mas de um modo geral as fortunas ali não consideráveis. A maioria dos proprietários de engenhos lutam com dificuldades financeiras. O dono de um engenho deixa, ao morrer, um certo número de negros que são repartidos entre os filhos. Cada um deles considera como ponto de honra ser um senhor-de-engenho, como o pai, e compra seus escravos a crédito. Não há duvida de que poderá obter lucros ao fim de algum tempo, que lhe permitirão saldar a dívida, mas nesse intervalo ele muitas vezes perde alguns de seus escravos, seja por doença, seja por desleixo ou maus tratos, e se vê obrigado a comprar outros a crédito, para substituí-los. E assim ele passa a vida toda assoberbado de dívidas.

Por ocasião de minha viagem acabava de ser fundado um estabelecimento bancário, com o nome de Banco de São Paulo, que tinha por finalidade principal descontar os títulos de vencimento a longo prazo e fornecer cartas de crédito aos comerciantes. Esse banco, que poderia ser de grande utilidade para o comércio, era uma sucursal do Banco do Rio de Janeiro ou, melhor dizendo, achava-se totalmente subordinado a este[41].

Em São Paulo não se veem negros percorrendo as ruas, como no Rio de Janeiro, carregando mercadorias na cabeça. Os legumes e outros pequenos produtos são vendidos por mulheres negras, que se agrupam numa rua chamada Rua da Quitanda, nome que recebeu por causa do comércio que nela se faz. Quanto aos mantimentos de consumo indispensável, tais como a farinha, o toucinho, o arroz, o milho e a carne-seca, são vendidos por comerciantes estabelecidos na Rua das Casinhas. De fato, cada loja dessa rua fica instalada numa pequena casa separada das outras. Não devemos esperar encontrar nessas lojas a limpeza e a

---

[41] Eu não saberia dizer que fim teve esse estabelecimento, nem se funcionou por muito tempo. Em 1842 o governo provincial aprovou uma lei que criava um estabelecimento do mesmo gênero, com o nome de Banco Paulistano; o capital do banco deveria ser formado pelo excedente entre a receita e a despesa, existente na época, e pelo que se esperava obter nos anos seguintes, bem como pelos lucros capitalizados e pelos dividendos que deveriam reverter em benefício do tesouro provincial, como parte que lhe era devida na dívida nacional. Mal foi promulgada essa lei, estourou uma revolta que iria ter funestas consequências; para pagar o soldo das tropas tornou-se necessário recorrer aos fundos destinados ao banco, e em 1844 esse estabelecimento ainda não passava de um projeto (*Disc. recit. pelo presid. José Carlos Pereira de Almeida Torres, janeiro de 1843; Disc. recit. presid. Manoel Felizardo de Sousa e Melo, jan. 1844*).

ordem. São todas escuras e enfumaçadas. O toucinho, os cereais e a carne ficam ali atirados de qualquer jeito, misturados uns com os outros, e os lojistas ainda estão muito longe de possuir a arte de nossos comerciantes de Paris[42], que sabem dar uma aparência apetitosa até aos mantimentos mais grosseiros. Não há em São Paulo outra rua mais frequentada do que a das Casinhas. Os agricultores das redondezas vão ali para vender os seus produtos aos comerciantes, e os consumidores ali vão para comprá-los das mãos desses últimos. Durante o dia a rua fica coalhada de negros, camponeses, tropeiros e burros. Ao cair da noite a cena se modifica. Os burros de carga e os compradores cedem o lugar a prostitutas de ínfima classe, que para ali afluem atraídas pelos *camaradas* e os lavradores, que elas tentam prender em suas malhas.

Já mostrei em outro relato que o Brasil ainda deve continuar totalmente agrícola, não tendo ainda alcançado a fase em que seria vantajoso instalarem-se nele grandes indústrias. Entretanto, quando chegar essa época é por São Paulo que se deve começar. O clima da província não é tão enervante quanto o do norte do Brasil, o custo de vida é razoável e os hábitos do povo da região tornam-no mais indicado aos trabalhadores sedentários do que os dos habitantes da Província do Rio Grande de São Pedro do Sul. Como veremos, tudo indica que essas considerações não escaparam à antiga administração. Após a batalha de Iena, o governo português, desejando instalar em Lisboa uma fábrica de armas, especialmente fuzis, mandou vir alguns operários da fábrica real de Spandau, que no momento se achavam desocupados. Quando D. João VI estabeleceu-se no Brasil, esses operários foram trazidos também, tendo permanecido alguns anos no Rio de Janeiro quase sem nada que fazer. Finalmente foram mandados para São Paulo, onde, por ocasião da minha viagem, já se encontravam havia três anos. A atuação extremamente vagarosa do governo português, o pouco conhecimento que tinham os alemães da língua do país e a necessidade de formar operários subalternos constituíram os obstáculos iniciais à organização da nova fábrica. Entretanto, à época de minha viagem, ela já se achava em atividade, não tendo, porém, até então fabricado mais do que seiscentos fuzis. Eram feitos segundo o modelo prussiano e muito bem trabalhados. O ferro empregado na sua confecção vinha das forjas de Ipanema, de que falarei mais tarde. As coronhas eram feitas de pau-d'óleo. A fábrica havia sido instalado num dos lados do

---

[42] Eu poderia citar, aliás, a sede de um departamento no sul da França onde, muito tempo antes de minha viagem a S. Paulo, as lojas de comestíveis não apresentavam um arranjo muito melhor do que as dessa cidade, entre 1818 e 1822.

quartel, mas como não houvesse água nas redondezas não foi possível instalar ali máquinas que teriam economizado a mão-de-obra. Assim, os canos dos fuzis eram perfurados a mão. Trabalhavam na fábrica cerca de 60 operários, entre os quais os dez técnicos alemães, que recebiam cada um 2.000 réis de diária. Essa quantia era exorbitante, sem dúvida, mas talvez tivesse sido necessário fazer esse sacrifício a fim de recompensar os dez homens que ressentiam estar longe de sua pátria e nela talvez voltassem a encontrar trabalho, depois de firmada a paz. De resto, se eles prestassem algum serviço, não foi tanto pelo seu trabalho pessoal quanto pelo fato de terem formado aprendizes, deixando dessa forma o governo em condições de dispensar em breve a ajuda de estrangeiros. A maior parte dos operários alemães já se tinha tornado, na verdade, inútil. Dispondo todos os dias de uma quantia considerável e podendo comprar a bom preço a cachaça, eles não tardaram a se entregar à embriaguez, vício que foi a causa da perdição de muitos europeus da classe baixa, no Brasil. Eram vistos permanentemente embriagados, e o governo já pensava em se desembaraçar deles. Entretanto, se a administração tinha graves censuras a fazer aos estrangeiros que contratava, não eram menores as suas queixas com relação aos operários locais, que dificilmente podiam ser persuadidos a trabalhar com regularidade e precisavam ser punidos constantemente para não abandonarem o serviço. Os operários no Brasil, como explicarei mais tarde, não têm necessidade de muitas coisas, gastam muito pouco com roupas e sua alimentação não é muito mais cara do que o seu vestuário; desconhecem o uso de móveis e nem mesmo possuem camas decentes; e por uns poucos tostões compram a cachaça à vontade. A fábrica de armas de São Paulo ainda existia em fins de 1820[43], sustentada pela força de vontade do capitão-geral e pelo dinheiro do tesouro real. Mas, como acabamos de ver, ela não tinha mesmo condições para durar muito, e se pertencesse a um particular não teria tardado em levá-lo à falência.

"Situada aproximadamente no Trópico de Capricórnio e a uma elevada altitude, São Paulo desfruta", dizem Spix e Martius, "de toda a beleza do céu tropical, sem no entanto o desconforto de um calor excessivo... Segundo Daniel Pedro Müller, sua temperatura média anual não vai acima de 22 ou 23 graus centígrados. O inverno e o verão apresentam uma variação de temperatura bem mais sensível do que no norte do Brasil... Nas grandes planícies que se estendem ao sul da cidade nota-se uma

---

[43] Eschwege, *Joun, von Bras.*, II.

singular correlação entre os ventos e a posição do sol. Enquanto este permanece no hemisfério boreal, sopram os ventos do sul-sudoeste e do sudeste, e quando ele se desloca para o hemisfério austral esses ventos já não são tão constantes (*Reise*, I, 233)[44]". Como já vimos, estive em São Paulo na estação das chuvas. Durante a maior parte do tempo em que lá fiquei o céu permaneceu encoberto. Às vezes o sol aparecia entre as nuvens, quando então fazia um grande calor. Quando ele não se tornava visível a temperatura se mantinha moderada, e geralmente fazia frio à noite e pela manhã[45]. Pelo que me informaram, cai geada todos os anos, nos meses de junho e julho. Por essa razão, nem o café nem a cana-de-açúcar são cultivados em grande escala nos arredores de São Paulo, ao passo que essas plantas se dão muito bem em Campinas, Itu e Jundiaí, regiões sem dúvida bem menos elevadas, como prova suficientemente o curso do Tietê.

"É inegável que o clima de São Paulo", disse um dos presidentes da província, "é muito salubre, pois durante seis meses a cidade fica alagada, por assim dizer, pelas águas que transbordam do Tietê e do Tamandataí, e no entanto a saúde de nossos concidadãos não parece ressentir-se absolutamente[46]". É fora de dúvida que a posição de São Paulo e os ventos que a varrem preservam os seus habitantes das febres e doenças endêmicas que inundações desse tipo causam em outros lugares. Não obstante, acho difícil acreditar que as que ocorrem ali todos os anos não tenham alguma influência sobre a saúde pública. Eu imaginara, pelo que me haviam dito sobre a localização de São Paulo e o seu clima, que só iria encontrar ali homens robustos e saudáveis. Não foi o que aconteceu, porém. Mesmo os que habitam a própria cidade estão longe de ter a aparência sadia e bela constituição física encontradas entre o povo da maior parte da Província de Minas Gerais ou da comarca de Curitiba. Há mesmo muitos dentre eles que têm a pele amarelada e o aspecto macilento. Moléstias de pele de diversos tipos são muito comuns em São Paulo, principalmente

---

[44] Essas observações não podem ter partido de Spix e Martius, pois eles permaneceram apenas uma semana em S. Paulo; o mais provável é que lhes tenham sido transmitidas por Pedro Müller, e é isso que faz com que eu não hesite em citá-las aqui.

[45] John Mawe, que tinha estado em S. Paulo em 1807, na mesma estação do ano em que por lá passei, expressa-se da seguinte maneira: "O frio tornava-se tão intenso ao anoitecer que eu me via obrigado a fechar as portas e as janelas, a vestir agasalhos e a colocar no meu quarto uma vasilha com carvões acesos" (*Travels*). Spix e Martius, que passaram em S. Paulo os oito primeiros dias do ano de 1818, dizem também que, durante esse tempo, eles observaram frequentemente uma bruma espessa e fria cobrir os morros vizinhos da cidade (*Reise*, I).

[46] *Disc. recit. pelo pres. Manoel Felizardo de Sousa e Melo no dia 7 de janeiro de 1844.*

uma espécie de sarna que se manifesta sob a forma de pequenos caroços e se torna, segundo dizem, muito perigosa quando tratada com remédios de uso externo, sendo os banhos de mar a única medicação indicada[47]. Nada é mais difundido, na região, do que as doenças venéreas, e dificilmente as pessoas da classe baixa lhe dão a devida atenção. Perguntaram a uma prostituta se ela era portadora de sífilis, e sua resposta foi: "Quem é que não é?" É fácil ver que essa doença, tão amplamente disseminada, contribui mais do que qualquer outra para alterar a saúde pública[48]. Em 1585 a região era, na verdade, considerada extremamente saudável. Nessa época São Paulo contava apenas, como já disse, com 120 habitantes, havendo entre eles várias pessoas centenárias, cujas idades, se somadas, alcançavam facilmente os quinhentos anos[49].

À época de minha viagem a maior parte das forças militares da Província de São Paulo achava-se no Rio Grande, então em guerra contra Artigas. Terei ocasião de dizer, mais adiante, como os soldados paulistas se distinguiram por sua fidelidade, seu valor, sua inteligência e sua disciplina. Os militares que vi durante minha estada na cidade deviam, pois, constituir uma espécie de reserva ou um contingente de homens menos válidos, e devo dizer que pelo seu aspecto físico eles teriam sem dúvida sido recusados por nossos regimentos. Por outro lado, devo acrescentar que na Capitania de São Paulo, ao contrário do que ocorria em Minas e mesmo em Goiás, ninguém disputava a honra de vestir a farda. Os soldados eram recrutados à força, e nesses casos nem sempre são os mais fracos que conseguem escapar.[50]

---

[47] Trata-se provavelmente da espécie que o Dr. Siguad descreveu brevemente sob o nome de *sarna miúda* (*Du climat. Etc.*).

[48] Quase todas as doenças que observamos em S. Paulo e nos seus arredores", declaram Spix e Martius, "eram de origem sifilítica, etc." (*Reise,* I). Eschwege, no relato que fez de sua viagem do Rio de Janeiro a S. Paulo, desce a pormenores, nesse triste assunto, que não podem deixar de ser verdadeiros mas que a conveniência e o bom-gosto não permitem que sejam citados.

[49] Fernão Cardim, *Narrativa epistolar.*

[50] Eis aqui como se exprimiam em 1817, o meu pranteado amigo D'Escragnolle, que passou toda a sua vida a serviço de Portugal e do Brasil, tendo-se distinguido não só por suas qualidades de espírito como também por sua honradez: "A lei de recrutamento estabelece, na verdade, que não seja convocado nenhum indivíduo menor de 18 anos, que não seja perfeitamente sadio e que meça menos de 5 pés e 2 polegadas de altura. Mas os comandantes distritais, encarregados do recrutamento, têm o cuidado de recusar todos aqueles que, por suas posses ou posição social, pareçam capazes de lhes retribuir esse favor. Os pobres e os miseráveis, os raquíticos e os mal constituídos são os únicos considerados dignos de empunhar armas" (D'Escragnolle, *in* Freycinet, *Voyage hist.,* I). – Ver também *Viagens e observações,* etc., p. 41, onde, em meio a evidentes exageros, são encontradas algumas verdades.

Em 1839 havia em São Paulo cinco médicos, quatro cirurgiões e sete farmacêuticos[51], sendo impossível que não houvesse entre eles alguns que fossem bons profissionais, pois fazia alguns anos que médicos de vários países vinham para o Brasil, tendo sido fundada no Rio uma escola com professores bastante credenciados. À época de minha viagem, porém, ainda não existiam esses melhoramentos. Todos os que então praticavam a cirurgia na cidade de São Paulo e nas suas redondezas eram homens sem educação e sem estudo, sem falar nas parteiras, que eram ainda mais ignorantes. O Dr. Francisco de Melo Franco, filho de um médico famoso, e que na época era, ele próprio, médico do regimento de São Paulo, assegurou-me que na hora do parto as parteiras faziam com que a mulher se sentasse sobre uma medida quadrada denominada meio-alqueire. A mulher era segura por várias pessoas, que a sacudiam para facilitar a operação, enquanto a parteira se colocava embaixo e segurava a criança.

Parece que entre 1819 e 1820 a vida social de São Paulo não era mais animada do que a de outras cidades do interior do Brasil, não sendo vistas também publicamente as suas mulheres. Durante minha permanência na cidade conversei com as principais autoridades locais, fiz e recebi muitas visitas. Afora isso, porém, não fui convidado para nenhuma reunião social, nenhum jantar, e não conversei com nenhuma senhora. Em certa ocasião, ao visitar uma das pessoas mais importantes da cidade, cheguei à sua casa no momento em que ia sentar-se à mesa. O homem me convidou para partilhar da refeição, mas comemos sozinhos. Sua mulher não apareceu[52].

---

[51] Tomo esses dados a D. P. Müller (*Ensaio*). A não ser nas cidades grandes, os farmacêuticos ainda eram raros no Brasil, à época de minha viagem; mas em muitos lugares os comerciantes de tecidos e de miudezas vendiam alguns remédios. Era o que ocorria particularmente na cidade de Cabo Frio, em 1818, e ainda se via ali em 1820, pois Pizarro diz, ao falar da cidade, que não havia ali farmácias (*Professores de farmácia nunca estabelecidos na cidade com casa aberta, Mem. hist..*, II). Parece-me, a julgar pelo que escreveu o Príncipe de Neuwied (*Brasilien*), que agora estamos praticamente de acordo sobre esse ponto, ao qual – estou pronto a admitir – fiz mal em dar uma certa importância (*Viagem ao Distrito de Diamantes*, etc.).

[52] "Disseram-me que mesmo em S. Paulo", escreveu Eschwege em 1820, "tudo morre, como nas outras cidades do interior do Brasil, quando os governadores não procuram espalhar um pouco de animação à sua volta... Tão logo o capitão-geral se ausenta de Vila Rica, as danças e os jogos desaparecem com ele, e segundo me asseguraram acontece o mesmo em S. Paulo, embora existam na cidade muito mais famílias ricas do que na capital de Minas" (*Journ. von Bras.*, II). John Mawe conta que, na verdade, durante sua estada em S. Paulo ele esteve com várias senhoras paulistas, às quais elogia, tendo recebido muitos convites para jantar (*Travels*); convém lembrar, porém, que esse viajante esteve no Brasil em 1807 e que o governador

Pelo que acabo de dizer não se deve concluir que os homens das classes altas de São Paulo desconhecessem as regras da boa educação. Pelo contrário, suas maneiras eram finas, e a cortesia se estendia até as classes inferiores.

As pessoas de posição cumprimentavam-se mesmo que não se conhecessem, e os que pertenciam às classes subalternas nunca deixavam de tirar o chapéu aos seus superiores. Entretanto, vê-se que essas mostras de deferência eram dirigidas menos à pessoa do que à sua posição. Quando me achava uniformizado, todo mundo me cumprimentava. Já em trajes civis isso era menos comum, ainda que com frequência suficiente para tornar incômoda uma polidez que me obrigava a descobrir a cabeça a cada minuto.

As mulheres que dispunham de certas posses, segundo me informaram durante minha estada em São Paulo, dedicavam-se a pequenos trabalhos no interior de suas casas. Bordavam, faziam flores, ao passo que a maioria das mulheres pobres permanecia na ociosidade o dia todo e, ao cair da noite, espalhavam-se pela cidade para vender os seus encantos, único recurso de que dispunham. É inegável que, tão logo o sol se punha,

---

da Capitania de S. Paulo, Antônio José da Franca e Horta (e, não Orte, como escreve Mawe), sendo um homem casado e tendo o hábito de convidar as senhoras paulistas para os bailes e recepções no palácio, estimulava as funções sociais com o seu exemplo. De resto, nessa época o Rei D. João VI ainda não se achava no Brasil. Depois de sua chegada, os habitantes do Rio de Janeiro, magoados com o desprezo que lhes votavam os portugueses, passaram – como é sabido – a se conduzir mais reservadamente, tornando-se menos comunicativos e hospitaleiros. Não seria de admirar que essa reviravolta no seu comportamento se refletisse em São Paulo, que sempre manteve frequentes contatos com a capital e onde, sem dúvida, também aportaram inúmeros europeus. Encontramos no interessante relato de viagem feito por Spix e Martius um curioso retrato das senhoras de São Paulo; mas como a permanência dos dois naturalistas na cidade foi de apenas uma semana, é impossível que esse retrato tenha sido feito exclusivamente por eles. Não o considero totalmente inexato; entretanto, ao dar aqui a sua tradução, não me arrisco a endossá-lo inteiramente: "Um espírito jovial, a naturalidade, a vivacidade, o pendor por gracejos inocentes, eis aí o que caracteriza a sociedade de São Paulo. As mulheres têm em comum com os homens a simplicidade e a generosidade. É infundada a acusação de que as primeiras sejam desembaraçadas demais. É bem verdade que nada faz lembrar, na sua conversa, a linguagem comedida das europeias, às quais os costumes e a conveniência impedem de exprimirem sem constrangimento o que pensam; mas numa província onde, mais do que qualquer outra parte do brasil, foram conservados o gosto pela independência e a aversão a todo artifício, não deve causar espanto encontrar nas mulheres essa alegria sem afetação. As senhoras de São Paulo, embora não sejam delgadas, têm um talhe esbelto; seus gestos são graciosos, e nos traços de seus rostos, agradavelmente arredondados, nota-se uma encantadora mistura de franqueza e bom-humor. Sua tez é menos pálida do que a da maioria das brasileiras, sendo elas consideradas as mais belas mulheres do império" (*Reise in Brasilien*, I). Se bem entendi as frases acima, todos esses belos elogios escondem uma censura que eu não consideraria inteiramente destituída de fundamento.

as ruas se tornavam muito mais movimentadas do que durante o dia, enchendo-se de homens e mulheres que saíam à cata da fortuna. Todas as pessoas de ambos os sexos se envolviam em longas capas de lã, com amplas golas que lhes ocultavam metade do rosto. As mulheres usavam um chapéu de feltro jogado para trás, os homens traziam os deles puxados sobre os olhos. Em nenhum outro lugar vi um número tão grande de prostitutas. Havia-as de todas as raças, e as calçadas ficavam, por assim dizer, fervilhantes delas. Passeavam vagarosamente de um lado para outro ou esperavam nas esquinas os fregueses. Devo dizer, porém, que elas jamais abordavam as pessoas. Também não lançavam injúrias aos homens ou umas às outras. Mal olhavam os passantes, mantinham uma certa compostura exterior e nada havia nelas do cínico descaramento, tão revoltante, das prostitutas parisienses de classe baixa, nessa mesma época. É penoso para um viajante de boa formação descer a tão tristes pormenores. Não obstante, é necessário a ele que o faça, pois tem aí uma oportunidade de mostrar a que estado de degradação podem chegar as classes pobres quando abandonadas à própria sorte, quando não lhes é ensinado que o trabalho, ao afastá-las do mal, é capaz de purificá-las e honrá-las e quando, enfim, não lhe é dispensado um mínimo de ensinamentos morais e religiosos. Os filhos dessas mulheres entregues à prostituição só veem diante dos olhos, desde que nascem, os exemplos de toda espécie de vício, e as lições que recebem são as da depravação. E os padres, esquecidos dos preceitos de seu divino mestre, não exclamam como ele: *"Deixai vir a mim as criancinhas!"* Essas pobres criaturas, quando crescem, seguem o exemplo da mãe. Honra seja feita à administração atual, que se ocupa zelosamente da educação dos meninos de ambos os sexos! Por muito tempo o governo ainda lutará contra obstáculos de todo tipo. Que persevere, porém, e acabará por triunfar. Assim, é de esperar que pouco a pouco uma saudável mudança se vá operando nos hábitos das classes inferiores.

Elogiei a polidez e as maneiras das classes altas da cidade de São Paulo. Quero acrescentar que, se na parte oriental de Minas Gerais os agricultores são geralmente mais bem educados do que os da província de que me ocupo no momento, na cidade de São Paulo propriamente dita o nível da educação é o mesmo encontrado na capital de Minas (Ouro Preto). Passei a enumerar quais são, na minha opinião, as razões dessa diferença. Desprezados pelos brancos de raça pura, os antigos mamelucos não deviam sentir grande desejo de permanecer na cidade. Chefiados por homem audaciosos, muitos se espalharam por todas as partes do Brasil, tornando-se responsáveis pelas descobertas que imortalizaram o nome dos paulistas; outros, menos empreendedores, não quiseram provavelmente afastar-se de sua terra natal e se dedicaram à agricultura. Os mamelucos não haviam herdado unicamente dos índios o pendor pela vida errante, que os caracteriza. Possuíam também a sua indolência e apatia, e esses defeitos deviam naturalmente ser encontrados em alto grau naqueles que não tinham tido coragem de se aventurar pelos sertões. Depois de terem sido criados por suas mães indígenas, esses homens viviam isolados e desprezados pelos pais, e ninguém se preocupava em arrancá-los de sua profunda ignorância. Suas maneiras tinham forçosamente de ser rudes. É bem verdade que sucessivos cruzamentos fizeram com que se aproximassem da raça caucásica os descendentes dos primeiros mestiços. Entretanto, como já tive ocasião de dizer, ainda se notam alguns traços da raça americana na fisionomia de um grande número de agricultores paulistas. Eles não procuram instruir-se, suas maneiras continuam a mostrar a mesma rusticidade de seus antepassados e a sua indolência é também a mesma. A cidade de São Paulo, pelo contrário, recebeu durante longo tempo o influxo regular de europeus. Não se tratava apenas de pessoas pobres e sem instrução, que se vinham estabelecer ali tentando fazer fortuna. A doçura do clima, a localização privilegiada, a proximidade do litoral e o seu fácil acesso atraíram para ali homens de uma classe muito mais elevada. Altos funcionários que estudaram na Europa e ali se casaram, sentiram necessidade de incutir nos filhos uma certa finura de maneiras. As coisas aconteceram de maneira diferente na capitania de Minas. Essa capitania povoou-se mais recentemente que a de São Paulo, principalmente por brancos de raça pura, que não se fixaram em determinado lugar, espalhando-se, pelo contrário, por suas terras, para explorar as minas. Tendo-se tornado ricos em pouco tempo, eles mandaram educar os filhos, e a instrução passou a fazer parte da tradição de várias famílias de fazendeiros. Na verdade, o maior núcleo de colonos estabeleceu-se em Vila Rica (Ouro Preto), mas quando as minas dos arredores da cidade começaram a se tornar improdutivas eles as abandonaram e partiram em busca de outras mais distantes. É possível, também, que muitos deles tenham se retirado dali para que suas riquezas não atraíssem a atenção dos capitães-gerais e eles pudessem escapar mais facilmente do despotismo desses arrogantes homens. Os mineiros mais ricos e mais instruídos deviam, pois, viver distantes da sede da capitania, não restando aí senão os funcionários públicos, os comerciantes e um grande número de mulatos desprovidos de bens, os quais, demasiadamente orgulhosos para se dedicarem ao cultivo da terra ou à extração do ouro por suas próprias mãos, decidiam ocupar-se com algum ofício. É bem verdade que a população branca da cidade é renovada de vez em quando pela chegada de alguns europeus. Entretanto, como não haja nada nessa região, tão tristonha e de tão difícil acesso, que atraia pessoas de posses, os novos imigrantes são em geral homens aventureiros, sem educação e sem valor, mais capazes de contribuir para a degeneração dos costumes do lugar do que para o seu progresso (1816-1822).

Tendo em vista tudo o que acabo de dizer, não é de surpreender que os habitantes da zona rural da Província de São Paulo falem muito mal o português, ao passo que os agricultores de Minas, pelo menos os da parte oriental, têm uma linguagem geralmente correta e uma pronúncia que só difere da dos portugueses por ser um pouco mais suave e musical. Ao invés de *vossemecê,* abreviação de *vossa mecê.* Sua pronúncia é surda e arrastada, e eles substituem o *ch* português por *ts*. Dizem, por exemplo, *matso* em lugar de *macho* e *atso* ao invés de *acho*.

É muito fácil distinguir os habitantes da cidade dos da zona rural. Quando estes últimos vão à cidade vestem sempre uma calça de algodão e usam um enorme chapéu cinzento e o seu inseparável poncho, por mais forte que seja o calor. Notam-se nos traços de alguns deles os caracteres da raça americana, seu andar é pesado e eles têm um ar rústico e desajeitado. Os citadinos têm pouca consideração por eles, designando-os pelo injurioso apelido de caipiras, que provavelmente se origina da palavra *corupira*, pela qual os antigos habitantes do país designavam os demônios malfazejos que habitavam as matas. Parece mesmo que este último termo ainda é conservado até hoje, sem alteração e sempre com significado injurioso, na região do Alto Paraguai, pois era sempre usado por um dos pequenos guaranis originários dessa região – que lamentavelmente levei comigo para a França – quando ele queria ofender alguém[53].

---

[53] "Todo mundo sabe", diz o apóstolo do Brasil, "que certos demônios chamados pelos índios de *corupiras* os atacam no meio da mata e os matam" (José de Anchieta, *Epístola, in Notícias ultramarinas,* I). O Pe. João Daniel descreve os corupiras da mesma maneira que o Pe. Anchieta (*parte segunda do Tesouro descoberto no Rio Amazonas, in Revista,* II). Segundo Vasconcelos, tratava-se de *espíritos dos pensamentos* (*Not.curt.*,II). Roquette, em seu *Dictionnaire,* indica o termo *caipora* como sendo brasileiro e significando uma luz fosforecente que se vê nas matas. O mais extraordinário é que, nos últimos tempos, o termo *caipira* foi levado do Brasil para Portugal, e durante a guerra dos dois irmãos, D. Pedro e D. Miguel, os partidários do primeiro usavam a palavra como um apelido pejorativo com que designavam os soldados de D. Miguel. Há uma palavra alemã que, ao passar para a nossa língua, sofreu uma deturpação no seu sentido muito semelhante à que ocorreu com o termo *corupira* entre os paulistas: "A palavra francesa *drôle*", diz Ampère, "é a antiga palavra alemã *troll*, que designa os gênios maus e os feiticeiros; daí a sua acepção pejorativa" (*Hist, litt. Française*

au XIIe siècle II). "Se não fosse levado em conta o emprego que faziam Pedro e Diogo, meus jovens índios guaranis, da palavra *corupira*, poderíamos imaginar que *caipira* derivasse de *caapora* (habitantes das matas), nome que os índios catequizados pelos jesuítas davam a seus compatriotas ainda selvagens (Pe. João Daniel, *parte segunda do Tesouro,* in *Revista,* II). *Caapora* é registrado no *Dicionário português e brasiliano* com o sentido de *rústico*.

Capítulo VII

ESTADA DO AUTOR EM SÃO PAULO. ALGUMAS PALAVRAS SOBRE A CIDADE DE SANTOS E A ESTRADA DE CUBATÃO

Retrato do governador João Carlos d'Oeynhausen. Um jantar oficial. O espetáculo. Os viajantes que tinham estado em São Paulo antes de mim. William Hopkins. Um camarada. Cartas da França; incertezas. Tomo a decisão de ir por terra até o Rio Grande do Sul. Dificuldade para encontrar malas; os operários de São Paulo. O Arraial de Nossa Senhora da Penha; a estrada que vai até ele. As vendas dos arredores de São Paulo. Os produtos das terras vizinhas da cidade. As casas de campo. A do General-de-brigada Bauman. A de Joaquim Roberto de Carvalho. O preto Manuel. Hidrografia geral da embocadura do Rio Cubatão. Descrição da cidade de Santos; os homens ilustres que aí nasceram; seu comércio. História da estrada que liga Santos a São Paulo; estado atual dessa estrada.

No dia seguinte ao da minha chegada a São Paulo fui apresentar ao capitão-geral, João Carlos Augusto d'Oeynhausen, o meu passaporte e uma carta de recomendação do Governador de Goiás, Fernando Delgado. Ele me acolheu muito bem e me ofereceu gentilmente os seus préstimos, convidando-me para jantar na companhia de vários funcionários graduados, os quais me trataram também com extrema amabilidade.

João Carlos d'Oeynhausen[1] era filho de um conde alemão e de uma nobre senhora portuguesa, afamada por seus dotes de espírito. Inicialmente,

---

[1] Estando de posse da assinatura desse governador, acho-me bem certo da exatidão da grafia que dou aqui ao seu nome, e em vista disso apresso-me a reconhecer que errei ao escrever, em outro relato, *Oyenhausen*.

ele foi governador do Ceará, depois de Cuiabá e Mato Grosso e finalmente foi nomeado, a 4 de julho de 1817, para o governo de São Paulo, tendo tomado posse no dia 25 de abril de 1819². Seus traços e suas atitudes indicavam claramente a sua origem alemã. Era um homem ativo e sociável. Suas maneiras e seu modo de trajar eram muito simples e talvez a única censura que lhe podia ser feita eram uma certa falta de finura e o desleixo com sua própria pessoa. Falava perfeitamente o francês, tinha uma conversa agradável e demonstrava alguma cultura e um certo espírito. Em todas as várias regiões por que passara, eu ainda não tinha encontrado ninguém que fosse tão benquisto por todos quanto o era João Carlos d'Oeynhausen. Ele ficou muito tempo em Mato Grosso, e todo o povo da região ainda lamenta até hoje a sua partida. Depois que se instalou em São Paulo, ele reorganizou todos os setores da administração, despediu os funcionários que oprimiam o povo, tomou medidas contra os trapaceiros e vagabundos, e em datas pré-determinadas fazia com que os capitães-mores prestassem conta do que se passava. Examinava todos os projetos que lhe era apresentados, conciliava as disputas entre os seus subordinados, evitando que os casos fossem levados à justiça. Enfim, era como um verdadeiro pai para os seus governados³.

---

[2] Pizarro, *Mem. host.*, VIII.
[3] O marechal-de-campo Francisco de Paula Magessi Tavares de Carvalho, que substituiu João Carlos d'Oeynhausen em Mato Grosso, fez com que fosse muito sentida a falta deste. O marechal, que devia sua posição à família Linhares, cobiçava o governo do Mato Grosso e não se cansava de solicitá-lo a D. João VI. O rei, a quem repugnava conferir a semelhante personagem um cargo tão importante, mas que se sentia extremamente embaraçado sempre que se tratava de recusar um pedido, teve um dia a ideia de perguntar ao importuno solicitante se ele era casado. Magessi, que vivia em concubinato, retirou-se sem nada responder. Encantado por ter encontrado um meio de se desembaraçar dele, o rei nunca deixava de lhe repetir essa pergunta sempre que era mencionado o governo de Mato Grosso. Magessi tomou, afinal, uma grande decisão; casou-se com a amante, e quando o rei lhe fez a costumeira pergunta, ele declarou que era casado. D. João VI não teve coragem de manter a sua recusa e lhe concedeu pergunta, ele declarou que era casado. D. João VI não teve coragem de manter a sua recusa e lhe concedeu finalmente o cargo ambicionado. Nessa época eu planejava visitar a Província de Mato Grosso e fui procurar, no Rio de Janeiro, o novo governador. Era um homem enorme, de cabeça grande e quase redonda e pescoço muito curto, cuja fisionomia era totalmente desprovida de expressão, ainda que nada houvesse nela de desagradável. Durante a nossa conversa ele me disse que a Província de Mato Grosso era muito rica em quina. Expressei algumas dúvidas a esse respeito, e ele então foi buscar um mapa manuscrito, onde a quina vermelha era indicada por traços dessa cor, e a amarela por traços amarelos. É claro que nada havia a dizer diante de uma prova tão convincente, e em vista disso eu me mantive em respeitoso silêncio. Antes de partir do Rio de Janeiro, Magessi reuniu um bando de vis aventureiros e se embrenhou com eles pelas terras adentro. Eu segui as pegadas desse bando, e em toda parte só ouvia falar dos terríveis excessos praticados por eles (*Viagem pelas Províncias do Rio de Janeiro e de Minas Gerais*). Ao chegar a Goiás, o novo governador foi

Na noite em que me apresentei ao capitão-geral, fui levado pelo Sr. Grellet à casa do ouvidor. Essa autoridade me recebeu cortesmente, convidando-me para tomar chá em sua companhia. Ele conhecia bem o francês, embora não falasse a língua, e nossa conversa girou praticamente em torno dos problemas da França e dos extraordinários eventos que ali haviam ocorrido nos últimos trinta anos. O ouvidor professava uma grande admiração por nossos supostos filósofos do século passado. Mostrei-lhe claramente que não compartilhava da sua maneira de pensar, mas tive o cuidado de evitar uma discussão. A maioria dos portugueses e brasileiros que tinham tido algum estudo eram, nessa época, grandes admiradores de livros que atualmente se acham relegados ao esquecimento e foram precursores, entre nós, de tantas e tão terríveis catástrofes. O que é curioso, porém, é que jamais vi esses homens aplicarem no seu próprio país os princípios de que se achavam imbuídos. Seria por prudência? Ou seria uma consequência do respeito que então tinham pela autoridade todos os súditos da monarquia portuguesa, respeito esse que haviam sugado, por assim dizer, com o leite materno? É a primeira hipótese que me sinto levado a aceitar. Nessa época, os habitantes das regiões remotas do Brasil não acreditavam que eram os súditos que colocavam o rei no seu trono, e sim que este é que formava os seus súditos. Consideravam-no como um representante de Deus na terra, como um ser superior, e se achavam convencidos de que ele nunca deixaria de lhes fazer justiça se soubesse das opressões de que eram vítimas.

O dia de S. Carlos (4 de novembro) era o dia da festa da rainha, que se chamava Carlota. O general ofereceu um banquete, para o qual fui convidado. Cheguei ao palácio às três horas e aí encontrei reunidas as principais autoridades locais, bem como vários oficiais da Guarda Nacional, todos em uniforme de gala. Enquanto esperávamos o jantar, o general organizou uma partida de uíste. Depois de servida a sopa, ele se levantou para brindar à saúde do rei, e a banda do regimento, postada à entrada da sala, executou uma marcha militar.

Bebemos sucessivamente à saúde do infante D. Sebastião[4], nascido no mesmo dia alguns anos antes, à da Princesa da Beira, sua mãe, dos

---

recebido por Fernando Delgado e passou por algum tempo em Vila Boa; sua mulher não quis perder uma boa oportunidade de ganhar dinheiro, e mandou vender nas ruas da cidade os pequenos artigos que havia trazido do Rio de Janeiro. O governo de Magessi foi detestado, e quando ocorreu a feliz revolução que tornou o Brasil inteiramente independente, esse homem se viu vergonhosamente escorraçado pelo povo.

[4] D. Sebastião é filho de um infante da Espanha e da Princesa da Beira, filha mais velha de D. João VI. Ela ficou viúva muito cedo e era geralmente chamada no Rio de Janeiro de *a princesa viúva*. Dizem que essa princesa casou-se em segundas núpcias com o irmão de Fernando

paulistas, do capitão-geral e de diversas autoridades locais. Foi por acaso, por assim dizer, que se lembraram da rainha em honra da qual estava sendo realizada a festa. Isso não deve causar surpresa, já que a rainha, nessa época, tinha caído em desagrado[5]. Os convivas brindaram também à saúde uns dos outros. Esse costume, como era praticado então no Brasil e sobre o qual já me referi, é um dos mais incômodos que se pode imaginar. Era preciso que o convidado soubesse o nome de todos os presentes, não esquecesse nenhum, ficasse à espreita do momento em que o escolhido não estivesse comendo ou conversando para chamar o seu nome, observasse a ordem de precedência, gritasse a plenos pulmões de uma extremidade da mesa à outra e estivesse sempre de sobreaviso para empunhar o próprio copo quando o brinde fosse dirigido à sua própria pessoa. Pedi permissão ao capitão-geral para fazer um brinde à união eterna de Portugal e da França. Falei em francês, e o general levantou-se e traduziu para todos as minhas palavras. Bebemos também à saúde do rei Luís XVIII. Em seguida, todo mundo sentou-se, e o general, olhando para mim, fez um brinde em francês em nome da *vitória da boa causa*. Tinha morado em Lisboa e ficara conhecendo vários refugiados franceses ilustres. Conhecia perfeitamente a história de nossa revolução, e até mesmo sabia de cor o jargão usado pelo partido chamado aristocrático. No meio

---

VII, D. Carlos, pretendente à coroa da Espanha durante longo tempo. Ela era a filha predileta de D. João VI, e se parecia ao mesmo tempo com ele e com D. Pedro, que se tornou imperador do Brasil. À exceção deste último, nenhum dos filhos do rei tinha a inteligência e a força de vontade da princesa viúva. Vendo com pesar como havia sido negligenciada a educação de seus irmãos, ela declarou que isso não iria acontecer com o seu filho. Com efeito, ela o confiou desde a mais tenra idade aos cuidados de uma mulher de grande mérito, filha de um antigo cônsul da Inglaterra em Lisboa. A preceptora do infante D. Sebastião soube manter toda a sua dignidade na corrupta corte do Rio de Janeiro, repelindo com firmeza os inconvenientes gracejos que lhe dirigia constantemente o infante D. Miguel, tio do seu discípulo. Quando o rei saía a passeio em sua caleça, costumava levar consigo o neto, desacompanhado. Não havia nada nos trajes do menino que o distinguisse do comum das crianças, e as roupas do avô eram ainda mais simples; o veículo que usavam era tão modesto que nenhum homem rico da cidade aceitaria servir-se dele. Se as finanças de Portugal foram mal administradas no reinado de D. João VI, pelo menos não foram as despesas pessoais do príncipe que endividaram a nação.

[5] Sabe-se que nessa época a Rainha D. Carlota não vivia com o marido, que tinha muitos motivos de queixa contra ela. Os hábitos da rainha se tinham tornado tão simples que, à época de minha chegada ao Rio de Janeiro, ela própria acompanhou até a porta, com um castiçal na mão, o abade Renaud, capelão de *Hermione*, que a tinha conhecido em outros tempos e lhe fora apresentar seus respeitos. Quando foi proclamada a constituição no Rio de Janeiro, ela mostrou-se favorável à nova ordem das coisas e se reuniu de novo ao marido; e quando ele saudava o povo ela o obrigava a fazer profundas mesuras. Chegando a Lisboa, João VI filiou-se ao partido constitucional; D. Carlota mudou, então, de opinião, associando-se a todas as intrigas dos realistas.

do jantar, um coronel da Guarda Nacional levantou-se e declamou um poema em louvor da rainha. Esse homem não era membro da corte. Logo depois fez um elogio ao infante D. Sebastião e finalmente recitou uma ode aos paulistas. Não consegui apanhar bem o sentido dos versos, mas pelo que pude entender eles me pareceram cheios de ênfase que se encontra nas epístolas laudatórias do tempo de Luís XIII, de cujo ridículo os portugueses ainda não se deram conta. Devo declarar, entretanto, que a ode aos paulistas tinha uma certa originalidade que fazia honra ao poeta. O seu exemplo e o excelente vinho do Porto despertaram a verve dos presentes, e cinco ou seis deles se puseram a improvisar versos em honra do general e de sua mãe. Houve réplicas e tréplicas, que se desafiavam, o que vem provar que os versos não tinham sido previamente preparados. A harmonia natural da língua portuguesa e o pequeno número de desinências que a caracterizam tornam, aliás, fácil esse tipo de divertimento. O jantar decorreu em ambiente de jovialidade, mas ao mesmo tempo de decoro, demonstrando os convivas um elevado grau de sociabilidade.

Certa ocasião em que jantei com o general, ele me convidou para assistir a um espetáculo, e às oito da noite dirigi-me ao palácio. Era em frente do prédio que ficava a sala de espetáculos, e nada no seu exterior indicava a finalidade a que se destinava. O que se via era apenas uma casa pequena, de um só pavimento, baixa, estreita, sem ornamentos, pintada de vermelho e com três amplas janelas de postigos pretos. Até mesmo as casas de pessoas de poucas posses tinham melhor aparência. O interior era mais bem cuidado, mas extremamente exíguo. Entrava-se inicialmente num pequeno saguão, que dava acesso aos camarotes e à plateia. A sala, bastante bonita e com três fileiras de camarotes, era iluminada por um belo lustre e por vários lampiões. Quanto às pinturas no teto, a cortina e a decoração, era de um mau-gosto mais acentuado do que o encontrado mesmo nas casas mais modestas. Na plateia só se viam homens, todos acomodados em bancos. O camarote do general ficava na segunda fileira, defronte do palco, e era estreito e comprido, com cadeiras dispostas dos dois lados. Uma galeria bastante bonita dava acesso a ele. Quando chegamos, o público já estava presente. O general distribuiu cumprimentos à direita e à esquerda, e nesse instante todos os homens da plateia se levantaram e se voltaram para ele. Sentaram-se todos de novo quando a peça começou, mas voltavam a se conservar de pé nos intervalos. A representação constou de *O Avarento* e de uma pequena farsa. os atores eram artesãos, em sua maioria mulatos, e as atrizes, prostitutas. O talento destas se harmonizava perfeitamente com o seu grau de moralidade.

Dir-se-ia que se tratava de marionetes movidas por um cordel. A maior parte do elenco masculino não era melhor do que elas. No entanto, não se podia deixar de reconhecer que alguns deles tinham certo pendor inato para o teatro.

Eu não fui o único europeu a visitar São Paulo, além dos portugueses. A proximidade do litoral, a doçura do clima, os atrativos do lugar – tudo isso fazia com que os estrangeiros se sentissem mais atraídos para ali do que para as cidades distantes de portos de mar. John Mawe visitou São Paulo antes mesmo da chegada de D. João VI ao Brasil, e mais tarde ali esteve também um rico inglês, Woodford, interessado em botânica, a quem se deve a descoberta da *Passiflora recemosa*[6]. Também visitaram a cidade o Conde de Pahlen, ministro da Rússia; Schwertzkoff, homem afável, conselheiro da mesma corte, o Príncipe Taxis; Spix e Martius; Olfers, então secretário da legação prussiana e mais tarde o diretor dos museus de Berlim, bem como muitos outros. Quando estive em São Paulo encontrei ali vários ingleses e alguns franceses, mas todos eles pessoas de classe inferior. Tive, entretanto, o prazer de rever entre eles um velho conhecido. Tratava-se de um certo Willians Hopkins, criado de Woodford, que este me havia recomendado por ocasião de minha passagem por Lisboa e a quem o Duque de Luxemburgo havia concedido permissão, a pedido meu, para nos acompanhar na viagem ao Brasil, a bordo do *Hermione*. Esse excelente homem tinha retornado a São Paulo para rever uma mulher que havia conhecido e com quem afinal se casou. Estabelecera-se ali e exercia agora, com sucesso, a profissão de funileiro. Willian (Guilherme) e sua mulher acreditavam dever a mim a felicidade de que desfrutavam, e me prestaram com toda boa vontade os modestos serviços que estavam ao seu alcance, esforçando-se por demonstrar-me a sua gratidão. Esse sentimento não é tão comum para que nos esqueçamos facilmente das pessoas que o possuem.

Já disse em outro relato que, quando me achava perto de Mariana[7], encontrei numa fazenda um homem cujo modo de falar me fez reconhecer que ele havia estudado num estabelecimento educacional fundado perto de Lisboa por D. Marquet, antigo superior do colégio de Pontlevoy. Tive em São Paulo uma experiência semelhante. Ao jantar no palácio, notei um oficial que falava perfeitamente a nossa língua.

---

[6] Essa planta hoje cultivada em nossas estufas, foi mencionada por Woodford a Broteiro, que a descreveu em *Transactions of linnean Society*, XII, tab. 6.

[7] Ver *Viagem polo Distrito dos Diamantes*, etc.

Tratava-se também de um antigo aluno de D. Marquet. Minha educação tinha sido iniciada em Pontlevoy, e eu me sentia como se fosse um colega daquele oficial. Sua presença despertou em mim lembranças da infância e da pátria, enchendo-me por um instante de felicidade e fazendo com que os traços daquele homem ficassem gravados pra sempre na minha memória.

Já expliquei que ao chegar a São Paulo eu me vi afligido por não encontrar ali as cartas de minha família, que eu esperava com tanta impaciência. Apressei-me a escrever aos meus amigos do Rio de Janeiro, rogando-lhes que me enviasse as que por acaso tivessem chegado para mim. De dez em dez dias partia um comboio a pé, da capital do Brasil para São Paulo. Após vinte dias de espera recebi, afinal, um volumoso pacote de cartas da França. As notícias foram a um tempo agradáveis e dolorosas, pois me davam conta dos pormenores da cruel perda que eu havia sofrido no começo da viagem, a de minha adorada irmã, Mme. De Salvert. Os contraditórios sentimentos que essas notícias fizeram nascer em mim deixaram-me inteiramente perturbado. Mal consegui coordenar as ideias. Lamentava ter tomado a decisão de empreender uma nova viagem, e ao mesmo tempo não tinha coragem de renunciar a ela ou, melhor dizendo, tinha coragem bastante para não cancelá-la, apesar de tudo. Amado como eu era pela minha família, custava-me um grande esforço prolongar ainda mais a nossa separação e me embrenhar, mais uma vez, por regiões desérticas, principalmente levando em conta os homens que me acompanhavam. Eu próprio mal consegui adivinhar os motivos que me levaram a prolongar o meu exílio. Com recompensas eu não contava, e o entusiasmo já não me estimulava. O que tinha incendiado a minha imaginação já esfriara diante das longas e fatigantes jornadas durante as quais eu havia percorrido, sozinho em um silêncio profundo, as praias ardentes do Espírito Santo e os sertões de Goiás e de Minas Gerais. Não creio também que tenha agido assim para manter a minha reputação. Eu me vi levado a fazer o que fiz por uma espécie de teimosia. Queria acabar o que tinha começado, e talvez continue meu trabalho só porque me esteja custando terminá-lo.

Eu ainda não havia decidido, no princípio, se iria por mar até a Província do Rio Grande do Sul, que pretendia visitar, ou se faria a viagem por terra. De navio eu chegaria bem mais depressa, mas por outro lado ficaria privado de fazer minhas observações e ainda correria o risco de ser aprisionado pelos piratas espanhóis, que, segundo diziam, se tornavam cada vez mais audaciosos. Decidi viajar por terra.

Quando cheguei a São Paulo já começava a me faltar quase tudo. Entretanto, encontrei facilmente nas lojas, geralmente bem sortidas, as coisas de que tinha necessidade. Mas havia ainda o problema das malas. As dezoito que eu havia levado na minha viagem a Goiás já estavam cheias, e eu precisava de outras. No dia da minha chegada encomendei um par de canastras a um marceneiro[8]. A seu pedido, dei-lhe dinheiro adiantado, mas as canastras só ficaram prontas duas semanas depois, e provavelmente eu não as teria obtido nesse prazo se o meu hospedeiro, o Coronel Francisco Alves, não tivesse ameaçado de prisão o marceneiro. O homem prometeu continuar a trabalhar para mim, mas não tardou a vir me dizer que não podia fazer nada por lhe faltar madeira. O Sr. Grellet e eu procuramos diversas pessoas de nossas relações, e em particular o ouvidor, rogando-lhes que nos arranjasse um marceneiro rápido e capaz, com cujas promessas pudéssemos contar. Todos nos responderam que havia em São Paulo bons artesãos, mas que nenhum deles trabalha com rapidez e era homem de palavra. O Sr. Grellet lembrou-se de um homem que trabalhava então na fábrica de fuzis. Conseguimos que o seu chefe o dispensasse do serviço, ele anotou as medias das canastras, mas algumas horas depois, veio anunciar-me que havia procurado inutilmente a madeira na cidade. O Coronel Francisco Alves declarou-me que provavelmente o homem não me estava enganando. Entretanto, ele próprio iria fazer tudo ao seu alcance para me conseguir algumas tábuas.

Pelo que todo mundo me disse, e eu próprio comprovei, parece que em nenhum outro lugar, a não ser em São Paulo, existem artesãos tão preguiçosos, tão incorretos e talvez, mesmo, tão pouco honestos. Esses homens não podiam alegar, como desculpa o excesso de calor, mas suas necessidades – já disse – eram poucas e eles podiam satisfazê-las facilmente, já que o preço dos víveres e dos aluguéis era muito baixo. Em sua maioria descendentes dos mamelucos, eles haviam, de resto conservado toda a inconstância da raça indígena, e todos os outros que iam chegando adotavam logo os mesmos costumes. Quando um artesão ganhava algumas patacas (330 réis) ele descansava até que elas acabassem. Eles mal possuíam as ferramentas necessárias ao seu trabalho e quase nunca dispunham de material. Assim, era preciso fornecer o couro ao sapateiro, o pano ao alfaiate, a madeira ao marceneiro. Eles recebiam dinheiro adiantado para a compra desses materiais, mas quase sempre o gastavam com

---

[8] Contam-se as canastras aos pares, porque são necessárias duas para carregar cada burro – uma de cada lado. Como ainda não existem no Brasil (1816-1822) bauleiros propriamente ditos, as canastras são feitas por marceneiros.

outras coisas e o trabalho não era feito, ou era entregue depois de longo prazo. Se alguém precisava encomendar qualquer coisa a um artesão, tinha de fazê-lo com grande antecipação. Suponhamos, por exemplo, que se tratasse de um trabalho de marcenaria. Antes de tudo era necessário recorrer aos amigos para se conseguir, na mata, a madeira para a obra. Em seguida, era preciso ir centenas de vezes à casa do marceneiro, pressionando-o e ameaçando-o. E no final, muitas vezes não se conseguia nada. Perguntei a um estimável homem estabelecido em São Paulo de que maneira ele se arranjava quando precisava de um par de sapatos. Ele me respondeu que os encomendava a vários sapateiros ao mesmo tempo. Geralmente sempre havia algum, entre eles, que, pressionado pela falta de dinheiro, se dispunha a executar o trabalho. Os oficiais da Guarda Nacional e o próprio ouvidor, apesar de toda a autoridade de que eram revestidos, não conseguiam vencer essa extrema indolência.

Seja como for, o Coronel Francisco Alves veio anunciar-me que suas buscas não tinham sido infrutíferas. Havia finalmente encontrado um marceneiro que dispunha de madeira e estava disposto a fazer as minhas canastras. O homem apareceu realmente em minha casa, tomou as medidas necessárias e me garantiu que iria meter mãos à obra. Mas fui recompensado por não ser crédulo. De passagem, quero esclarecer que nessa época os artesãos brasileiros, pelo menos os do interior, não tinham medidas fixas. Serviam-se para suas medições do primeiro pedaço de pau que encontravam, ou usavam simplesmente as mãos. Assim, suas obras nunca saíam de acordo com as encomendas; ou ficavam mais curtas, ou mais compridas. Deixei passar alguns dias, depois fui à casa do marceneiro que me havia feito tão belas promessas. Ele me declarou, como os outros, que tinha desistido de fazer o trabalho. Enchi-me de irritação e o tratei asperamente, sem que isso produzisse o menor efeito. Nessa época, os brasileiros das classes inferiores tinham o hábito de ouvir, sorrindo, as verdades mais mortificantes, quando eram ditas por um superior, mantendo absolutamente inalterada a sua conduta.

Nesse mesmo dia fui jantar no palácio. O general perguntou-me quando eu pretendia partir. Disse-me que sentia o máximo prazer em me ver ali, mas que estávamos na estação das chuvas e que se eu me demorasse muito iria encontrar as estradas impraticáveis. Respondi-lhe que sabia disso e que o fato me preocupava bastante, mas que os seus artesãos não pareciam interessados em ganhar dinheiro que eu estava disposto a oferecer-lhes. Contei-lhe, sem seguida, a história das minhas canastras, ajuntando que me via quase na contingência de desistir da viagem.

"Como?" – exclamou o general. – "O senhor já está no Brasil há mais de três anos, e ainda não aprendeu como deve agir aqui? O senhor devia ter-me procurado." Retruquei-lhe que não tinha querido importunar com assuntos sem importância o governador de uma região quase tão grande quanto a França. Ele chamou um ajudante-de-campo e lhe ordenou que fosse à casa de um certo marceneiro e o intimasse a fazer dentro de um prazo determinado as minhas canastras, dizendo que eu pagaria por elas um alto preço. Metade do pagamento seria feito adiantadamente, e um soldado ficaria postado na casa do marceneiro. A presença do soldado, em si, teria feito pouca diferença para o artesão, mas funcionava como uma espécie de sinal de alarme, que antigos indígenas, que tanto prezavam sua independência, temia muito mais do que nós, os europeus, que lhes fosse tirada a liberdade. João Carlos d'Oeynhausen conduziu-se nessas circunstâncias, com um despotismo que repugna a nós, europeus, e que jamais poderia justificar inteiramente. Contudo, quando a preguiça se tornou um vício generalizado, não será necessário que a autoridade use de uma certa energia para combatê-la? Não será justo que o artesão, que precisa da ajuda dos outros, trabalhe por sua vez para aquele que tem necessidade de seus serviços e está disposto a lhe pagar regiamente?

Aproveitei minha estada em São Paulo para ir colher plantas no Arraial de Nossa S. da Penha, situado a 2 léguas da cidade, numa colina que limita, a leste a planície de que já falei. Vista de longe, sua igreja parece rodeada de árvores copadas, que limitam de forma pitoresca o horizonte. Para chegar ao arraial é preciso tomar a estrada do Rio de Janeiro. Essa estrada atravessa a planície e, do lado de São Paulo, começa por um belo caminho pavimentado, de cerca de 400 passos, que avança pelos brejos às margens do Tamandataí. A planície é perfeitamente regular e, como já tive ocasião de dizer, apresenta uma sucessão de pastos de capim rasteiro e de tufos de árvores de pouco altura. Os habitantes de São Paulo dão-lhe a denominação de *várzea*, que de um modo geral é aplicada a toda planície alagadiça. Nas partes mais úmidas o terreno é pontilhado de pequenos outeiros cobertos por uma relva espessa, e o seu aspecto é absolutamente idêntico ao dos campos pantanosos da Sologne. Estou certo de que, se pesquisadas pelos botânicos em todas as estações do ano, as várzeas fornecerão uma valiosa colheita. Encontrei ali, entre outras, duas espécies que pertencem à Flora europeia e que por um instante me deram a noção da grande distância que me separava da pátria – a delicada violeta, a que dei o nome de *Viola gracillima*, e a

Urticularia oligosperma, que muito se assemelha à Urticulária encontrada comumente nos pântanos das redondezas de Paris[9].

Nossa Senhora da Penha, ou simplesmente Penha[10], é uma paróquia que faz parte do distrito de São Paulo. Da colina que encima o arraial e no sopé da qual serpeia o Tietê, descortina-se uma vista encantadora, que abarca toda a planície, as montanhas que a limitam e a cidade de São Paulo, com seu palácio e seus campanários. O arraial propriamente dito tem poucas casas, mas nas suas redondezas há muitas casas de campo e propriedades de variados tamanhos, tais como fazendas, sítios e chácaras. A igreja, construída no centro do arraial, parece rodeada de árvores, se vista de longe, mas isso se deve apenas a uma questão de perspectiva, que faz com que as matas vizinhas pareçam próximas, impedindo que se vejam as casas.

Fui fazer uma visita ao vigário da Penha. Embora não me conhecessem ele me recebeu muito bem, dando-me várias informações interessantes. Sua casa era grande e bem mobiliada; no entanto, como já tive ocasião de dizer, os vigários de São Paulo tinham muito menos posses do que os de Minas Gerais.

Na estrada que liga São Paulo a Penha vê-se um grande número de casinhas, onde se acham instaladas as vendas. Mas, enquanto que na Província de Minas e em outros lugares essas casas são abertas para todo mundo[11], ali o comprador não entra no local onde estão armazenados os mantimentos e a cachaça. Do interior, a mercadoria é passada ao freguês por uma janela que dá para fora. Esse costume remonta provavelmente aos primeiros tempos da colonização. Os negociantes deviam certamente tomar precauções contra a gulodice dos índios e a ganância dos mamelucos, que evidentemente não tinham muito mais noção que os indígenas do que era a propriedade alheia.

O distrito de São Paulo é considerado um dos menos férteis da Província[12]. Produz, entretanto, em maior ou menos abundância, o arroz, o feijão, o milho e a farinha de mandioca. Cultivam-se aí o chá, um pouco de café, de algodão e de fumo, além de diversos legumes e frutas.

---

[9] Ver meu trabalho *Histoire des plantes les plus remarquable du Brésil*, p. 275, tab.261, e *Viagem pelo Distrito dos Diamantes,* etc.
[10] E não Nossa Senhora das Dores (*Our Lady of Pain*), como supôs um autor anglo-americano (Kidder, *Sketches,*I). Não é apenas na Província de São Paulo, mas em muitas outras, que se encontram paróquias consagradas a Nossa S. da Penha.
[11] Ver *Viagem pelas Províncias do Rio de Janeiro e de Minas Gerais,* vol. VII.
[12] Pizzaro, *Mem. hist.*, I. – Milliet e Lopes Moura, *Dic.*, II

Faz-se também criação de bois, de porcos, de burros, de carneiros e principalmente de cavalos[13]. As bananeiras e a cana-de-açúcar não se dão na região, devido à altitude e à média da temperatura, geralmente baixa. Se as fazendas não são tão comuns nesse distrito com na maioria dos outros, pelo menos contam-se nos arredores da cidade numerosas chácaras. A não ser nas redondezas do Rio de Janeiro, não vi no decorrer de minhas viagens nenhum outro lugar onde houvesse uma tão grande quantidade delas, espalhadas por todos os lados. Essas chácaras contribuem singularmente para embelezar a paisagem. Várias delas têm grandes terrenos cercados, onde se veem simétricas plantações de cafeeiros, de laranjeiras, de jabuticabas e de outras árvores. Durante minha estada em São Paulo fui fazer uma visita ao Brigadeiro Bauman[14], que morava numa chácara a meia-légua da cidade, do outro lado de Santa Efigênia. Essa propriedade, onde cheguei depois de ter passado por numerosos terrenos cercados de muros de barro, era muito bem cuidada. No pomar vi vários pessegueiros cujos frutos (29 de novembro) tinham o tamanho de um ovo de pomba. Vi também abricoteiros, ameixeiras, macieiras, pereiras, castanheiras e nogueiras, bem como belas latadas de parreiras, algumas em floração, outras já começando a frutificar. O proprietário me garantiu que todas essas variadas plantas produziam frutos. Bauman cultivava também uma grande quantidade de cravos, de papoulas, de ervilhas-de-cheiro (*Lathyrus odoratus*, L.), de botões-de-ouro (*Ranunculus acris*, L.), de flores dobradas, de escabiosas, de malmequeres, de cravos-da-índia, etc., as quais se achavam todas em flor quando lá estive.

Eu havia conhecido no Rio de Janeiro o Sr. Fróis, que ali morava e pertencia, como o seu tio, o estimável Sargento-mor Alexandre Pereira e Castro, à nobre família do intrépido paulista a quem se deve a descoberta de Paracatu[15]. Quando iniciei a viagem sobre a qual faço esse relato, o

---

[13] Eis aqui os dados sobre a produção do distrito de S. Paulo, relativos ao ano de 1838, tal como foram apresentados por Daniel P. Müller: 2.197 canadas de cachaça, 879 arrobas de café, 2.096 alqueires de farinha de mandioca, 4.368 de feijão, 45.583 de milho, 540 arrobas de fumo, 540 arrobas de algodão em rama, 191 porcos, 1.617 cavalos, 264 burros, 901 vacas, 494 carneiros (*Ensaio Est.* tabela 3.) O mesmo autor diz ainda que em 1838 havia no distrito de S. Paulo alguns alambiques de cachaça, 3 fazendas de café, 24 de criação de cavalos e gado. Para facilitar o entendimento desses dados, acrescentarei que, de acordo com Freycinet, a *canada* corresponde a 4,180 litros, o alqueire a 40 litros, a arroba a 14,785k.

[14] Após a proclamação da independência do Brasil, Bauman foi nomeado *governador das armas* da Província de Goiás. Ele morreu repentinamente na capital dessa província, em data posterior a 1826 (Raimundo José da Cunha Matos, *Itinerário,* II).

[15] Ver *Viagem às Nascentes do Rio S. Francisco.*

* O nome científico atual da jabuticaba é *Myrciara jabuticaba* (M.G.F.)

Sr. Fróis entregou-me uma carta de recomendação para Joaquim Roberto de Carvalho, um rico proprietário que possuía uma bela chácara, denominada Água Branca, nas vizinhanças de São Paulo. Ao chegar à cidade, apresentei-me a esse homem, que me recebeu gentilmente e me deu permissão para soltar os meus burros no seu pasto. Todos os donos de chácara cuidam, com efeito, de ter pastos cercados de fossos ao redor de suas propriedades, já que não seria prudente, tendo em vista a vizinhança de uma cidade populosa, deixar soltos pelos campos os cavalos e os burros de carga. A casa de Joaquim Roberto era construída ao fundo de um grande pátio cercado de muros, pelo qual se entrava por uma cancela. Tinha apenas um pavimento, com uma ampla varanda na frente, que terminava num dos lados por uma bonita capela, e no outro, por um salão. O terreno era vasto, e vi ali aleias de laranjeiras, muitos pessegueiros, pitangueiros (*eugenia michelli*, Lam.), pés de abacaxi, e principalmente uma prodigiosa quantidade de jabuticabeiras (*Myrtus cauliflora*, Mart.)*. Quando me achava em São Paulo, os frutos dessa árvore estavam em plena maturidade e era vendidos nas ruas da cidade. As jabuticabas[16] levam certamente vantagem sobre todas as frutas indígenas do Brasil. São doces sem serem enjoativas, agradavelmente mucilaginosas e extremamente refrescantes[17]. Era também a época das pitangas. Estas são bastante inferiores às jabuticabas, têm um gosto resinoso que, aliás, é encontrado na maioria dos diferentes frutos do grupo das Mirtáceas. Entretanto, são boas para a feitura de doces, conservando depois de cozidas um pouco do seu sabor primitivo. Aproveito a ocasião para observar que, embora a maioria das frutas comestíveis nativas do Brasil não pertençam, como as que se cultivam na Europa, à família das Rosáceas (Juss.), elas fazem parte de um grupo quase idêntico, o das Mirtáceas.

    Enquanto eu fazia esses passeios nos arredores de São Paulo, o marceneiro ao qual o general encomendara as minas canastras trabalhava diligentemente, não tardando a me entregar a encomenda. Dediquei-me, então, aos preparativos de minha viagem e fui despedir-me das várias pessoas de quem eu havia recebido gentilezas, particularmente do Capitão-geral João Carlos Augusto d'Oeynhausen, que fora para mim de uma amabilidade sem par. Não só me forneceu ele uma *portaria* na qual recomendava às autoridades que me dessem todo apoio e me fornecessem víveres e cavalos, como ainda me entregou cartas de recomendação para

---

[16] Desnecessário é dizer que as jabuticabas são os frutos da jabuticabeira, e as pitangas, da pitangueira.
[17] Ver *Viagem pelo Distrito dos Diamantes*, etc.

todos os capitães-mores dos lugares onde eu devia passar. Não deixei de apresentar essas cartas, mas não julguei dever usar a portaria, a não ser em casos, muito raros, de absoluta necessidade.

Levei comigo quatro pessoas: o prestimosos Laruotte, José Mariano – que, como já disse, tinha a incumbência de ferrar os burros, cuidar das cangalhas, caçar e preparar os pássaros – um *camarada* chamado Manuel, que me havia sido enviado pelo capitão-mor de Jundiaí e cuja função era buscar os burros no pasto, carregá-los e descarregá-los, e, finalmente, o índio Firmiano, cuja tarefa era cozinhar o feijão e ajudar o Manuel.

Já fiz, em outro relato, uma descrição desses três homens. Quero agora falar sobre o quarto. Manuel era um negro liberto, nativo do Brasil, que prestava bons serviços. Entretanto, o seu pendor para a libertinagem era mais acentuado do que o de todos os *camaradas* que eu tinha tido até então, o que não é pouca coisa. Mal eu chegava a algum arraial, onde ia passar a noite, esse homem trocava imediatamente de roupa, vestia um certo colete vermelho, evidentemente destinado a fazer ressaltar a cor negra de sua pele, e partia em busca de aventuras, só reaparecendo à hora da partida. Orgulhoso de sua dignidade de homem livre, ele tinha o mais profundo desprezo pelos trabalhos considerados próprio de escravos. Assim, cumpria ao botocudo Firmiano, alheio a todos os preconceitos de classe, ir buscar a água e a lenha de que precisávamos. O altivo Manuel foi acometido, certa ocasião, de disenteria. Ao chegarmos ao pouso, mandei que ele bebesse água de arroz e saí para colher plantas. Ao voltar, perguntei-lhe se havia feito o que eu mandara. Ele me respondeu que não havia água. Passava um riacho a poucos passos de nós, mas Firmiano se achava ausente. Peguei uma cafeteira, enchi-a de água e entreguei-a ao negro. O homem ficou muito espantado, mas duvido que tenha entendido a lição. Profundamente imbuído de lamentáveis preconceitos, ele provavelmente viu apenas uma extravagância ou um rebaixamento no gesto do homem branco, que tinha ido buscar água para dar a um homem negro. Um dos mais tristes resultados da imposição da escravidão é o aviltamento do trabalho.

Como a vida de São Paulo e a de Santos estejam fundamentalmente ligadas uma à outra, e se possa considerar a segunda dessas cidades como porto da primeira, lamento não ter decidido visitá-la. Para não deixar uma lacuna muito grande nesse relato, darei aqui algumas informações sobre ela, colhidas em várias obras que não foram traduzidas para o francês. Essas informações foram submetidas, por mim, a um cuidadoso exame. Não posso, porém, responsabilizar-me inteiramente por elas, uma vez que não foram colhidas no local por mim mesmo.

Diante da foz do Rio Cubatão, que desce da Serra do Mar, existem, como já disse, duas ilhas - a de Santo Amaro ou Guiabé, do lado leste, e a de São Vicente ou Enguaguaçu, a oeste. A primeira, pantanosa, insalubre e quase desabitada, fica separada do continente por um canal, pouco navegável, denominado Barra da Bertioga, à entrada do qual fora construída outrora uma armação para a pesca da baleia, então muito abundante naquelas paragens. Nada direi sobre o canal de São Vicente, situado entre a ilha do mesmo nome e a terra firme e que só pode ser navegado por canoas. Só um dos três canais[18] formados pelas duas ilhas tem real importância. É o que separa uma da outra e é chamado de Barra Grande, Barra do Meio, Barra ou Rio de Santos. Deve ter cerca de 1.000 passos de comprimento. Sua entrada é defendida por alguns fortes e ele comporta navios de grande calado, que não encontrar ancoradouro perfeito no porto de Santos.

A cidade à qual pertence o porto, e tem o mesmo nome, fica situada ao norte da Ilha de São Vicente e encostada a um morro isolado, denominado Montserrat por causa de uma capela dedicada à Nossa S. de Montserrat. Santos foi fundada pelo Capitão Brás Cubas, lugar-tenente do ilustre Martim Afonso[19]. A cidade logo adquiriu uma grande importância na região, e no entanto, em 1630, ainda não contava com mais de 200 habitantes, exceção feita dos escravos, provavelmente. Depois dessa época sua população aumentou consideravelmente, pois em 1838 já somava 5.856 indivíduos, e deve ter continuado a crescer, uma vez que, a julgar pelos dados relativos a esse mesmo ano, o número de nascimentos sobrepujava de muito o de óbitos. Além do mais, segundo Kidder, várias firmas estrangeiras estabeleceram-se recentemente na região. As cifras que acabo de citar referem-se – estou pronto a admitir – à totalidade do distrito. Entretanto, este inclui apenas a vertente oriental da Serra do Cubatão, a parte setentrional da Ilha de São Vicente e a pequena Ilha de Santo Amaro. E fora do perímetro da cidade o número de habitantes não é muito grande. Por outro lado, afirma-se, é bem verdade, que a região aí – baixa, pantanosa e coberta de mangues em algumas partes –

---

[18] A geografia da Província de S. Paulo foi minuciosamente estudada por Dr. Pedro Müller, mas não é em seu *Ensaio Estatístico* que se pode verificar a posição dos três canais de que se trata aqui. Para se ter deles uma ideia exata, basta examinar o mapa de Villiers de l'Ile-Adam.

[19] John Mawe diz (*Travels*) que Santos, assim como S. Paulo, deve sua fundação ao primeiro naufrágio que ocorreu na Ilha de S. Vicente. Seria preciso ter muito mais perspicácia para adivinhar esse enigma do que para identificar a Ilha de S. Amaro com a de *S. Omar*, de que fala o mesmo autor (obra cit.).

é muito insalubre. Entretanto, se as cifras indicadas por Pedro Müller forem exatas e se havia aí, como diz o autor, 25 indivíduos entre 80 e 90 anos e 13 entre 90 e 100, é bem provável que a cidade, há tanto tempo habitada, não seja tão insalubre quanto as terras circunvizinhas.

Logo após a fundação de Santos, Brás Cubas conseguiu para a sua nova colônia o título de arraial, tendo mais tarde sido nomeado para ali um juiz-de-fora, encarregado de presidir o conselho e fazer os julgamentos de primeira instância. Depois que o Brasil se separou de Portugal, Santos foi elevado a cidade, título reservado outrora às sedes episcopais.

A cidade nada tem de notável. Suas casas são feitas de pedra, seus muros têm pouca largura. Os principais edifícios públicos são os conventos dos franciscanos, dos carmelitas e dos beneditinos, a Câmara Municipal, a alfândega e o Arsenal da Marinha. A Santa Casa de Misericórdia, criada por Brás Cubas, fundador da cidade, é a mais antiga de todas as desse gênero estabelecidas no Brasil. Possui uma igreja e um hospital. Depois da expulsão dos jesuítas, o prédio que eles ocupavam foi transformado em hospital militar. Mais tarde, segundo Kidder, passou a ser a residência oficial do presidente da província, quando visitava a cidade.

Santos foi o berço de três dos homens de que o Brasil mais se orgulha: José Bonifácio de Andrada e Silva, Alexandre Gusmão e o irmão deste, Bartolomeu Lourenço de Gusmão. Sabe-se que o primeiro – poeta, sábio de renome e estadista – contribuiu mais do que qualquer outra pessoa para tornar o Brasil independente; o segundo foi um hábil diplomata, cujos escritos o tornaram famoso; ao terceiro, padre secular e irmão do precedente, coube a glória de ter concebido, antes dos sábios franceses, a ideia dos aerostáticos, tendo orientado a fabricação de um deles em Lisboa, no ano de 1709[20].

---

[20] Emílio Joaquim da Silva Maia publicou na *Revista trimestral de história,* etc. (segunda série, I) um elogio a José Bonifácio de Andrada e Silva; anteriormente, o Dr. Sigaud já havia consagrado a esse homem de Estado um necrológio (*Écho français,* nº 9); sua biografia foi também traçada por J. M. Pereira da Silva, em *Plutarco Brasiliense* (II). Essa última obra contém igualmente a biografia de Alexandre Gusmão, a qual, assim como a de Bartolomeu Lourenço de Gusmão, foi oferecida ao público numa época anterior por José Feliciano Fernandes Pinheiro, Barão de S. Leopoldo, num trabalho intitulado *Vida e feitos de Alexandre de Gusmão e de Bartolomeu Lourenço de Gusmão.* Vários escritores ingleses, induzidos a erro pelo título de *padre* que é dado no Brasil aos religiosos seculares, transformaram Bartolomeu de Gusmão em monge; entretanto, fizeram a ele toda a justiça. Se por um lado o autor do artigo intitulado *Barthelemi de Gusmão,* na *Biographie universelle* (vol. XIX, p.218), se engana ao dizer que Bartolomeu nasceu em Lisboa e pertencia à Companhia de Jesus, por outro lado reconhece, como os ingleses, que ele foi o verdadeiro inventor dos aeróstatos, pois é assim que se expressa: "Parece certo que se devem ao Pe. Gusmão as primeiras

Cultiva-se a cana-de-açúcar nos arredores de Santos, mas unicamente para o fabrico da cachaça consumida na região. O café e a mandioca são também cultivados ali, em pequena escala, bem como, em maior quantidade, o arroz[21]. Em 1839 havia na própria cidade uma refinaria de açúcar, provavelmente a primeira instalada no sul do Brasil.

Santos conta com um grande número de obreiros independentes, que se dedicam principalmente aos indispensáveis ofícios relacionados com o reparo de navios, tais como carpinteiros, serralheiros e calafates. É digno de nota o fato de que em nenhuma outra cidade da Província, à exceção de São Paulo, existem tantos padeiros quanto em Santos, provavelmente devido à presença de estrangeiros, que afluem constantemente para ali e não se acham habituados a comer farinha de mandioca.

É principalmente ao comércio que se dedicam os habitantes da cidade. Ali chegam, quase que diariamente, várias centenas de burros carregados de produtos do interior, e todos os dias parte um igual número deles, levando para São Paulo as mercadorias importadas da Europa e de outras partes do mundo. Em 1836, duzentos e vinte e quatro navios de grande calado entraram no porto de Santos; cento e oitenta e duas embarcações de pequeno porte, construídas no Brasil, foram empregadas na navegação de longo curso. No período de um ano, entre 1835 e 1836, Santos fez vultosos negócios com o Rio de Janeiro, vendendo a essa cidade mercadorias que lhe renderam 1.944.970.110 réis[22]. Recebeu também mercadorias de nove portos diferentes do Brasil. Importou ferro trabalhado e óleo de sementes de linho, de Hamburgo; vinho e calçados, de Tarragona; ferro trabalhado, artigos de ourivesaria, vinho, quinquilharias, tecidos, sal e cera, do Porto; farinha, sal, tábuas de pinho, velas, alcatrão e bacalhau seco, de Portsmouth; sal, das ilhas do Cabo Verde; sal e substâncias químicas, da Patagônia; carne-seca, couros, sebo, sabão e peles de animais, de Buenos Aires e Montevidéu; farinha de trigo, tecidos, vinho e porcelanas, de Nova York. A partir de 1836, Santos estabeleceu comércio também com Boston, o Cabo da Boa Esperança, Gênova,

---

experiências com o balão aerostático, as quais foram repetidas com tanto êxito sessenta anos após a sua morte." Ferdinand Denis, que possui documentos tão preciosos sobre a história do Brasil, conta entre eles com uma gravura de aeróstato de Bartolomeu Lourenço de Gusmão, achando-se disposto a publicá-lo um dia.

[21] Segundo Daniel P. Müller (*Ensaio*, tab. 3) o distrito de Santos produziu, em 1838, 150 arrobas de café, 3.386 alqueires de arroz e 130 alqueires de farinha de mandioca, tendo sido fabricadas ali 434 *canadas* de cachaça.

[22] Fiz essa conversão ao câmbio de 230 réis por franco, de acordo com o quadro incluído por Horace Say em sua *Histoire des relations commerciales entre la France et Brésil*.

Trieste e Valparaiso. Entre todas as cidades estrangeiras com as quais Santos comerciou entre 1835 e 1836, Buenos Aires foi a que apresentou o maior volume de mercadorias[23]. Os principais produtos que Santos exporta são o açúcar, em primeiro lugar, depois o café, o fumo, o toucinho e o ouro. O arroz, o feijão e a farinha de mandioca vêm logo a seguir, em ordem de importância, e depois destes, em menor quantidade ainda, os couros, a gordura e a cachaça. Finalmente, exporta uma pequena quantidade de milho, de chifres de boi, de queijos, de doces cristalizados, de resina, de mate, de melaço, afora pequenos artigos de pouca importância. Suas exportações se elevaram, no ano compreendido entre 1835 e 1836, a 1.714.300.460, e suas importações a 2.257.025.794 réis. Convém notar, porém, que os artigos fornecidos pelo Rio de Janeiro correspondem a 9/10 dessa quantia, e os que foram enviados por outros portos do Brasil a 1/22. Por outro lado, somente o açúcar totaliza 1.180.225.514 réis das exportações, ao passo que o café corresponde a 266.588.169 réis. É evidente que não era ao próprio Brasil que se destinava maior parte desses dois produtos, que representam somas tão consideráveis.

Há quem censure aos habitantes de Santos a sua falta de hospitalidade. Contudo, não se pode esperar, num porto que está sempre recebendo estrangeiros, que essa virtude seja praticada da mesma maneira como é nas províncias longínquas, onde raramente aparecem forasteiros. Deve forçosamente ocorrer o mesmo numa grande parte do litoral, e se, em alguns pontos da costa mais isolados, há tão pouca hospitalidade quanto nas cidades portuárias, isso se deve à natureza apática de seus habitantes, mestiços de índios, os quais o calor excessivo e uma alimentação deficiente tornaram indolentes.

Depois de tudo o que foi dito acima, torna-se evidente que a cidade de Santos tem uma localização privilegiada. Essa vantagem, porém, seria perdida se, como ocorre com alguns pequenos portos da Província, ela não dispusesse de comunicação direta com o interior.

Para irem do litoral até a planície de Piratininga, os portugueses contavam apenas, até 1560, com um caminho muito perigoso e sujeito a

---

[23] John Mawe, que se achava em Santos em 1807 diz (*Travels*) que nessa época os habitantes da cidade queixavam-se amargamente dos hispano-americanos, ajuntando que estes sempre usavam de má-fé em suas transações com os brasileiros e que, para não pagarem as suas dívidas, eles recorriam a todos os meios dilatórios e a todos os ardis que podiam inventar. Parece que, para evitar esses inconvenientes, as pessoas se acostumaram a só fazer negócios à vista com habitantes do Rio da Prata.

constantes ataques dos tamoios, seus inimigos. Esses selvagens escondiam-se no mato, dos dois lados da estrada, e caíam de surpresa sobre os viajantes, roubando-lhes tudo o que tinham e levando-os para as suas aldeias, onde os devoravam em bárbaros festins. Tomados de compaixão, os jesuítas Luís de Grum e Nóbrega resolveram pôr fim a essas barbaridades, que se repetiam constantemente e espalhavam terror entre a população branca. Eles tinham em sua companhia dois irmãos audazes e industriosos, os quais, apoiados pelo Governador Mem de Sá e ajudados por índios catequizados, abriram com risco de vida um novo caminho, numa região onde as temidas incursões dos selvagens não se poderiam fazer sentir. Os habitantes do planalto e do litoral puderam, finalmente, estabelecer comunicação uns com os outros sem se exporem a terríveis perigos, e testemunharam sua viva gratidão aos padres da Companhia de Jesus e ao governador.

Não se deve imaginar que essa estrada se assemelhasse às que hoje são abertas com tanto engenho nos mais escarpados morros. O Pe. Vasconcelos, que por ali passou cem anos depois (1656), assegura que a estrada em nada mudou e sua descrição mostra como era inóspita e ao mesmo tempo admirável a região cortada por ela. Diz ele: "Não é andando que a pessoa faz a maior parte da viagem, e sim de gatinhas, com os pés e as mãos no chão, agarrando-se às raízes das árvores, em meio a rochas pontiagudas e terríveis precipícios, e meu corpo estremecia – devo confessá-lo – quando olhava para baixo. A profundeza do abismo é assustadora, e a profusão de montanhas que vão surgindo sucessivamente parece deixar-nos sem nenhuma esperança de chegarmos ao final. Quando acreditamos ter alcançado o cume de uma delas, vemos que nos achamos apenas no sopé de uma outra de igual altura. É bem verdade, porém, que de vez em quando somos recompensados das fadigas da subida. Quando me sentava sobre um penhasco e olhava para baixo, parecia-me estar situado no alto do firmamento e que tinha o mundo inteiro a meus pés. Uma vista admirável, a terra e o mar, as planícies, as matas, as cadeias de montanhas – tudo variava ao infinito, e era mais belo do que é possível imaginar."

Quando se preparava para descer a montanha, em janeiro de 1839, Kidder notou, a pouca distância da estrada, quatro pedras que haviam rolado e jaziam no meio da lama. Depois de limpá-las ele pôde ler uma inscrição, datada de 1790, onde se dizia que o caminho tinha sido feito sob o reinado da Rainha Maria I, sendo governador o capitão-geral Bernardo

José de Lorena[24]. É pouco provável que o caminho tenha permanecido no estado em que se achava desde os tempos do Pe. Vasconcelos até a época de Maria I. Durante o reinado desta, porém, ele deve ter sido bastante melhorado e colocado nas condições em que se achou posteriormente[25].

Esse caminho compõe-se de três partes bastante distintas: trecho muito regular, compreendido entre a cidade de Santos e o sopé da Serra do Cubatão[26] (outrora Paranapiacaba), da serra propriamente dita e, finalmente, do trecho do planalto que vai desde a serra até São Paulo.

Outrora, quando uma pessoa desejava ir de Santos à capital da província, fazia parte do percurso por via marítima e, depois de atravessar a baía, entrava no Rio Cubatão, um rio estreito que vai separando vagarosamente no meio de pântanos e é habitado por jacarés e uma multidão de aves aquáticas. A cerca de três léguas rio-acima, chegava-se a um arraial onde há um posto da alfândega e que tem o mesmo nome do rio e da serra (Arraial do Cubatão). Era ali que se arranjavam os burros para a subida da serra e onde também eram descarregadas as bestas de carga que vinham de São Paulo. As mercadorias eram armazenadas e depois despachadas por via fluvial. É incontestável que esse sistema de transporte era muito dispendioso, causando grandes prejuízos ao comércio com a sua lentidão. Para sanar esses graves inconvenientes foi aberta uma nova

---

[24] Esta é a inscrição, tal como foi registrada pelo próprio Kidder (*Skecthes,* I):

Maria I, Regina
Neste ano de 1790

Omnia vincit amor subditorum

Fes se este caminho no felis governo do
Ilmo. e Excellmo. Bernardo José
Lorena general d'esta capitania.

[25] Lê-se no útil *Dicionário geográfico do Brasil* (I), que no século XVIII os jesuítas mandaram fazer uma estrada pavimentada que ligava S. Vicente à planície de Piratininga; que Mem de Sá, encantado com a beleza dessa obra, se deixou dominar pelos padres da Companhia de Jesus e que foi nessa ocasião que ele destruiu, para satisfazê-los, a cidade de Santo André. É impossível que não tenha havido, nesse trecho, um erro qualquer, seja do copista ou do tipógrafo, pois, como se pode ver no mesmo dicionário (II), a cidade de Santo André foi destruída em 1560 e não no século XVIII; os jesuítas deviam sua influência junto a Mem de Sá aos serviços que lhe tinham prestado durante sua expedição contra os franceses e os tamoios; finalmente, Vasconcelos não afirma absolutamente que a estrada era pavimentada, pois se o fosse, em 1585 o Pe. Fernão Cardim e mais tarde o próprio Pe. Vasconcelos não teriam sido forçados, para chegar a S. Paulo, a andar de quatro em certos trechos do caminho, agarrados às raízes das árvores.

[26] Desnecessário é dizer que não devemos, como Mawe, escrever *Cuberton.*

estrada, muito bonita e regular, que leva até Santos, sendo a travessia da baía feita por sobre uma ponte cheia de arcos.

Nas proximidades do Arraial de Cubatão já se começa a subir a serra. O caminho que leva ao seu cume é solidamente pavimentado, mas estreito, e embora seja todo traçado em curvas de cento e oitenta graus (Kidder) é de tal forma íngreme que só pode ser percorrido por pessoas a pé, cavalos e burros[27]. Ele foi aberto numa espécie de saliência formada pela serra, e de ambos os lados um riacho se precipita numa ravina profunda (Fr.Varnhagen). Em alguns pontos, ao olharmos para cima, os rochedos que se projetam para a frente, e sobre os quais o caminho faz mil voltas, dão-nos a impressão de uma fortaleza ameaçadora. Olhando para baixo, nossa vista se perde num aterrador abismo (Eschwege). A altitude da Serra do Cubatão foi calculada por Eschwege em 706 metros. O percurso até o seu topo é feito entre uma hora e meia e duas horas. Lá em cima tudo se modifica; a região nos parece regular, assemelhando-se, segundo Kidder, "às campinas que surgem no meio dos bosques de carvalho da América do Norte". "O lugar denominado Borda do Campo", diz Eschwege, "já apresenta um aspecto dos mais aprazíveis[28]... Dali até o Rio das Pedras o terreno vai descendo um pouco, mas Ponte Alta, que vem logo a seguir, parece ser o ponto mais elevado do planalto." Encontram-se em vários riachos pelo caminho[29] e, depois de

---

[27] Mawe louva, em termos pomposos, a construção desse caminho (*Travels*); Kidder também se refere a ele elogiosamente (*Sketches*, I); mas Eschwege, juiz mais competente, está longe de compartilhar dessa opinião, e lamenta que o dinheiro gasto com esse caminho não tenha sido usado na construção de uma estrada mais viável para o tráfego de veículos (*Bras.*, II). Faz alguns anos que foi iniciada uma outra, que deve contar com essa vantagem e que já é, em parte, transitável. Foi-lhe dado o nome de *caminho da Maioridade*, em honra da proclamação antecipada da maioridade do Imperador Pedro II (ver os *Relatórios do presidente da província*, de 1844 a 1847). Foi também planejada uma estrada que deverá estabelecer ligação direta entre Santos e Mogi das Cruzes, cidade de que falarei em meu relato final e que se acha situada a cerca de 10 léguas a noroeste de S. Paulo (ver os relatórios acima mencionados). Seja qual for o futuro dessas estradas, a que ainda era usada em 1847 para ligar S. Paulo a Santos achava-se, a se acreditar em Mme. Ida Pfeiffer, "em estado lastimável, cheia de buracos, de valas e lamaçais, onde os pobres burros se atolavam até acima dos joelhos" (*Frauenfahrt*, I).

[28] Eschwege, que passou por esse local em fins de 1819, registrou-o como sendo uma paróquia (*Bras.*, II) mas ali ainda não era paróquia em 1839 e provavelmente não o é hoje. O sábio alemão talvez tenha confundido Borda do Campo com uma paróquia situada muito perto dali, dos lados do oeste, a de S. Bernardo, subordinada ao distrito de S. Paulo e cuja localização parece ser a da antiga cidade de Santo André.

[29] "Após o percurso de uma légua a partir do Rio das Pedras", diz F. Varnhagen, "chega-se ao Rio Pequeno e meia légua mais adiante encontra-se o Rio Grande. Os dois logo se reúnem e formam o Rio dos Pinheiros, que se lança do Tietê a 2 léguas de S. Paulo, dos lados do oeste.

se atravessar a planície de Ipiranga, onde o Imperador D. Pedro I proclamou a independência do Brasil, chega-se a São Paulo, após um percurso de cerca de 8 léguas desde o começo do planalto[30].

---

[30] O Rio Pequeno e o Grande são navegáveis para barcos de pequeno tamanho, e o Rio Pinheiro comporta barcos maiores. Sendo o Tietê igualmente navegável nos arredores de S. Paulo, bem como o Tamandataí, um seu afluente, é evidente que se pode ir de barco desde o Rio Pequeno e o Rio Grande até a capital da província. O caminho por terra é, na verdade, bem mais curto, mas a via fluvial já tem sido usada para transportar até S. Paulo objetos muito pesados, tais como canhões e sinos" (*Beobachtungen* in Eschwege, *Journal*, II). Ao mencionar os cursos d'água encontrados no planalto quando se sobe a Serra, Mawe acredita "que todos vêm do sudoeste, achando-se uma grande distância de suas nascentes e que, reunindo-se, formam o grande Rio de *Corrientes*, que se junta ao Rio da Prata" (*Travels*). O trecho de Friederich Vernhagen, que citei mais acima, refuta convincentemente todas essas asserções. Ajuntarei apenas que talvez existam no Brasil propriamente dito alguns pequenos cursos d'água que se chamem *Correntes* ou *Corrente*, mas estou certo de que não há nenhum que tenha o nome de *Corrientes*. Mawe pretendeu, sem dúvida, referir-se ao Paraná, que junta suas águas às do Prata, e na confluência dos quais fica situada a cidade espanhola de Corrientes.

[30] Fernão, Cardim, *Narrativa Epistolar*. – Gaspar da Madre de Deus, *Mem. S. Vicente*. – Fried., Varnhagen, *Beobach.*, in Eschwege, *Journ.*, II. – Eschw., *Bras.*, II. – Pizarro, *Mem. hist.*, VIII. – Daniel P. Müller, *Ensaio*, tabs. 12,14,15,17. – Kidder, *Sketches*. – Milliet e Lopes de Moura, *Dicionário*, II.

Capítulo VIII
VIAGEM DE SÃO PAULO
À CIDADE DE ITU

Descrição da região situada entre S. Paulo e Água Branca. Costume desagradável para os viajantes. Três mudanças notáveis na vegetação num trecho de 19 léguas. O arraial de Pinheiros; sua história. Reflexões sobre os índios. Fazenda de Carapicuva. Sítio de Itaque; seu proprietário; o ofício a que ele e os seus vizinhos se dedicavam. Reflexões sobre o número abusivo de igrejas construídas. As inúmeras paróquias dos arredores de S. Paulo. A propriedade de Potribu; número de negros necessários para o cultivo de cana-de-açúcar. Vegetação de uma região situada no Trópico de Capricórnio, semelhante à que se observa à altura do 14º de lat. sul. Razões por que, num mesmo trecho de terreno, a temperatura muda com muito mais frequência do que na Europa. Chegada a Itu.

No dia 9 de dezembro de 1819 parti de São Paulo com destino ao Rio Grande do Sul. Visitei, inicialmente, Itu. Porto Feliz e Sorocaba, cidades muito próximas umas das outras e pouco distantes da sede da Província.

Itu foi a primeira que visitei. Segundo me disseram, existe um caminho muito melhor do que aquele por onde passei e que aquele por onde passei e que é usado quase que unicamente por tropeiros e tocadores de gado. Mas o meu amigo Joaquim Roberto de Carvalho, a quem eu devia um pequeno itinerário, me havia indicado o caminho mais próximo de sua chácara Água Branca, onde ele fazia questão de me receber de novo[1].

---

[1] Manuel Felizardo de Sousa e Melo, presidente da Província de S. Paulo no ano de 1844, declara, em seu relatório à Assembleia Legislativa dessa província que a *estrada geral* de Itu a S. Paulo é pouco usada pelos tropeiros porque ela dá uma grande volta; além do mais, eles

Entre essa chácara e a cidade de Itu, num trecho de apenas 18 léguas, observei que o aspecto da região e a sua vegetação passavam por três mudanças. Depois de Água Branca o terreno se mostra irregular e os campos agradavelmente entremeados de tufos de árvores de pouca altura e de pastos. Mais adiante a região se torna muito montanhosa, com grandes matas virgens entremeadas de legítimas capoeiras. Finalmente, nos arredores de Itu, voltei a encontrar campos absolutamente iguais aos que eu percorrera em Minas Gerais e Goiás. No decorrer de todas as minhas viagens, não me lembro de ter encontrado em nenhuma outra ocasião um trecho de terreno tão pouco extenso e com diferenças tão grandes na sua vegetação primitiva.

Joaquim Roberto de Carvalho recebeu-me com a mesma amabilidade de sempre. Logo que deixei, porém, não tardei a notar os inconvenientes de um costume que nunca cheguei a compreender e do qual sempre sofri as consequências. Quando me hospedava na casa de algum abastado proprietário, era quase certo que eu passaria fome no dia seguinte, após reiniciar a viagem. Não que o jantar da noite anterior não tivesse sido farto, mas pela manhã, à hora da partida, sempre me serviam apenas café e alguns biscoitos. Não há dúvida de que isso constitui uma refeição demasiadamente frugal para um homem que vai viajar o dia inteiro a cavalo e só voltará a comer à noite. É claro que jamais me atreveria acusar meus hospedeiros de mesquinhez, pois via que os meus acompanhantes eram regalados com uma copiosa refeição, ao passo que a mim era oferecido apenas um simples café, o que talvez representasse uma mostra de consideração para comigo, que eu de bom grado dispensaria. A fim de evitar os inconvenientes desse sistema, acabei por ir participar às escondidas da refeição dos meus acompanhantes, aceitando depois o café como uma agradável sobremesa.

---

preferem passar por *caminhos particulares*. Ele acrescenta que é a sua intenção a conveniência de ser feita uma estrada que se uniria, em linha reta, ao caminho aberto entre Jundiaí e S. Paulo, o qual não passa do esboço de uma nova estrada. Seja como for, aqui vai o itinerário seguido por mim, ao qual junto o cálculo aproximado das distâncias:

De S. Paulo à chácara de Água Branca	¾ de léguas
Dessa chácara a Carapicuva, fazenda	3 léguas
De Carapicuva a Itaque, fazendola	3 léguas
De Itaque a Piedade, paróquia	3 ½ léguas
De Piedade a Potribu, engenho de açúcar	3 léguas
De Potribu ao rancho do Braga	2 léguas
Do rancho a Itu, cidade	3 léguas
	18¼ léguas

Depois de Água Branca tive sempre diante dos olhos, mas um pouco à direita, as elevações da Serra do Jaraguá, que enfeita a paisagem e é composta, como já disse, de uma encantadora mistura de morros cobertos de capim e de pequenas matas. São as Mirtáceas que predominam nestas últimas. Encontram-se também aí a Terebintácea denominada Aroeira *(Schinus terebinthifolius,* Rad.), a composta, tão comum, que é chamada de alecrim-do-campo e a pequena árvore de folhas ternadas nº 1204 *bis*. Extensões consideráveis são cobertas pela barba-de-bode *(Choeturis pallens,* var. *y Nees)* gramínea bastante alta, enquanto que em alguns outeiros cresce um capim ralo e rasteiro. As matas ressoavam com o grito estridente da araponga *(Casmarinchos nudicollis)*, ave que nas províncias do Rio de Janeiro e do Espírito Santo só encontrei nas florestas primitivas.

Durante a jornada passei por numerosos burros carreados de açúcar, que iam de Itu para Santos. Encontrei também uma imensa boiada, que estava sendo levada de Curitiba para a capital do Brasil. Como se vê, a região que eu percorria estava longe de ser deserta. Entretanto, depois do arraial de Pinheiros só encontrei poucas casas e não vi nenhuma plantação.

Foi a cerca de 1/4 de légua da chácara de Joaquim Roberto que passei pelo arraial que acabo de mencionar, uma antiga aldeia habitada outrora por alguns índios da nação dos guaianases[2]. As casas de que se compõe o arraial ficam espalhadas aqui e ali e foram construídas exatamente como as dos luso-brasileiro. Todas, porém, são muito pequenas e mal conservadas, e algumas se acham mesmo inteiramente abandonadas. A igreja é muito bonita externamente, mas também muito pequena;

Não se deve imaginar que ainda hoje os habitantes da aldeia dos Pinheiros pertençam todos à raça americana pura. O arraial já existe há muitos anos. Muito próximos de São Paulo, eles têm contato permanente com os brancos e, principalmente, com os mulatos e os negros. Em consequência, a maioria dos indivíduos que vi, seja à porta das casas, seja pelo caminho, traziam sinais evidentes de sangue mestiço.

---

[2] Machado de Oliveira diz *(Not. Raciocin. in Revista Trimens.*, seg. série, I) que a aldeia dos Pinheiros é também chamada de Carapicuíba, e mais adiante que o seu nome é *Carapimyba*. É bem provável que essa última grafia seja devida ao um erro tipográfico, pois é encontrada unicamente a forma *Carapicuíva* nas *Memórias* do Pe. Gaspar de Madre de Deus; José Arouche de Toledo Rendon escreve *Carapicuíbe*, sem dúvida mais de acordo com a genuína pronúncia indígena do que a registrada pelo Pe. Gaspar. Eu próprio, como veremos em breve, parei numa fazenda chamada Carapicuva, distante 3 léguas de Pinheiros.

É sabido que, quando Anchieta lançou os fundamentos de São Paulo, vários caciques guaianases, atraídos pelas virtudes desse homem venerável, foram engrossar com suas tribos, a escassa população do nascente povoado[3]. Esses índios, entretanto, vendo que os portugueses, a cada dia mais numerosos, se apoderavam de suas terras, abandonaram São Paulo, onde se tinham estabelecido havia muitos anos, e se fixaram (por volta de 1590 em duas aldeias que eles próprios fundaram e a que deram os nomes de Nossa Senhora dos Pinheiros e São Miguel. Alguns anos mais tarde, o lugar-tenente de Lopo de Souza, donatário da Capitania de São Vicente, doou aos habitantes de Pinheiros 6 *léguas em quadra* no distrito de Carapicuiva, e o outro tanto aos habitantes de São Miguel, no distrito de Ururaí[4].

Durante muito tempo os membros da Câmara Municipal de São Paulo ficaram encarregados de administração das aldeias de São Miguel, Nossa Senhora dos Pinheiros, Guarulhos e Barueri. Mas só se lembravam dos índios quando precisavam deles para uma expedição aos sertões ou para levar socorro às províncias do litoral. Os próprios ouvidores foram os primeiros a ordenar que se confiscassem as terras desses infelizes e lhes fosse paga uma taxa de arrendamento por conta da Câmara Municipal. Em época bem recente, o administrador geral das aldeias de São Paulo, Pedro Taques de Almeida, cujo nome merece ser guardado, reclamou

---

[3] Gaspar de Madre de Deus, *Notícia dos anos in Revista trimens.*, II.
[4] Gaspar de Madre de Deus, *Mem. S. Vicente.* – Eis aqui como se exprime um autor a qual devemos preciosas informações sobre os índios de Queluz, Itapeva e Garapuava: "Quando chegaram os invasores, os guaianases não puderam acompanhar as tribos de sua nação que se refugiaram nas matas para escapar à morte e à escravidão. Os que permaneceram no lugar decidiram – cansados de 30 anos de vida nômade e de muitos sofrimentos – ceder afinal à força das circunstâncias, dando demonstração de que desejavam a paz e de que estavam dispostos a se submeter ao tipo de trabalho exigido pelos brancos, mas com a condição de que pudessem viver numa comunidade à parte... Os brancos concordaram. Sabemos que, conforme reza a história, a aldeia de Pinheiros foi fundada em 1560" (Machado de Oliveira, *Not Raciocin.* in *Revist. trim.*, seg. série, I). A esse relato julgo dever preferir o de Gaspar de Madre de Deus, cujas memórias são inteiramente merecedoras de fé e têm por única finalidade, esclarecer os pontos mais obscuros da história de sua pátria. Ninguém desconhece a minuciosa atenção que esse consciencioso beneditino dedicou às suas interessantes pesquisas, nem o seu agudo espírito crítico, o que o torna sem nenhuma dúvida digno de pertencer à sociedade de sábios da qual faz parte. Devo acrescentar aqui que por alguns momentos tive dúvidas quanto à exatidão do nome de Lopo de Souza, que Gaspar de Madre de Deus atribui ao donatário que cedeu terras aos índios de Pinheiros e de S. Miguel, e não me espanto ao ver que, iludidos como eu pela semelhança de nomes e a proximidade das datas, José Arouche de Toledo Rendon e José Joaquim Machado de Oliveira tenham indicado Pero Lopes de Sousa, irmão do ilustre Martim Afonso de Sousa, como sendo o donatário em questão *(Mem. Ald.* in *Revist.*, IV; - *Not. Raciocin.* in *Revista,* seg. série, I). A verdade é que essa informação não é exata, pois Pero Lopes de Sousa desapareceu durante uma viagem, em 1539, sem deixar traços (Gaspar de Madre de Deus, *Mem.*), e a concessão acima mencionada ocorreu em 1580.

contra essa injustiça. Conseguiu ser ouvido pela corte de Lisboa, mas os membros da Câmara procuraram ganhar tempo, não tardando que voltassem a ser arrendadas, como antes, as terras dos índios[5]. Como os paulistas levassem em sua companhia essa pobre gente, nas suas longínquas expedições, as aldeias logo ficaram despovoadas, e os diversos serviços em que se empregavam os seus habitantes, por conta do governo, começaram a se ressentir. Um governador geral do Brasil, julgando ter encontrado uma engenhosa maneira de remediar esse mal, determinou que todos os que se embrenhassem nos sertões à caça de índios teriam de fornecer, à guisa de pagamento, um quinto deles às aldeias do rei. Essa solução não deu bons resultados. Os índios, maltratados pelos brancos e mamelucos, fugiam e se embrenhavam nas matas, e em 1686 não havia na aldeia dos Pinheiros mais do que dezesseis deles, incluindo-se nesse número indivíduos de qualquer idade e sexo. Quando, no início do século passado, as determinações do governo forçaram os paulistas a libertar os seus escravos indígenas, as aldeias começaram a se povoar outra vez. Mas novos maus tratos não tardaram a causar novas deserções. O capitão-geral D. Luís Antônio de Sousa Botelho Mourão, que governava São Paulo em 1766, quis melhorar a sorte das aldeias. Suas intenções eram excelentes, mas ele não conhecia nem a região, nem os índios, nem mesmo, ao que parece, a natureza humana em geral, pois não poderia ter esperado, razoavelmente, encontrar nos administradores que nomeava para as aldeias a perfeição que lhes atribuía. Tendo admitido que as terras indígenas tinham caído totalmente em mãos estranhas e que, entre os intrusos, a maioria nem mesmo pagava o arrendamento das terras, ele pretendeu restituir aos seus legítimos donos os bens que lhes pertenciam. Munido dos documentos de concessão de Pinheiros e de São Miguel, ele ordenou que se medissem as 6 *léguas em quadra* concedidas aos guaianases, primeiros habitantes das duas aldeias. Contra toda a plausibilidade, ele imaginou que a intenção tinha sido de doar aos índios uma superfície quadrada em que cada um dos lados medisse seis léguas. Quando percebeu, porém, depois de feitos os cálculos, que as cidades de São Paulo e Mogi das Cruzes ficariam incluídas nas terras dos indígenas, ele abandonou seu projeto de medição[6]. "Atualmente", escrevia em 1797 o Pe. Gaspar de Madre de Deus, "os infelizes indígenas, descendentes dos antigos donos da região, não possuem quase nada.

---

[5] J. Arouche de Toledo Rendon, *Mem. sobre aldeias da Prov. de S. Paulo* in *Revist. trim de hist. E geogr.*, IV. – J. J. Machado de Oliveira, *Not. Raciocin.* in *Revist. trim. de hist. Geord.*, seg. ser., I.
[6] José Arouche de Toledo Rendon, *Mem. sobre as aldeias*, etc., in *Revista trim.* IV.

Os brancos apossaram-se da maior parte de suas terras, ainda que isso só lhe tivesse sido permitido com a condição expressa de que os indígenas não fossem de forma alguma prejudicados"[7]. Em 1823, consumou-se a ruína total dos indígenas de Pinheiros, a qual provavelmente já tinha começado havia muito tempo, e os intrusos ocuparam todas as terras que tinham pertencido a esses infelizes. Os homens ganhavam a vida fazendo jornadas de trabalho e as mulheres fabricavam vasilhas de barro[8].

Diante de tudo o que foi dito acima, é bem provável que não reste em Pinheiros um único descendente dos antigos guaianases. A população da aldeia renovou-se várias vezes, e várias vezes regrediu. Entretanto, as leis lhes eram favoráveis, e por outro lado, catequizados por Anchieta e seus sucessores, eles não eram certamente mais ignorantes que aqueles paulistas que haviam realizado coisas tão estupendas e não tinham contado, entre eles, com nenhum homem capaz de transmitir para a posteridade o relato de suas façanhas. Seria possível acreditar que, se a aldeia de Pinheiros tivesse sido povoada por alemães, italianos, suecos ou outros europeus, que tivessem contado com as mesmas vantagens dadas aos índios, eles se tivessem deixado oprimir para expoliar como aconteceu aos indígenas? Não, claro que não. Ter-se-iam mostrado iguais aos portugueses, se não superiores a eles. Por que essa diferença? Por que os índios do litoral, tão favorecidos pela lei, se deixam hoje tratar (1819) como o foram outrora os habitantes de Pinheiros? Como é possível que, conforme testemunhei, um espanhol sozinho, ignorante e sem inteligência, tenha podido tiranizar nas missões do Uruguai uma aldeia inteira de indígenas que valiam muito mais do que ele? É que os índios, homens como nós, com um destino igual ao nosso, permanecem eternamente crianças. Como as crianças, eles têm inteligência e vivacidade, como elas, são imprevidentes[9]. Se deixarmos uma criança sem guia e com certa soma em dinheiro numa cidade, ou mesmo num humilde povoado, ela em breve se verá roubada. Nossa sociedade é inteiramente baseada na ideia do futuro, e ninguém poderá sobreviver nela se não levar em conta essa ideia. Um dos nossos mais eruditos e sérios escritores, que não visitou a América mas estudou o assunto, percebeu claramente essa verdade

---

[7] Gaspar de Madre de Deus, *Mem. S. Vicente*.
[8] José Arouche de Toledo Rendon, *Mem. Ald.* in *Revist.*, IV.
[9] Os jovens guaranis que levei comigo para a França não conseguiam entender o que significava a palavra *amanhã*. "É preciso guardar isso para amanhã", diziam-lhes, e eles perguntavam: "Que quer dizer amanhã?" Quando lhes explicavam que o dia seguinte viria depois que eles dormissem, os dois retrucavam: "Ora, então há muitos amanhãs".

quando escreveu: "Apesar das numerosas analogias, não me parece... correto comparar as tribos germânicas que conquistaram a Gália com os selvagens do Novo Mundo, como fez Guizot. Esses selvagens serão passíveis de aperfeiçoamento? Até agora nada parece provar isso... Se os selvagens que se apossaram do Pará, em 1835, tomassem todo o Brasil, nada resultaria disso que se assemelhasse de longe à Idade Média europeia[10]." Os índios têm necessidade de mentores, e é pouco provável que lhes seja restituído o que eles perderam. Mais cedo ou mais tarde eles estão fadados a desaparecer da face da terra.

Todavia, enquanto ainda existirem alguns deles, as autoridades e os homens de bem devem protegê-los, da mesma forma como dão o seu apoio aos órfãos e aos menores. Alguns brasileiros caridosos associaram-se, em várias cidades, e fundaram as Casas de Misericórdia, que já prestaram e ainda vêm prestando grandes serviços. Por que não se associaram a eles, também, com o fim de proteger os índios, criaturas infantis e indefesas e que, no entanto, poderiam tornar-se dignas do seu Criador? O governo provincial de São Paulo merece os maiores elogios por se ter apiedado dos índios de Carapicuiva e Barueri. Durante a visita que o Imperador Pedro II fez a São Paulo, esses infelizes suplicaram-lhe que os protegesse das usurpações dos brancos, e o presidente da Províncias, em 1847, indicou um advogado para defender os seus interesses[11]. Esperemos que este desempenhe sua função com o mesmo zelo demonstrado por Pedro Taques de Almeida e que obtenha os mesmos e satisfatórios resultados.

A pouca distância do Arraial dos Pinheiros passei por uma ponte, recentemente construída sobre um pequeno rio que tem o mesmo nome do arraial e que vai desaguar no Tietê, Após uma caminhada de 3 léguas, parei na Fazenda de Carapicuva, uma das que na região são chamadas *fazendas de criar*, por se dedicaram à criação de gado. Via-se em Carapicuva apenas uma habitação muito modesta e mal conservada, mas parece que as terras da propriedade eram muito extensas. Encravado nelas havia um lugarejo habitado por índios, que pertencia à paróquia de Pinheiros[12]

---

[10] Ampère, *Hist. De la Littérature de la France avant le XIIe siècle*, I.
[11] Discurso recitado pelo presidente Manuel da Fonseca Lima e Silva no dia 7 de janeiro de 1847. – O advogado dos índios de Carapicuíba, e também seu mentor, nomeado em 1846, é Joaquim Antonio Pinto Junior. Mais ou menos na mesma época foi nomeado diretor geral dos índios da província o coronel José Joaquim Machado de Oliveira, cujas ideias filantrópicas dão margem a grandes esperanças com relação à sorte desses infelizes.
[12] Foram os próprios habitantes do lugar que me informaram que o Arraial de Pinheiros formava uma paróquia, sendo registrado como tal no excelente mapa intitulado *Carta topográfica*

e constituía talvez os restos de uma antiga aldeia que os índios tinham formado ali. O proprietário de Carapicuva queixava-se amargamente de que os seus vizinhos lhe roubavam os animais. A ideia da propriedade alheia é, como já declarei no relato de minha viagem às missões do Uruguai, uma das que os índios encontram mais dificuldades em compreender, e não será, evidentemente, pelo exemplo dado pelos brancos, usurpadores de suas terras, que se essa dificuldade poderá ser superada por eles.

Em Carapicuva e em todas as fazendas de criação de gado, nos arredores de São Paulo, o sal só é dado uma vez por mês às vacas e éguas.

As vacas começam a dar cria desde agosto até janeiro, mas os bezerros que nascem nesse último mês são pouco vigorosos e muitas vezes não chegam a ser criados. As vacas são deixadas no pasto, na hora de parir, depois os bezerros são trazidos e encerrados no curral e só se reúnem às suas mães pela manhã e à noite – uma prática que é adotada também em São João del Rei e em vários outros lugares[13].

As éguas são dividas em lotes de vinte e cinco cada um, aproximadamente, e, como no sertão de Minas[14], é posto à frente de cada lote um garanhão, que é chamado de pastor. É o pastor que escolhe por si mesmo as suas fêmeas, não permitindo que outros cavalos se aproximem delas. As éguas começam a parir em julho. As mães e as suas crias são colocadas num pasto fechado, sendo os filhotes examinados frequentemente, a fim de evitar que se criem vermes na cicatriz umbilical. Para esse fim é usado o mercúrio-doce.

Entre Carapicuva e o Sítio de Itaque, onde dormi, o caminho passa quase sempre por pontos elevados, de onde se descortina uma vista muito agradável. As variadas ondulações do terreno, a mistura de capoeiras e pastos, a que já me referi várias vezes, as pedreiras, o Tietê que serpenteia no fundo do vale, algumas casinhas aqui e acolá, a capela de Bariri – todo esse conjunto, observado de diversos pontos, apresenta vistas encantadoras. Nesse dia atravessei a vau dois grandes cursos d'água que vão desaguar no Tietê – o Ribeirão da Cutia e o Ribeirão de Beriri ou Varueri[15], cujos nomes são os mesmos de duas igrejas das vizinhanças.

---

da Província de S. Paulo, publicado no Rio de Janeiro em 1847. Devo declarar, porém, que D. Pedro Müller não o inclui absolutamente entre as paróquias da província, não fazendo mesmo a ele nenhuma menção.

[13] *Viagem às Nascentes do Rio S. Francisco.*
[14] *Viagem pelas Províncias do Rio de Janeiro e de Minas Gerais.*
[15] Segundo Francisco José de Lacerda e Almeida *Barueri ou Bryriy* significa *rio da planta chamada baryry, que tem flores vermelhas e sementes pretas* (*Diário de viagem*).

Toda a região que eu percorria então tinha sido outrora habitada por numerosos índios. Nós os dizimamos, e os nomes dados por eles às suas moradas são o único traço deixado por eles sobre a terra. É dessa maneira que o fogo, à medida que avança, faz desaparecer a relva das savanas. Nossa raça perversa não emprega a sua superioridade sobre as outras raças senão para oprimi-las. Reduzimos os africanos à escravidão, e dentro de poucos anos nada mais restará da raça americana a não ser remotas lembranças.

O Sítio de Itaque[16], onde parei, fica situado à beira de um ribeirão do outro lado do qual se ergue um pequeno morro que, à época de minha viagem, se achava coberto em parte por um milharal e em parte por uma mata virgem. Junto à casa do proprietário via-se uma capela de consideráveis dimensões.

Esse homem, camponês de sangue mestiço, veio conversar comigo enquanto eu trabalhava. Ele me encheu de perguntas bastante tolas, na sua maioria, e notei que evitava responder às que eu lhe fazia sobre a região. Perguntei-lhe várias vezes quanto rendia o milho e ele acabou por mencionar uma quantia tão irrisória que achei difícil lhe dar crédito, e no mesmo instante começou a enumerar os impostos que pagava e os serviços que prestava ao governo. Provavelmente imaginou que eu estava encarregado de fazer algum levantamento do qual iria resultar um aumento dos impostos.

Esse bom sujeito, e vários igualmente pouco abastados, não possuíam senão pastos e plantavam unicamente para o sustento de suas famílias. Compravam burros e os deixavam nos pastos, alugando-os aos proprietários dos engenhos-de-açúcar e encarregando-se eles próprios do transporte do produto. Parece que nunca houve queixa quanto à honestidade dos que se dedicam a esse tipo de trabalho.

Foi a mãe do proprietário de Itaque que, embora de poucos recursos, tinha mandado construir a capela ao lado da modesta casa e à qual já me referi. Essa mulher, desejando garantir na medida de suas posses a manutenção da capela, tinha legado um pasto, ao morrer, com essa finalidade. Nessa época, construir igrejas era uma obra que todos consideravam um dos mais altos preitos a Deus e tinha precedência sobre todas as outras[17]. Parece que hoje não podemos censurar os brasileiros por exageros desse tipo, e esperemos que eles jamais negligenciem o que é indispensável e

---

[16] Do guarani *Itaqui*, pedra de amolar.
[17] Ver meus relatos precedentes.

substituam o que os seus antepassados faziam desnecessariamente por atos de caridade que nem sempre ocorriam a estes.

É depois de Itaque que a região se torna bastante montanhosa e a vegetação muda inteiramente de aspecto, como já disse mais acima. A mistura de pastos e capões, que torna tão agradável as paisagens nos arredores de São Paulo, desaparece completamente, e só se veem densas e altas florestas, que ressoam com o canto da araponga e onde os macacos uivadores soltam os seus gritos surdos que lembram o escachoar das águas. Nos pontos onde as matas foram cortadas, as capoeiras tomaram o seu lugar, mas em nenhuma parte elas são entremeadas de pastos.

Três léguas e meia após deixar Itaque parei numa venda situada no outeiro. Todos os morros vizinhos tinham sido despojados das grandes matas que o cobriam outrora, mas as capoeiras que as substituíram não enfeiam a paisagem. Numa baixada, aos pés da venda, vê-se uma pequena igreja, à volta da qual se agrupam algumas casinhas. É a Igreja da Piedade, ou de Nossa S. da Piedade[18], paróquia à qual estão subordinados vários sítios espalhados pelas redondezas.

Como já tive ocasião de dizer, há uma multiplicidade de paróquias na região, muitas vezes compostas apenas de um punhado de pequenas propriedades espalhadas pelos arredores. Logo que deixei São Paulo, passei inicialmente pela de Pinheiros. Itaque é subordinado à paróquia de Cutia, ou Nossa Senhora de Montserrat de Cutia, e a pouca distância desta passei pela de Piedade. A paróquia de Cutia pertence ao termo de São Paulo, e a da Piedade ao distrito da cidadezinha de Paranaíba[19].

---

[18] Pedro Müller diz que "o distrito de Paranaíva inclui a paróquia de *Arassariguama*", acrescentando mais adiante que no mesmo distrito está situada "a capela de N. S. da Piedade de Arassariguama" *(Ensaio)*. Será essa capela a igrejinha que eu vi, e nesse caso seria outra a igreja paroquial de Arassariguama? Ou a igreja que conheço é a verdadeira paróquia de Arassariguama, consagrada a N. S. da Piedade? Achei mais certo registrar o que me foi informado pelos próprios habitantes do lugar, mas não quis deixar de mencionar as dúvidas que poderá suscitar o *Ensaio Estatístico* (p. 38).

[19] A cidade de Paranaíva, que também é chamada de *Paranaíba* ou *Parnaíba*, é uma das mais antigas da Província de S. Paulo, já que foi fundada em 1625 por Monsanto, que tinha o título de donatário. Existe nela uma igreja paroquial consagrada a Santa Ana e um pequeno convento de beneditinos, já quase em ruínas. Seu distrito, que confina com os de S. Paulo, Jundiaí, S. Roque e Itu, produz principalmente café, cana-de-açúcar, milho e algodão; cria-se gado em suas terras, e seus pastos alimentam um grande número de burros, empregados no transporte dos produtos da região. Em 1823 Pizzaro registrou 6.559 indivíduos somente na paróquia de Paranaíva, ao passo que em 1838 Müller registrou apenas 4.196 em todo o distrito, que incluía duas paróquias. Se ambos esses cálculos são exatos, forçoso é admitir que houve na população uma queda difícil de explicar (Pizzaro, *Mem. hist.,* VIII; Müller, *Ensaio,* tab. 5).

É em Piedade que começa, naquelas bandas, a região dos engenhos de açúcar, sobre os quais já falei pormenorizadamente[20].

Num trecho de 6 léguas entre Piedade e o Rancho do Braga, o caminho, quase sempre íngreme e difícil, continua a atravessar terras montanhosas e cheias de matas. De tempos em tempos eu avistava o Tietê, mas depois o perdi de vista. Voltei a encontrá-lo, porém, após ter percorrido uma certa distância, um pouco além de uma propriedade denominada Potribu[21], onde ele flui entre morros. As matas se estendem até à sua borda e as águas me pareceram ali quase negras. Por algum tempo caminhamos paralelamente ao seu leito, e o rio ora se deixava ver, ora ficava oculto por trás das árvores. Não obstante, o murmúrio de suas águas escoando-se por entre as pedras indica ao viajante a sua presença.

A pouca distância de Potribu o caminho que passa por um morro alto (Morro do Potribu), de onde se descortina uma vista bastante ampla. O cume do morro é árido, vendo-se apenas um mato rasteiro e subarbustos, ao contrário das terras ao redor, que são cobertas de matas virgens. É em lugares como esse que se encontra, geralmente, uma grande variedade de plantas, como pude verificar inúmeras vezes em Minas, mas a chuva que caía me impediu de parar ali.

Impediu-me também de continuar a viagem, obrigando-me a ficar em Portribu, onde me instalei no galpão do engenho de açúcar. Seu proprietário me afirmou que nas terras da região o milho rende na proporção de 300 por 1. Segundo ele, a cana ali, à semelhança do que ocorre nos arredores de Campinas, produz durante três anos consecutivos. Em seguia deixa-se a terra descansar. Ao cabo de três ou quatro anos as capoeiras já se tornam bastante grandes para serem cortadas, quando então são substituídas por novas plantações de cana. Ele acrescentou que no ano anterior tinha obtido, empregando sete escravos no trabalho, 1.000 arrobas de açúcar. É evidente, porém, que os seus escravos não se ocupavam de outra coisa senão do cultivo da cana e do seu beneficiamento; no entanto, como já tive ocasião de dizer, calculava-se que nessa época, para se obterem 1.000 arrobas de açúcar, seriam necessários pelo menos dez escravos, os quais, na verdade, podiam ainda cultivar milho, feijão e arroz em quantidade suficiente para o consumo da família.

---

[20] Ver mais acima.
[21] Potribu é uma palavra híbrida, composta do português *potro* e do indígena *ibi*, terra. Seria *terra dos potros*?

Nas proximidades de Potribu as casas se tornam bastantes frequentes, mas são mal conservadas e de aparência muito modesta. A propriedade do Potribu era subordinada à paróquia da Piedade.

No dia em que dormi ali eu tinha percorrido apenas 3 léguas, e no dia seguinte não consegui fazer um percurso maior. Parei num rancho situado em ponto elevado, de paredes de barro e coberto de telhas, denominado Rancho do Braga. Esse abrigo estava entre os que haviam sido construídos às expensas da fazenda real e era designados pelo nome de ranchos *del-Rei*[22].

O Rancho do Braga fica situado na zona de jurisdição da paróquia de Itu. As terras da paróquia começam um pouco antes de Pau d'Alho, um engenho-de-açúcar de razoáveis proporções localizado a cerca de uma légua de Potribu.

Eu já disse que entre São Paulo e Itu a vegetação se modifica três vezes, tanto no seu aspecto como na sua natureza. Foi um pouco depois do Rancho do Braga que vi operar-se a terceira mudança. As terras se tornam mais planas, o solo menos fértil. Eu entrava na região dos campos. Em seu conjunto, a vegetação me pareceu a mesma encontrada na maioria das regiões descampadas que eu havia percorrido por longo tempo em Goiás e Minas Gerais[23]. Veem-se sempre as mesmas árvores baixas e muito juntas ao meio dos subarbustos e do capinzal. Notei, entre outras, uma Gutífera muito comum nos campos do São Francisco, alguns pequizeiros *(Carvocar brasiliense,* Aug. S. Hil., Juss., Camb.), alguns exemplares de *Qualea*, entre elas as de nº 1422, numa Leguminosa e até mesmo alguns exemplares de *Brosimum*.

A princípio poderia parecer extraordinário que, achando-me eu no Trópico de Capricórnio, encontrasse ali quase as mesmas plantas que vi à altura do 14º de lat. Mas não devemos esquecer que a vegetação costuma repetir-se, mesmo em pontos distantes, seja no sentido dos meridianos seja nos paralelos, quando as condições locais são propícias a isso. A *Betula nana* cresce tanto no Broiker como na Lapônia, e algumas espécies marítimas vicejam em Auvergne, à beira das fontes da água mineral. Nos campos do norte de Minas e do sul de Goiás, entremeados de árvores mirradas, o calor se faz sentir fortemente, e o terreno é ondulado e menos fértil do que nas matas virgens. Os campos ao redor de Itu

---

[22] Ver mais acima. Parece que, de acordo com o relatório de um dos presidentes de S. Paulo, o cuidado com esses ranchos não foi negligenciado pelo governo provincial.

[23] *Viagem pelas Províncias do Rio de Janeiro e de Minas Gerais; Viagem à Província de Goiás.*

também são apenas ondulados, o solo é extremamente arenoso, e durante toda a jornada do dia 15 de dezembro senti ali um calor sufocante, tendo o termômetro de Réaumur marcado 14° às seis horas da manhã (17,5° centígrados).

Itu, Campinas e Santos são considerados os lugares mais quentes dos arredores de São Paulo, e eu próprio pude verificar, em relação às duas primeiras cidades, que essa fama não é sem fundamento. Muito mais elevada do que Santos, e até mesmo do que Itu e Campinas, como prova a direção do Tietê, a Capital da Província deve naturalmente usufruir de um clima mais temperado do que o dessas três cidades. Mesmo fazendo abstração do distrito onde existem montanhas elevadas, parece-me que em geral, na região, a temperatura sofre variações mais acentuadas, entre pontos situados a curta distância um do outro, do que nas regiões planas ou quase planas da Europa. Isso se deve, sem dúvida, às desigualdades do terreno, à diferença entre as matas e o campo, e enfim às diferenças do solo, que devem ser bem mais pronunciadas, num lugar ainda que virgem, do que nas regiões onde longos anos de cultivo da terra modificaram a natureza do solo e lhe deram uma certa uniformidade.

Antes de chegar a Itu eu havia dado ordem a José Mariano para seguir na frente e apresentar minha *portaria* ao capitão-mor, para que ele fizesse a gentileza de me arranjar um alojamento. Ao fim de pouco tempo o meu mensageiro voltou, dizendo que havia sido muito bem recebido e que já havia uma casa à minha espera. Tão logo minha bagagem foi descarregada, recebi a visita de um capitão da Guarda Nacional, enviado pelo capitão-mor para me apresentar os seus cumprimentos e indagar se eu precisava de alguma coisa. Depois de ter analisado as plantas que havia recolhido durante a jornada, saí em companhia do capitão para dar um passeio pela cidade e ver o que havia de interessante nela.

Aproveitei também para fazer uma visita ao capitão-mor, que me recebeu com uma cortesia exagerada, já há muito tempo em desuso no norte da Europa, mas que os portugueses ainda insistem em conservar. O ouvidor da comarca, a quem também visitei, recebeu-me com grandes mostras de consideração, e quando voltei a encontrá-lo mais tarde, em Sorocaba, ele me cumulou de gentilezas.

Capítulo IX
A CIDADE DE ITU. A CIDADE DE PORTO FELIZ. A NAVEGAÇÃO DO RIO TIETÊ

História da cidade de Itu. A população da comarca de que ela é sede. A população de seu distrito. Descrição da cidade; suas ruas, casas, igrejas, conventos, Câmara Municipal, hospital e lojas; local onde se vendem os mantimentos. Produtos dos arredores de Itu; engenhos de açúcar. A cachoeira. Venda de Caracatinga; mestiços. A seca. Descrição da cidade de Porto Feliz; sua localização, suas ruas, suas casas e sua igreja. Rota de Porto Feliz e Cuiabá por via fluvial; o caminho atual. O porto da cidade. Os engenhos de açúcar nos seus arredores. A população do seu distrito.

Itu, que é considerada uma das mais antigas e importantes cidades da Província fica situada às margens do Ribeirão de Caracatinga[1], a 18 léguas de São Paulo, 1 do Tietê, 5 de Porto Feliz, a 23°28 graus de lat. sul e a 330°25'10" do primeiro meridiano da Ilha do Ferro[2].

A palavra Itu, tirada da língua indígena, significa *cachoeira*, e foi dada originariamente à cidade por causa de uma notável queda d'água que o Tietê forma nas suas proximidades[3]. Antes mesmo que os europeus

---
[1] A palavra *Caracatinga* indica uma espécie de *cará* (o *inhame* dos colonos franceses, a *Dioscorea* dos botânicos). Müller escreve *Caiacatinga*.
[2] Essas posições anotadas por Pizarro parecem ter sido determinadas pelos padres da Companhia de Jesus *(Mem. hist.,* VIII). Há, entretanto, uma certa diferença em relação à latitude de 23°27'2", indicada por Eschwege e estabelecida, segundo ele, pelos jesuítas Diogo Soares e Domingos Capaci, sobre os quais já falei em outro relato *(Viagem à Província de Goiás).*
[3] Escreve-se indiscriminadamente *Itu, Hytu, Ytu* e *Yg-tu.* É Itu que deve ser a grafia certa, se se acompanhar a pronúncia atual. Mas tentou-se uma aproximação com a etimologia indígena,

tomassem posse da Ilha de São Vicente, o local onde hoje se ergue a cidade de Itu já era ocupado por uma tribo de índios guaianases. Esses índios estavam entre os que acorreram em defesa da região (1530) quando ficaram sabendo que Martim Afonso de Sousa queria apoderar-se dela. Verificando, porém, que o chefe de todas as tribos guaianases, o grande cacique Tebyreça (Tibiriçá), tinha feito aliança com o capitão português, eles bateram em retirada[4]. Mais tarde, atraídos pelo amor que Anchieta e os outros padres dedicavam aos membros de sua raça, os índios de Itu, comandados por seu cacique, reuniram-se à colônia que os jesuítas tinham fundado com o nome de São Paulo de Piratininga. Foi provavelmente nessa época que alguns europeus ou mamelucos começaram a se fixar em Itu. Os primitivos habitantes do lugar acabaram por ser dizimados ou dispersados, e a partir de 1654 a antiga aldeia transformou-se num povoado português[5]. Em 1811, Itu passou a capital de uma comarca que compreendia Mogi Mirim, Campinas, Porto Feliz, Sorocaba, Itapeva,

---

o que criou necessariamente uma certa dificuldade, uma vez que a pronúncia da palavra primitiva não encontra correspondente na língua portuguesa. No termo *yg*, água, e em todas as palavras onde há um som semelhante, "esse som", diz o Pe. Araújo, "se forma na garganta dobrando-se a língua com a ponta virada para baixo e empurrando o ar para a frente de maneira a formar um som intermediário ente as vogais *i* e *u*, que não é nem um nem outra e parece englobar as duas" *(Advertências* in *Dic. port. E bras., iii)*. Essa pronúncia, que se assemelha em parte à sílaba *ig* dos alemães, foi no princípio representada graficamente por um *i* entre dois pontos, um em cima, outro em baixo; por sua vez, o Pe. Ruiz de Montoya usou, para representá-la, um *i* encimado pelo sinal que indica, em latim, os breves *(ĭ)*; mas, de acordo com as regras bem justificadas do Pe. Araújo, o certo seria escrever *y* para água e *ytu* para cascata, se os luso-brasileiros já não tivessem consagrado há muito tempo a sílaba *y* para indicar água, rio. Por exemplo, *Jundiahy, Jacaréhy, Apiahy,* etc. Uma vez que admitimos o *hy* nessas palavras, é bem claro que, para sermos coerentes, devemos escrever *Hytu*, pois ninguém, evidentemente, irá pretender que a grafia de uma palavra deva variar, em seus compostos, conforme ela se situe no começo ou no fim deles. A palavra alemã *milch*, leite, por exemplo, escreve-se da mesma maneira em *milch-brau*, leiteira, e *buttemilch*, manteiga. Não se deve pensar, entretanto, que em todos os nomes próprios terminados por *i* atualmente estejam implícitas as palavras água e rio, e que esse som deva ser sempre representado por *hy*. Sem falar nos verbos, a letra *i* no final dos substantivos modifica o seu sentido e parece ser um diminutivo, como mostram os exemplos dados pelo Pe. Luís Figueira *(Arte da gramática da língua geral,* 4ª. ed.): *comandá*, fava; *comandaí*, favinha; *pitanga*, criança; *pitangaí*, criancinha. Não teríamos nenhuma dúvida sobre essas etimologias se os portugueses, ao adotarem as palavras indígenas, tivessem tido o cuidado de ressaltá-las de acordo com as regras adotadas pelos jesuítas; mas como não foi isso o que aconteceu, é impossível que não escapem alguns erros hoje, mesmo aos mais atentos etimologistas. De tudo isso creio devermos concluir, entretanto, que a palavra *Pitangui*, nome de uma cidade de Minas, não quer dizer *rio das crianças* e sim *criancinha*.

[4] Gaspar da Madre de Deus, *Notícia*, etc., in *Revist. trim.* II.
[5] Essa data foi ao mesmo tempo indicada por Pizzaro, Spix e Martius, e Daniel P. Müller. Se o *Dicionário geográfico do Brasil* registra o ano de 1584, isso talvez seja devido a um erro de impressão.

Itapitinga e Apiaí. Com a nova divisão da Província de São Paulo em seis comarcas (1833), Itu tornou-se sede da quarta. A assembleia provincial elevou-se a cidade e o Imperador D. Pedro I deu-lhe o título de *fidelíssima*[6]. Em 1839, a quarta comarca compreendia, além de usa capital, nove cidades: Porto Feliz, Sorocaba, Itapeva, Itapetininga, Apiaí, Capivari, Constituição, Araraquara e São Roque – as quatro últimas criadas recentemente[7]. A partir dessa época, outros arraiais foram elevados a cidade, e às que já mencionamos devemos acrescentar Pirapora, Limeira, São João do Ribeirão Claro e Tatuí, o que totaliza 13 cidades e 27 paróquias[8]. Faz longos anos que a história de Itu nada tem para oferecer que seja digno de menção. Não obstante, podemos dizer que, apesar de seu título de fidelíssima, a cidade foi uma das primeiras a tomar parte na revolta de 17 de maio de 1842 contra o governo central, a qual, entretanto, foi facilmente dominada pelos partidários deste[9]

À época em que a Província de São Paulo contava apenas com três comarcas, a população de Itu, de acordo com a tabela fornecida a Eschwege pelo Conde da Barca, ministro de Estado, e relativa ao ano de 1813, era a seguinte[10]:

Brancos

Homens	12.795		
Mulheres	13.725	Subtotal	26.520

Mulatos livres

Homens	5.641		
Mulheres	5.162	Subtotal	10.803

Negros livres

Homens	336		
Mulheres	336	Subtotal	672

---

[6] Mill. e Lopes de Moura, *Dic.*, I.
[7] Daniel P. Müller, *Ensaio estatístico*.
[8] *Mapa topográfico da Província de S. Paulo*, 184.
[9] *Discurso recitado pelo presidente José Carlos pereira d'Almeida Torres em janeiro de 1843*.
[10] *Journ. von Bras.*, II, tab. 1.

Mulatos escravos

Homens	974		
Mulheres	968	Subtotal	1.915

Negros escravos

Homens	6.266		
Mulheres	4.196	Subtotal	10.462
		Total	50.372

Em 1839, depois que foram desmembrados os distritos de Campinas e Mogi Mirim da comarca de Itu, o número de seus habitantes passou a ser distribuído da seguinte maneira:

Brancos

Homens	18.943		
Mulheres	19.778	Subtotal	38.721

Mulatos livres

Homens	5.411		
Mulheres	6.142	Subtotal	11.553

Negros livres

Nativos do Brasil (homens)	667		
Nativos do Brasil (mulheres)	670	1.337	
Negros africanos	108		
Negras africanas	77	185	
		Subtotal	1.552

Mulatos escravos

Homens 958
Mulheres .... 1.052   Subtotal 2.010

Negros escravos

Nativos do Brasil
(homens) 4.053

Nativos do Brasil
(mulheres) 3.976   8.029

Africanos
(homens) 7.358

Africanos
(mulheres) 4.246   11.604

Subtotal 19.633

Índios 14

Total..............................73.453[11]

O estudo comparativo desses dois quadros dará margem a algumas considerações curiosas, que faremos a seguir. 1) Apesar do desmembramento dos distritos de Campinas e Mogi Mirim, a população da comarca de Itu aumentou cerca de 50 por cento em vinte e cinco anos, e como o número dos habitantes desses distritos se elevava, em 1838, a 12.574, é evidente que, se não tivesse havido o desmembramento, o aumento teria

---
[11] Müller, *Ensaio, cont. do ap. a tab. 5.*

sido de aproximadamente sete décimos. A média anual para a comarca de Itu, seria, pois – contando-se os distritos de Mogi Mirim e Campinas – 14.265 ou, se preferirmos, 1/35 do número primitivo. Em consequência, se admitirmos hipoteticamente a inexistência absoluta de quaisquer causas perturbadores, trinta e cinco anos seriam suficientes para que a população dobrasse, mesmo que o aumento não se efetuasse em progressão ascendente, como ocorreu. Na França, pelo contrário, seriam necessários pelo menos cento e trinta e nove anos para que a população dobrasse em relação ao que era em 1846, tomando-se como base o aumento havido nesse ano[12]. Em consequência, o aumento da população francesa seria, em relação à comarca de Itu, de 1 para 3,97[13]. 2) em 1813, o número de indivíduos livres era de 3 para 1 em relação ao de escravos, e em 1838 essa proporção era de 2,38 para 1, o que se deve ao incremento do cultivo da cana-de-açúcar, em que são empregados muitos escravos. 3) Assim como na França, o número de homens, na comarca de Itu, é inferior ao de mulheres. Parece, entretanto, que esse número tende a igualar-se, como ocorre em nosso país[14], pois a diferença já é bem menor em 1838 do que em 1813. É evidente que se trata aí apenas de brancos de ambos os sexos, pois as alforrias, as importações de escravos, a maior necessidade de escravos do sexo masculino e as modificações nos costumes produzem grandes alterações na população das outras raças. 4) O número de mulatos livres de ambos os sexos não sofreu nem de longe o mesmo aumento que o dos brancos. Os primeiros são geralmente pobres e, em consequência, casam-se muito menos do que os homens de nossa raça; os homens se empregam muitas vezes como *camaradas* e viajam para longe acompanhando as tropas de burros, e um grande número de mulheres se entra à prostituição. Terminando estas observações, quero deixar claro que os mestiços de brancos e índios, muito numerosos nas regiões setentrionais da Província de São Paulo, são considerados ali como brancos de raça pura[15] e confundidos, em todos os recenseamentos

---

[12] *Annuaire long.*, 1846.
[13] Lê-se na *Carta topográfica de S. Paulo*, publicada no Rio de Janeiro em 1847, que a população da comarca de Itu se eleva hoje a mais de 100.000 indivíduos. Se essa cifra for exata, a realidade estará ainda muito além do cálculo que acabo de fazer aqui, pois apesar do desmembramento dos distritos de Campinas e de Mogi Mirim o número de habitantes da comarca de Itu teria dobrado em trinta e cinco anos.
[14] *Annuaire long.*, 1846.
[15] Há alguns índios", diz José Arouche de Toledo Rendon, "que são considerados brancos, porque vários cruzamentos fizeram esquecer a sua origem. Assim são muitas famílias novas de *curta genealogia" (Memória sobre as aldeias*, etc., in *Revista trim.*, vol IV).

da população, com os brancos legítimos, dos quais, na verdade, nem sempre é fácil distinguí-los.

Para a população do distrito de Itu, separado de todos os outros que formam a comarca inteira, dispomos dos seguintes dados:

1815

Brancos de ambos os sexos 3.076		
Mulatos livres de ambos os sexos........ 621		
Negros livres de ambos os sexos.......... 139	3.836 indivíduos livres
Mulatos escravos de ambos os sexos .. 287		
Negros escravos de ambos os sexos 2.914	3.201 escravos
Total	7.037 indivíduos

1838

Brancos de ambos os sexos 4.966		
Mulatos livres de ambos os sexos 1.055		
Negros livres de ambos os sexos 511	6.532 indivíduos livres
Mulatos escravos de ambos os sexos 199		
Negros escravos de ambos os sexos 4.510		
Índios 5	4.714 escravos
Total	11.246 indivíduos[16]

Basta compararmos esses dois quadros com os que mostram os dados relativos à população da comarca inteira para verificarmos que o distrito de Itu é um dos que contam com um maior número de engenhos

---

[16] Esses dois quadros foram extraídos, o primeiro do quadro geral de Spix e Martius relativo a 1815 *(Reise,* I) e o segundo, do trabalho de Daniel P. Müller, *Ensaio Estatístico, cont. do ap. a tab. 5.*

de açúcar. Sabemos, com efeito, que é principalmente nesse tipo de trabalho que se empregam os escravos negros. Guardadas as devidas proporções, encontramos um maior número deles no distrito de Itu, tomado separadamente, do que em todos os outros distritos reunidos. Essa conclusão, tirada *a priori,* está perfeitamente de acordo com a verdade, pois em 1839 havia noventa e oito engenhos de açúcar só no distrito de Itu. Constituição, que vinha em segundo lugar, possuía apenas setenta e oito, Araraquara tinha apenas um e São Roque não contava com nenhum.

À época de minha viagem e mesmo no final de 1820[17], o distrito de Itu possuía apenas uma paróquia, a da própria cidade. Em 1838 já haviam sido criadas mais três, as de Cabriúva, Indaiatuba e Capivari de Cima[18]. Finalmente, depois dessa época foi criada mais outra, a de Água Choca[19].

Apresentei acima, pelo menos de uma forma aproximada, os dados sobre a população da comarca de Itu e a do distrito de que essa cidade é sede. Todavia, será muito mais difícil indicar de uma maneira precisa a população da cidade propriamente dita. Com efeito, ocorre com Itu o mesmo que acontece com vários arraiais e cidadezinhas de Goiás e Minas Gerais[20], onde a maioria de suas casas pertence a senhores-de-engenho que só vão ali aos domingos, para a missa, e não sei até que ponto eles podem ser incluídos entre os seus habitantes. Quanto à população permanente, composta em sua maioria de comerciantes e trabalhadores, ela não passava em 1819 de 1.000 ou 1.200 indivíduos[21].

A região que circunda a cidade de Itu é ondulada, e provavelmente foi coberta de matas virgens em outros tempos. Hoje veem-se ali apenas capoeiras e árvores de pequena altura. Quanto ao local onde foi construída a cidade, sua topografia é apenas ligeiramente acidentada. A cidade é comprida e estreita, sendo composta de algumas ruas paralelas, de pouca

---

[17] Eschwege, *Journ. von. Brasilien,* I.
[18] Daniel P. Müller, *Ensaio Estatístico,* tab. 18.
[19] Foi na carta intitulada *Carta tipográfica da Província de São Paulo, 1847,* que encontrei essa última indicação. Müller diz que a paróquia de Capivari de Cima tinha também, em 1838, o nome de Água Choca; esses dois nomes lhe foram dados, evidentemente, porque nessa época ela compreendia dois arraiais; mas se a carta citada acima for correta, e não tenho nenhuma razão para não acreditar que seja, cada um desses dois povoados foi mais tarde transformado numa paróquia.
[20] Ver meus relatos precedentes.
[21] Lê-se, no *Dicionário geográfico do Brasil,* II, que a população de Itu se eleva a mais de 10.000 habitantes. É evidente, porém, que esse cálculo se refere ao distrito todo inteiro.

largura mas bem traçadas, e uma série de ruas transversais, geralmente estreitas e margeadas de muros. Nas ruas principais, a calçada defronte das casas é pavimentada com mosaicos de pedra lisa e dura. Nas outras não há pavimentação, e os pés dos passantes afundam na areia. As casas são caiadas e em sua maioria feitas de taipa; algumas, que podem ser consideradas quase bonitas, têm outro pavimento além do térreo, mas em sua maior parte são pequenas, baixas e feias. Todas têm um quintal mais ou menos grande, onde se veem as árvores que os habitantes de Minas têm costume de plantar em seus terrenos[22].

Há em Itu várias praças pequenas, mas a praça onde se localiza a igreja paroquial é a única que merece menção.

Essa igreja, dedicada a Nossa S. da Candelária, ocupa um dos lados da praça, que é retangular. A igreja é muito limpa e bem conservada, e ornamentada com muito bom gosto – um templo digno do culto a que é destinado. Deve ter cerca de 57 passos de comprimento desde a capela-mor até a porta de entrada[23]. De cada lado da nave há dois altares, havendo ainda mais dois outros, colocados obliquamente, segundo os usos, à entrada da capela-mor. Estes dois últimos e o da própria capela são ladeados por colunas toscas muito bem feitas e caprichosamente douradas. As pinturas do teto da capela-mor mostram que o seu autor era dotado de um talento natural, que precisava apenas de um pouco de estudo para se tornar um verdadeiro artista. Não podemos deixar de lamentar que uma igreja tão bela como a da Candelária não possua um campanário, que o lugar onde foi construída não faça inteiramente jus a ela e que a sua nave não tenha forro no teto.

Além da igreja paroquial, Itu possui ainda mais oito templos consagrados ao serviço divino. Os principais são a Igreja dos Carmelitas, de que falarei em breve, e a de Nossa Senhora do Patrocínio.

Esta última talvez seja a mais bonita de todas. À época de minha viagem ela acabava de ser ornamentada, e com muito bom-gosto. Tudo

---

[22] Ver meus relatos precedentes.
[23] Eis aqui o que digo em outro relato sobre a *capela-mor*: "Nenhuma igreja tem naves laterais. O santuário não é um prolongamento do corpo da igreja, como em nosso país, e sim, como indica a denominação portuguesa de *capela-mor*, uma verdadeira capela distinta da nave, menos elevada e sobretudo mais estreita do que ela. Para ocultar os ângulos que resultam naturalmente dos dois lados, em consequência da diferença de largura entre a nave e a capela, são armados dois altares à direita e à esquerda" (*Viagem pelas Províncias do Rio de Janeiro e de Minas Gerais*, VII). Esse tipo de construção, muito menos majestoso do que o adotado na maioria de nossas igrejas, é encontrado, não obstante, em algumas partes da França.

ali era novo e extremamente limpo. A nave era toda no mesmo plano e, ao contrário das outras igrejas, não tinha balaustradas dos lados[24]. Duas fileiras de cadeiras de espaldar alto guarneciam a capela-mor, o que eu ainda não tinha visto em nenhum outro lugar. Acima do altar-mor elevava-se uma alta pirâmide, formada por uma série de degraus e terminada por uma figura dourada representando o cordeiro pascal. Sobre os degraus, segundo o uso, viam-se castiçais dourados dispostos muito próximos um do outro, os quais deviam causar um belo efeito quando acesos, o que comumente se faz nos dias de festa religiosa.

Numa das extremidades da cidade fica o convento dos carmelitas calçados, e na outra a dos franciscanos.

Este último é um prédio enorme, de dois pavimentos, mas sua igreja é muito pequena. Foi fundado em 1704.

O convento dos carmelitas, que data de 1719[25], é subordinado ao do Rio de Janeiro. Possui terras arrendadas e uma fazenda, mas esta, à época de minha viagem, era muito mal administrada e corria o risco de perder em breve uma parte do seu valor. Nessa ocasião, os religiosos brasileiros já tinham perdido o seu espírito de solidariedade e cada convento cuidava apenas dos seus próprios interesses, despreocupando-se inteiramente com o futuro. Esses homens tinham sucumbido à influência malsã do clima e muitas vezes se comportavam como os leigos aos quais devia edificar pelo seu exemplo.[26] A carreira sacerdotal devia ter caído ali em grande descrédito, pois num lugar onde já não era imposto aos padres nenhum dever penoso e onde a ociosidade tinha tantos encantos poucos eram os que desejavam dedicar-se a ela. Mas não me permita Deus desejar o desaparecimento dos mosteiros ainda existentes no Brasil! Não ignoro os valiosos serviços prestados pelas ordens religiosas em todas as partes do mundo, e sei o quanto eles ainda podem ser úteis. Se fossem destruídas todas as instituições humanas onde existem abusos, nada na face da terra ficaria de pé, e depois de tudo arrasado o trabalho de destruição ainda teria de continuar. O jardineiro ao qual foi confiado o trato de uma árvore frutífera há muito tempo abandonada

---

[24] Eis aqui como são as outras igrejas: "Todas são assoalhadas, e dos dois lados da nave, numa largura de 5 a 6 pés, o assoalho é mais alto alguns centímetros do que no resto da igreja. Esse espaço fica separado do centro da nave por uma balaustrada... a qual, prolongando-se paralelamente ao altar-mor, separa também o santuário da nave" (*Viagem pelas Províncias do Rio de Janeiro e de Minas Gerais*, II).
[25] A data da fundação dos dois conventos foi tirada de D. Pedro Müller.
[26] *Viagem pelo Distrito dos Diamantes e Litoral do Brasil*.

jamais deve arrancá-la, e sim podá-la e forçar o seu tronco a voltar à posição primitiva.

Seja como for, fui muito bem recebido pelo superior dos carmelitas, o único religioso que havia no convento[27], e ele me mostrou a sua igreja com toda a boa-vontade. A igreja é bonita e muito limpa, mas não tem o esplendor da Candelária, e talvez seja clara demais para um templo. De cada lado da nave há três altares, cada um com uma grande imagem de madeira, vestida e pintada, representando Jesus Cristo em várias fases da Paixão. Uma cortina impede que o pó se acumule sobre as imagens. Não foi esquecido nenhum dos acessórios que pudessem enfeitá-las, tais como grandes nimbos de prata, etc., mas nada disso as torna mais belas. Entretanto, elas são sempre mostradas como obras de arte, e cada vez que uma das cortinas era aberta o amável frade olhava-me com ar complacente, tentando ver se eu compartilhava de sua admiração[28]. O teto e as paredes da igreja são ornamentados com várias pinturas, as quais nada têm de artísticas. Não obstante, advinha-se nelas a presença de um talento natural. Seu autor, que também tinha feito algumas das pinturas da igreja paroquial, era um padre que jamais tinha aprendido desenho e só saíra de Itu para ir ordenar-se em São Paulo. O convento propriamente dito tem dois pavimentos, mas o seu tamanho é medíocre. O interior é muito bem conservado e limpo, as celas são espaçosas, bonitas e agradáveis.

A Câmara Municipal de Itu foi construída num dos cantos da praça onde se ergue a igreja paroquial. O prédio é de dois pavimentos e não difere de uma casa comum. A cadeia, conforme o costume, ocupa o andar térreo.

Existe em Itu um hospital para os doentes atacados de morfeia e, segundo dizem, em 1839 iria ser construído um outro para receber novos doentes[29].

Nos domingos e dias-santos Itu se enche de animação. Nesses dias, como já disse, os fazendeiros das redondezas vão à cidade assistir à missa, mas durante a semana as principais casas ficam fechadas, e as ruas desertas.

Os habitantes mais prósperos de Itu e de seus arredores mantém com São Paulo, devido à venda do açúcar, um contato permanente, e compram lá os artigos de que necessitam. Há na cidade menos lojas do que

---

[27] Parece que ainda só havia um em 1839 (Kidder, *Sketches*, I).
[28] Não temos, evidentemente, o direito de ficar admirados de encontrar imagens esculpidas num país novo como o Brasil, pois em nossa pátria, onde as artes já são cultivadas há tanto tempo, ainda se veem nas igrejas, mesmo nas grandes cidades, muitas esculturas grotescas.
[29] Kidder, *Sketches*, I.

em outras que não são tão grandes, e as lojas que vi não me pareceram muito sortidas.

Como em São Paulo, os mantimentos são vendidos ali em casas pequenas e modestas, situadas nas ruas transversais que já mencionei. Também como na capital da província, elas são chamadas ali de *casinhas*. Pertencem à cidade e o seu aluguel constitui uma de suas fontes de renda. Afirmaram-me que no ano de 1818 foram vendidos ali produtos no valor de 20.000 cruzados, e não devemos esquecer que nessa época a prata valia alguma coisa, embora mais tarde tenha sido depreciada pela introdução do papel-moeda e de uma excessiva quantidade de moedas de cobre.

Cultiva-se no distrito de Itu um pouco de café, de algodão, de chá e de óleo de rícino, bem como uma certa quantidade de milho e de feijão. Mas é a cultura da cana que faz a riqueza do distrito. Por ocasião de minha viagem, havia ali mais de cem engenhos de açúcar, alguns deles de considerável importância. As terras ainda são bastante boas em algumas partes, mas em sua maioria vêm sendo exploradas por longos anos sem receberem adubo, e já começam, a se esgotar. Ao invés de se obterem ali, como em outros lugares, 1.000 arrobas de açúcar com o emprego de dez escravos. Só se conseguem entre 600 e 800, e depois que a cana produz durante três anos consecutivos é necessário deixar a terra descansar por dez anos antes de se fazer novo plantio. Os donos de engenhos achavam, à época de minha viagem, que seus lucros eram excelentes quando vendiam o açúcar branco a 1.000 ou 1.200 réis a arroba. A maioria colocava os seus produtos no mercado de São Paulo e Santos, e os mais abastados, remetiam-nos para o Rio de Janeiro. Fui informado de que as cidades de Itu, Jundiaí, Campinas, Sorocaba, Porto Feliz e a paróquia de Piracicaba, mais tarde elevada a cidade com o nome de Constituição, haviam exportado no correr do ano de 1818 300.000 arrobas de açúcar.

Afirma-se também que as romãs dos arredores de Itu são as melhores do Brasil e que as cebolas atingem aí um tamanho notável. Cultivam-se igualmente alguns pomares, e das excelentes uvas colhidas neles fabrica-se um vinho muito bom[30].

Não querendo deixar Itu sem ver a cachoeira à qual a cidade deve o seu nome, dirigi-me até lá acompanhado do meu tropeiro, José Mariano. Num trecho de cerca de uma légua até a beira do Tietê, que corta a estrada de Itu a Campinas, percorri uma região outrora coberta de matas virgens mas na

---

[30] Casal, *Corog.*, I – Kidder, *Sketches*, I.

qual só se veem capoeiras, atualmente. Vi vários engenhos de açúcar pelo caminho.

Chegando ao Tietê, encontra-se uma ponte estreita, muito mal conservada e sem parapeito. A ponte é dividida em duas partes desiguais por uma ilha. A mais próxima da margem direita mede cerca de 48 passos de comprimento, a ilha mede 47 e a outra parte 120.

Nesse ponto o rio se desdobra, formando várias ilhas, as quais, como o próprio rio, são orladas de pedras negras que parecem empilhadas ordenadamente, compondo uma espécie de muro de arrimo. Moitas de árvores e de arbustos de pitoresco efeito cobrem as ilhas, e tufos de orquídeas, crescendo entre as pedras, desabrocham em soberbos buquês de grandes flores purpurinas. Nas duas extremidades da ponte há uma venda e um pequeno rancho, e um pouco mais abaixo, à direita do rio, vê-se a capela de Nossa Senhora da Ponte, tendo ao lado a casa do capelão. Todo esse conjunto compõe uma paisagem muito bonita.

Passando sob a ponte, e apertada entre as pedras, a água do rio corre fazendo barulho. Um pouco abaixo há um monte de pedras e mais adiante fica a cachoeira. Depois de serpear celeremente por entre as pedras amontoadas, o rio lança-se de repente por um estreito canal, cercado de ambos os lados por uma muralha de pedras a pique, e dali se precipita de uma altura de 25 ou 30 pés com uma impetuosidade inconcebível e um estrondo suficientemente forte para ser ouvido na cidade de Itu. Batendo, na sua queda, de encontro a diversos grupos de pedras, a água se divide em vários jatos, que espirram, se cruzam e se misturam, formando uma confusa massa de espuma de um tom branco-ferruginoso e espalhando no ar miríades de gotículas que se juntam para compor uma densa cortina de névoa. Na base da cachoeira as águas tornam a encontrar pedras e ainda continuam a espumar durante um certo trecho.

A fim de ter tempo de examinar à vontade esse belo espetáculo eu tinha pedido ao capelão de Nossa S. de Ponte para guardar os meus burros em sua propriedade, com o que ele concordou amavelmente. Esse padre contou-me que, quando viera para ali havia quarenta anos, a rocha de onde o rio se despeja se projetava para a frente e era escavada como se fosse uma calha; a água ao cair descrevia um arco, e as andorinhas costumavam passar em revoada sob ele, para cá e para lá. Pouco a pouco, porém, a saliência na rocha foi sendo desgastada pela passagem da água, até desaparecer completamente. Vi ainda um grande número de andorinhas ao redor da cachoeira. Antes da queda d'água, só se encontram no

Tietê peixes de espécies pequenas, mas abaixo dela pescam-se peixes de tamanho considerável, como dourados, etc.

Os habitantes de Itu tinham uma grande fé na imagem de Nossa Senhora da Ponte. Na época da seca, eles iam buscá-la em procissão e a traziam para a igreja paroquial, onde ela permanecia até que as chuvas começassem. A imagem se achava lá, à época de minha viagem, porque havia muito não chovia, e todas as noites se faziam orações a elas. Aquele era o segundo ano em que a seca se fazia sentir.

De Itu viajei dois dias até Porto Feliz, distante dali 5 léguas. Quando parti, o capitão-mor da cidade fez com que o seu sobrinho me acompanhasse. Eu devia, evidentemente, mostrar-me grato por isso, mas é bem verdade que, por outro lado, esse tipo de gentileza me contrariava muito. Quando tinha um companheiro de viagem, eu me via forçado a andar mais depressa, pois, receoso de aborrecê-lo, eu passava pelas plantas sem me deter, para grande desgosto meu. Foi precisamente o que me aconteceu ainda dessa vez, ao percorrer as terras vizinhas de Itu.

A região por onde passei depois da cidade é irregular e coberta de capoeiras.

Depois de ter andado 2 léguas, parei para passar a noite numa venda situada à beira do Ribeirão de Caracatinga, que, como já disse, também passa por Itu. A venda pertencia a uma família pobre e numerosa. Nas proximidades havia outras casas, espalhadas aqui e ali, dos dois lados do ribeirão, mas, como acontecia com a venda, todas indicavam uma extrema pobreza.

Os moradores dessas casas miseráveis tinham o rosto claro, às vezes corado, e cabelos castanhos ou até mesmo louros. Era fácil perceber, entretanto, que não se tratava de descendentes de portugueses de raça pura. Sua cabeça arredondada, os malares salientes e o nariz achatado denunciavam irremediavelmente uma mistura de sangue indígena. Chamou-me igualmente a atenção a semelhança que havia entre a sua pronúncia e a dos índios genuínos. Como estes, eles mal entreabriam a boca para falar, seu tom de voz era baixo e as palavras tinham um som gutural. A maneira como pronunciavam o *ch* português era puramente indígena. Não era nem *tch*, nem *ts*, e sim um som misto, frouxamente articulado.[31] Notei

---

[31] O príncipe de Neuwied, em sua importante obra sobre os pássaros do Brasil, descreveu três espécies do gênero *Cypselus* e oito do gênero *Hirundo* (*Beitrage zur Naturgeschichte von*

também nas mulheres as mesmas maneiras infantis que se veem entre os índios[32].

Mais de uma meia dúzia dessas mulheres achava-se reunida na venda onde parei. Ao invés de fugirem, porém, como teriam feito as brancas e até mesmo as mulatas de Minas ou Goiás, elas permaneceram perto de nós enquanto trabalhávamos. Passaram a tarde toda a conversar, a rir, a beber e a fumar longos cachimbos de três pés de comprimento, muito em uso entre as mulheres daquela região e da de Goiás. De resto, nenhuma delas se ofereceu para fazer o mais insignificante serviço, embora o péssimo estado de suas roupas indicasse claramente que elas precisavam trabalhar.

Ao deixar a venda de Caracatinga atravessei o ribeirão do mesmo nome, que se lança no Tietê a pouca distância dali. As terras que percorri, num trecho de 3 léguas, são irregulares, e como as que eu tinha atravessado no dia anterior, me pareceram ter sido cobertas outrora de matas virgens. Hoje, porém, só se veem ali árvores de pouca altura e capoeiras onde cresce abundantemente o feto-gigante (*Pteris caudata*).

Na véspera, em Itu (16 de dezembro), o termômetro tinha marcado 18 graus R. (22,5°C) às seis da manhã, e agora, à mesma hora, marcava 14 graus (17,5°). Não obstante, o calor foi bastante forte durante toda a nossa caminhada. O tempo estava magnífico. Não tivemos chuva, embora estivéssemos na estação das águas, e o milho certamente iria perder-se, pois, plantado na época certa, ainda se achava em flor. Era fácil prever, se a seca se prolongasse, que a grande escassez provocada pela falta de chuva no ano anterior iria agravar-se desastrosamente em 1820. Não encontrei nesse dia nenhuma planta. As terras que percorri oferecem geralmente poucas variedades de plantas, e a seca desse ano contribuiu ainda mais para diminuir o seu número.

Porto Feliz[33], onde parei, foi elevado a cidade no ano de 1797, sob a administração de Antônio Manuel de Melo Castro e Mendonça,

---

Brasilien, III); eu não saberia dizer, infelizmente, a qual dessas onze espécies deve ser associada a essa de que se trata aqui.

[32] Ver, mais adiante, o capítulo intitulado *Viagem de Itapetininga aos Campos Gerais*, etc.

[33] Desnecessário é dizer que o nome não é *S. Feliz*, como foi registrado num livro muito pouco conhecido, cuja leitura é interessante e instrutiva (J. F. Van Weech, *Reise uber England und Portugal nach Brasilien*, I), mas cujo autor se inclui entre aqueles a quem o Príncipe de Neuwied censura pelo seu descaso com relação à grafia dos nomes brasileiros (*Brasilien*).

governador da Província[34] tendo sido outrora uma aldeia que tinha o nome de Araritaguaba[35].

A cidade, situada a 23 léguas de São Paulo, a 5 de Itu e a 5 ½ de Sorocaba, é sede de um distrito e de uma paróquia, e na época de minha viagem era administrada por dois juízes ordinários.

É muito menos extensa do que Itu e não foi tão bem construída quanto esta. Sua localização, porém, é infinitamente mais aprazível. Com efeito, ela se acha situada sobre uma colina, ao pé da qual passa o Tietê. De vários pontos avista-se o rio, que vai coleando por um vale profundo; às suas margens veem-se algumas fazendas e, mais ao longe terras cobertas de matas e campos de pastagens. O outeiro sobre o qual foi construída a cidade eleva-se quase a pique sobre o Tietê. Não obstante, num pequeno trecho, ela se estende por uma encosta suave até a beira do rio. É esse o local onde se fazem os embarques e que é chamado de porto.

O lugar onde foi construído Porto Feliz é bastante irregular. As ruas não são pavimentadas, nem mesmo niveladas. As casas são baixas, pequenas, distantes umas das outras, e em geral só têm um pavimento. Enquanto as de Itu são feitas de adobe, em sua maioria, só se veem ali casas de pau-a-pique[36], já que não se encontra nas redondezas o barro apropriado para fazer aquele tipo de casa.

Não há em Porto Feliz outro templo a não ser a igreja paroquial, que é a única construção que se assemelha às de Itu. Essa igreja, dedicada a Nossa Senhora Mãe dos Homens, ainda não estava inteiramente terminada à época de minha viagem. Ela mede cerca de 58 passos de comprimento desde a capela-mor até a porta de entrada e é enfeitada com duas

---

[34] Pizarro, *Mem. hist.*, VIII.
[35] Spix e Martius traduziram essa palavra da seguinte maneira: *lugar onde as araras comem pedras*. *Ararita* pode significar, sem dúvida, *pedra das araras;* mas, ainda que Lacerda tenha dado a guava o significado de *comer* (Diário de Viagem) *guava* em guarani e *guabo* na língua geral não parecem ter esse sentido, pois essas sílabas, em certos casos, indicam o gerúndio (Ruiz de Montoya, *Tes. Guar.;* - Luís Figueira, *Arte da gramática*, 4ª. ed.). O verbo *comer* é representado, segundo os mesmos autores, por *u* em guarani e por *ui* na língua geral. Devo acrescentar, entretanto, que no verbete *guaba* do Tesouro encontra-se *caguaba, vasilha de que a pessoa se serve para beber,* e que no verbete *ca* a palavra aparece de novo, com a seguinte explicação: *objeto com a ajuda do qual se toma o mate*. Já expliquei em outro relato que em Guaba Grande, nome de um lugar situado nas margens da lagoa de Araruama, na Província do Rio de Janeiro, *guaba* deriva do guarani *iguaba*, vasilha para beber água (*Viagem ao Distrito dos Diamantes e Litoral do Brasil*).
[36] Ver *Viagem pelas Províncias do Rio de Janeiro e de Minas Gerais*.

torres que servem de campanário e se erguem, segundo o costume no país, dos dois lados da porta central[37].

Atualmente o Tietê só serve para enfeitar a cidade de Porto Feliz, mas com o passar dos tempos ele irá ter grande importância para o lugar. Com efeito, um pouco abaixo da cachoeira o rio se torna navegável, e não tardará que se inicie em Porto Feliz uma dessas gigantescas navegações fluviais, de que já falei em outro relato, e que enchem de espanto os europeus, acostumados com os seus rios insignificantes. Embora o seu curso seja dificultado por inúmeras corredeiras, o Tietê é navegável até a sua confluência com o Paraná, e dali se pode chegar ou ao Rio da Prata, ou a Goiás e mesmo à foz do Tocantins[38], ou, enfim, a Cuiabá e Mato Grosso.

Esta última via fluvial, tentada pela primeira vez no começo do século passado, ajudou frequentemente os paulistas em suas longínquas expedições e os levou às minas de ouro de Cuiabá. Atualmente, como veremos em breve, essa via está quase abandonada. Não obstante, ainda era usada à época de minha viagem, ainda que infrequentemente.

Quando se deseja ir ao Mato Grosso por via fluvial toma-se em Porto Feliz uma das grandes embarcações que fazem esse percurso. A 4 léguas da cidade chega-se à paróquia de Santa Trindade de Pirapora, a qual, em 1842 ou 1844 recebeu o nome de Vila de Pirapora. Em seguida, atravessa-se uma imensa extensão de terras totalmente despovoadas. Ao cabo de vinte e cinco ou vinte e seis dias chega-se à foz do Tietê, descendo-se o Paraná num percurso de cerca de 35 léguas e subindo-se, a seguir, o Rio Pardo. Esse último trecho, de 80 léguas, leva às vezes dois meses a ser percorrido, já que o curso desse rio, como o do Tietê, é dificultado por inúmeras corredeiras e cachoeiras. Chegando-se ao Rio Sanguessuga, que se lança no Pardo, as embarcações são trazidas para a terra e colocadas, juntamente com as bagagens, sobre carroças puxadas por seis ou sete juntas de bois. Essas carroças são fornecidas pelo proprietário da primeira fazenda luso-brasileira encontrada, a partir de Pirapora, no meio desses sertões e que tem o nome de Fazenda de Camapuã. É para essa propriedade, situada nas margens de um pequeno rio do mesmo nome[39], que os carros-de-bois transportam as embarcações, após um

---

[37] Obra cit.
[38] Ver *Viagem à Província de Goiás*.
[39] Existe também um Rio Camapuã na Província do Rio Grande, e um lugar do mesmo nome em Minas. Segundo Casal (*Corog. Bras.*, II) Camapuã é o nome primitivo do rio que separa a Província do Rio de Janeiro da do Espírito Santo, que se deturpou e passou a ser *Camapuana*

percurso de cerca de 3 léguas através de matas e campos. Em Camapuã, que já pertence à Província de Mato Grosso, encontram-se algumas provisões, como milho, feijão, toucinho e carne-seca. Mas a viagem ainda está pelo meio. No Rio Camapuã as embarcações só podem transportar metade da carga. Dali chega-se ao Rio Cochim, onde numerosas corredeiras tornam difícil a navegação, e em seguida ao Rio Tacoari, mais largo do que ele. Na confluência dos dois há algumas corredeiras que é necessário transpor, e um pouco mais adiante há outras, denominadas Beliago. Estas, menos perigosas que as precedentes, são, segundo o abade Manuel Aires de Casal, as últimas das cento e treze corredeiras e cascatas que têm de ser vencidas desde Porto Feliz até Cuiabá, ponto final da viagem. O Tacoari banha aprazíveis campinas entremeadas de pequenas matas e, ao descrever repetidas voltas de pequena extensão, dá ao encantado viajante a impressão de que está passando por uma série de lagoas. Como os Paiaguás, índios quase anfíbios que viviam nessa região, atacassem frequentemente os paulistas, estes tinham o costume de se reunir no porto chamado Pouso Alegre e formar uma flotilha, juntando assim as suas forças para fazer frente ao inimigo. Em breve se alcança o lugar chamado Pantanal, onde o rio se subdivide e forma numerosas ilhas, que durante a estação das chuvas ficam cobertas pelas águas. Ali tudo é novo para o viajante. Tenha ele vindo diretamente da Europa ou de outras partes do Brasil, as coisas que o cercam lhe parecerão totalmente desconhecidas. Palmeiras de formas bizarras, de permeio com tufos de arbustos olorosos margeiam o rio; os mais curiosos pássaros voam em bandos por toda parte e, à medida que avança, a embarcação faz levantar em revoada nuvens de galinhas-d'água e de patos selvagens de bicos imensos; garças de porte gigantesco parecem disputar com os jacarés a posse dos pantanais, enquanto cardumes de peixes fervilham no meio das águas borbulhantes. Há movimento por toda parte, e por toda parte uma superabundância de vida. Mas é a vida das selvas, dos dias primitivos – a presença do homem

---

ou *Cabapuana*. Esses são os dois nomes que me foram indicados na própria região (*Viagem pelo Litoral*), mas o Príncipe de Neuwied ouviu vários fazendeiros dizerem Itabapuana (*Brasilien*). Pizarro volta ao nome primitivo, escrevendo *Camapuã* (*Mem. hist.* III); Milliet e Lopes de Moura, achando que *Cabapuana* é a forma mais antiga, registram-na várias vezes em sua importante obra, assim como João Manuel da Silva, ao retratar a vida de José de Anchieta. Não se deve acreditar, entretanto, que o Príncipe de Newied seja o único que escreva *Itabapuana*, como julguei em outros tempos, pois encontrei *Itabapoana* em *Informação*, de Francisco Manuel da Cunha (*Revist. trim.* IV), e num mapa bastante recente, intitulado *Carta topográfica da Província do Rio de Janeiro*. Diante de tudo isso devemos concluir – segundo me parece – que o rio em questão tem pelo menos dois nomes, não sendo ele o único nessas condições encontrado no Brasil.

ainda não se faz sentir. Muito raramente se vê a canoa de um selvagem guaicuru a deslizar celeremente pelos pântanos cobertos de arroz silvestre, que a Natureza semeou para alimentar as aves aquáticas que ali proliferam. O estranho e grandioso aspecto dos pantanais anuncia a presença, nas proximidades, de um dos grandes rios da América, o Paraguai, que mesmo na época da seca mede, na foz do Tacoari, quase 1 légua marítima de largura e que, quando se alagam os Pantanais, formam um imenso lago de mais de 100 milhas quadradas, segundo Spix e Martius. Quando entramos no Paraguai, a navegação não encontra mais nenhum obstáculo. Desse rio passamos para o São Lourenço, à altura dos 17 graus e 25', e em seguida entramos no Rio Cuiabá, cercado por imensos campos de arroz silvestre, e após termos viajado quatro ou cinco meses de barco através de regiões desérticas chegamos, finalmente, à cidade de Cuiabá, ponto final da viagem[40].

Esse rápido esboço bastará para mostrar como é arriscada essa viagem fluvial, quase tão longa quanto a que se faria da Europa até as Índias Orientais. Tão perseverantes quanto intrépidos, os paulistas enfrentavam todos os perigos. Não temiam nem as flechas dos selvagens, nem a fome, nem as intempéries, nem o cansaço, nem as privações de todo tipo – nem mesmo as pestes, que no entanto tinham dizimado naqueles sertões um número tão grande de pioneiros.

Todavia, quando foi aberta em 1737 a estrada que liga Goiás a São Paulo e se estabeleceu comunicação entre a Província de Mato Grosso, o Rio de Janeiro e a Bahia, quando, enfim, se estabeleceu o costume de usar os Rios Guaporé, Madeira e Maranhão para ir ao Pará, a estrada fluvial São Paulo-Cuiabá passou a ser menos frequentada[41]. À época de minha viagem fazia quinze anos que vinha sendo pouco usada, e três anos depois os comerciantes a abandonaram inteiramente. Unicamente o governo se servia dela às vezes, para enviar tropas ou munição de guerra ao Mato Grosso, e poucos meses antes de minha passagem por Porto Feliz tinha sido levada avante uma expedição desse tipo. Não foram os

---

[40] O que digo aqui sobre a via fluvial até Cuiabá foi tirado de diversos trechos da *Corografia Brasílica*, de Casal (I), bem como das informações fornecidas a Spix e Martius pelo capitão-mor de Itu no começo de 1818 (*Reise*, I), informações essas quase idênticas às encontradas no texto de Casal. De resto, é bem provável que Casal tivesse tido conhecimento dos preciosos manuscritos do matemático José Francisco de Lacerda e Almeida, transcritos no vol. IX das *Memórias históricas* de Pizarro e publicados em 1840, por ordem da Assembleia Legislativa da Província de São Paulo, sob o título de *Diário da viagem de Francisco José de Lacerda e Almeida pelas capitanias do Pará, etc., nos anos de 1780 a 1790*.

[41] Casal, *Corog. Bras.*, I.

percalços e as fadigas da viagem que desencorajam os comerciantes, pois embora a têmpera dos paulistas já não se mostre tão rija, eles nada perderam de sua intrepidez e espírito aventureiro. As viagens através do Tietê, do Paraná e do Camapuã foram substituídas por outras, que não são muito menos penosas mas proporcionam lucros muito maiores. As tropas de burros partem de São Paulo, carregadas, passam por Goiás e chegam ao Mato Grosso, onde as mercadorias são negociadas. Em seguida dirigem-se à Bahia, onde os burros são vendidos com um lucro de mais de 100 por cento[42]. Uma transação desse tipo não pode ser levada a cabo senão ao fim de vários anos, e nossa imaginação se horroriza à ideia do demorado prazo que ela leva para ser executada e dos inúmeros sofrimentos a serem enfrentados, sobretudo durante a travessia dos áridos sertões da Bahia, onde a seca se faz sentir frequentemente.

É evidente, aliás, que o Tietê e outros rios não servirão mais para o transporte da carga pesada depois de executado o projeto de abertura de uma estrada que irá ligar, em linha direta, São Paulo ao Mato Grosso. Aparentemente, a dar crédito aos discursos dos presidentes da Província à Assembleia Legislativa, alguns trechos dessa estrada já estão abertos, tendo mesmo o presidente de Mato Grosso enviado por esse caminho, em 1843, um mensageiro com os seus despachos, gastando ele na viagem apenas dois meses[43].

Antes de chegar ao Porto Feliz eu desconhecia a pouca importância que tinha então a navegação do Tietê. Tinha esperado encontrar ali a mesma agitação que se vê nas nossas pequenas cidades situadas à beira de rios razoavelmente volumosos. Mas minha expectativa foi muito além da realidade. Só encontrei em Porto Feliz três ou quatro canoas que serviam aos agricultores das redondezas para fazerem a travessia do rio. Nada indicava a existência de um porto, a não ser um rancho à beira d'água, onde se guardavam as canoas e se armazenavam as mercadorias que iam embarcar.

A maioria das casas de Porto Feliz pertencia a fazendeiros, e não vi ali senão umas poucas lojas e vendas.

Também ali é a cultura da cana-de-açúcar que faz a riqueza da região. Os moradores do lugar asseguram que suas terras, de cor vermelha, são

---

[42] Em minha *Viagem à Província de Goiás*, eu menciono o fato de ter encontrado um tropeiro que se mostrava disposto a fazer essa viagem.
[43] *Discurso recit. pelo pres. Manuel Felizardo de Sousa e Melo no dia 7 de janeiro de 1844.*

mais apropriadas a esse tipo de cultura dos que as de Itu. Afirmam eles que, com o emprego de dez escravos, é possível obter 1.000 arrobas de açúcar e até mesmo mais, e que não é preciso, quando chega o momento de arrancar os pés de cana, deixar a terra descansar mais de dois ou quatro anos. Por outro lado, porém, Porto Feliz fica mais distante de Santos do que Itu, não se gastando menos de oito dias para fazer a viagem. E quando passei por ali, numa época em que o milho era escasso e muito caro, os tropeiros exigiam uma pataca e meia pelo transporte de uma arroba, quantia essa – convém não esquecer – que valia então mais do que hoje.

Em 1838, quando o distrito de Pirapora ainda fazia parte de Porto Feliz, haviam sido produzidas em todo o território deste último 73.113 arrobas de açúcar e 560 *canadas* de cachaça (2.341 litros), bem como 20.480 alqueires de milho (807.200 litros), um pouco de arroz e uma certa quantidade de feijão. Enfim, existiam ali setenta e seis engenhos de açúcar[44].

A população desse mesmo distrito em 1815, comparada à de 1838, apresenta-nos os seguintes dados:

<pre>
                              1815
Brancos de ambos os sexos..................... 3.877
Mulatos livres de ambos os sexos 1.583
Negros livres de ambos os sexos   149   5.609 indivíduos
                                                            livres
Mulatos escravos de ambos os sexos.......... 338
Negros escravos de ambos os sexos .... 2.414   2.752 escravos
              Total ....8.361 indivíduos

                              1838
Brancos de ambos os sexos..................... 6.831
Mulatos livres de ambos os sexos 1.023
Negros livres de ambos os sexos.............. 212   8.066 indivíduos
                                                             livres
</pre>

---

[44] Pedro Müller, *Ensaio*, tab. 3,4.

Mulatos escravos de ambos os sexos 184
Negros escravos de ambos os sexos .... 2.993   3.177 escravos
                          Total .... 11.243 indivíduos[45].

Se compararmos esse quadro com o que apresentamos à p. 233, relativo à população do termo de Itu nesses mesmo anos, verificaremos que após vinte e três anos o aumento da população branca correspondeu, nesse termo, a quase dois terços do número primitivo, e que o dos escravos a pouco mais da metade; ao passo que no termo de Porto Feliz o número de brancos quase dobrou e o dos escravos mal chegou a aumentar um quinto em relação ao número primitivo. A região de Itu é uma das primeiras que foram ocupadas pelos brancos em toda a província; todas as suas terras têm dono há muito tempo, e os imigrantes não devem ser muito numerosos ali. Já o termo de Porto Feliz, pelo contrário, foi criado muito mais recentemente, fica situado nos limites do sertão e em 1838 ainda possuía muitas terras sem dono. Muitos homens, que sentiram o impulso de deixar sua terra natal devido à inconstância natural de seu espírito ou movidos pelo desejo de possuir alguma coisa, ou por outra razão qualquer, devem ter aportado ali, contribuindo bastante para o acréscimo da população. O aumento dos negros escravos seguiu forçosamente um processo inverso. Os proprietários dos engenhos de açúcar do distrito de Itu, estabelecidos ali havia longos anos, eram bastantes ricos ou possuíam crédito suficiente para lhes permitir a aquisição de escravos; mas os novos colonos de Porto Feliz, entre os quais devia haver um bom número de mestiços que passavam por brancos, eram sem dúvidas muito pobres para se darem ao luxo de possuir muitos escravos[46].

---

[45] Spix e Martius, Reise, I; - P. Müller, *Ensaio estat.*, cont. do apend. a tab. 5.
[46] "Embora a população do termo de Porto Feliz tenha aumentado muito depois de um certo tempo" dizem Spix e Martius, "o clima da cidade e de seus arredores não é tão favorável para as pessoas de nossa raça quanto o é para a agricultura. A proximidade das matas e do rio, quase sempre envolto numa espessa névoa, a má construção das casas, que são baixas, com paredes de barro que se mostram cobertas de uma camada salitrosa – aí estão algumas das causas que favorecem o aparecimento do bócio e produzem as febres intermitentes, as hidropisias, as cloroses e as bronquites, doenças quase endêmicas na região. Observamos que os adultos eram inchados e que várias crianças sofriam de uma tosse asmática de natureza grave *(tosse* comprida). A qual, segundo dizem, costuma degenerar ali em tuberculose pulmonar" (*Reise in Brasilien*, I).

Capítulo X
A CIDADE DE SOROCABA.
AS FORJAS DE IPANEMA

Saída de Porto Feliz. Guarda de Sorocaba. Terras situadas entre esse lugar e a cidade do mesmo nome. História da cidade; sua população; sua localização; suas ruas, casas, praças públicas, igrejas, conventos e hospital; Câmara Municipal; ponte. As plantas que se cultivam nos arredores de Sorocaba. Comércio de burros. Impostos pagos sobre esses animais. Costumes dos habitantes de Sorocaba; divertimentos. As festas do Natal. Os estrangeiros no Brasil; a deplorável situação em que se encontra o país. Rafael Tobias de Aguiar. O ouvidor de Itu. Descrição das forjas de Ipanema; sua história; estado em que se encontravam em 1820. Uma bela cachoeira. Retrato de Natterer. Retrato de Sellow. Chuvas; miséria.

Deixei Porto Feliz com destino à cidade de Sorocaba, distante dali cinco léguas e meia, tendo eu feito a viagem em dois dias.

Durante um quarto de légua, aproximadamente, fui acompanhado pelo capitão-mor de Porto Feliz, que me havia cumulado de gentilezas e insistido para que eu fizesse as refeições em sua casa. Era um amável homem do campo, franco, jovial, um tanto orgulhoso da autoridade de capitão-mor que lhe havia sido recentemente outorgada, tendo-me parecido ansioso para que eu desse ciência ao capitão-geral da boa acolhida que me havia feito.

As terras que percorri no primeiro dia de viagem, compreendendo um trecho de 4 léguas, são antes onduladas que montanhosas. Incialmente, andei 3 léguas através de matas que não são muito exuberantes, e ao percorrer a última légua passei por campos depois dos quais vêm novas matas. Sítios esparsos são vistos pelo caminho.

Às seis horas da manhã o termômetro de Réaumur mercava 14 graus (17,5°C.), e durante o dia o calor foi insuportável. Não encontrei nenhuma planta em flor nas matas, e apenas três ou quatro nos campos.

Parei no lugar chamado Guarda de Sorocaba, onde havia uma pequena casa com uma varanda na qual eram cobrados os impostos sobre os burros que vinham do Sul, conforme explicarei mais adiante. Eram pouco numerosos os animais que passavam por esse caminho, de forma que a guarda se compunha apenas de dois soldados da Milícia, que eram substituídos duas vezes por ano e recebiam 10 patacas de soldo.

Entre a Guarda de Sorocaba e a cidade do mesmo nome só encontrei descampados, mas avistei ao longe algumas matas. Os campos são cobertos de tufos de gramíneas cujas hastes e folhas são finas e compactas, aparecendo no meio delas um pequeno número de outras plantas. Num trecho de uma légua e meia, que percorri nesse dia, não vi nenhuma flor. Um pouco antes de se chegar a Sorocaba já se avista a cidade, cuja localização é muito aprazível, como veremos em breve.

Sorocaba, cujo o nome vem do guarani *çorocaa* e significa *mata cortada*[1], fica a 597 metros acima do nível do mar[2], e a 18 léguas de São Paulo[3], a 6 de Itu e a 5 e meia de Porto Feliz, 23°39' de lat. austral e a 303°23' de longitude, partindo-se do meridiano da Ilha do Ferro[4]. Pertencia, à época de minha viagem, à comarca de Itu, e ainda hoje faz parte dela. Contava com dois juízes ordinários e um capitão-mor, tendo-se estabelecido recentemente ali um professor de gramática, pago pelo rei.

De acordo com a tradição, segundo informam os seus habitantes mais esclarecidos, a cidade deve a sua origem a um pequeno mosteiro beneditino que ainda existia ali. Um agricultor que se tinha estabelecido na região havia chamado para o lugar dois religiosos dessa ordem e lhes doara uma porção de terra considerável. Construiu-se o convento, e muitas pessoas se fixaram nas vizinhanças, para poderem cumprir mais facilmente os seus deveres cristãos. Pouco tempo depois, os habitantes de uma certa vila chamada Itapebuçu, descontentes com a sua localização, abandonaram-na totalmente, mudando-se para Sorocaba, não muito distante do lugar. E o pelourinho, emblema da autoridade das vilas, foi

---

[1] Desnecessário é dizer que não se deve, como J. Mawe, escrever *Soricaba (Travels)*.
[2] Eschwege, *Journ. von Bras.*, II.
[3] Se as *Memórias históricas* de Pizarro registram 48 léguas, isso se deve, evidentemente, a um erro de impressão.
[4] Eschwege indica a latitude de 23°31'24" *(Journ. von Bras., II)*.

também transferido de Itapebuçu para Sorocaba, que foi elevada a sede da paróquia e do termo[5]. Em 1838, Sorocaba ainda não tinha recebido o título de vila. Mais tarde, porém, recebeu o de cidade, provavelmente para acabar com as pequenas rivalidades causadas pelo título dado a Itu, capital da comarca.

Em fins de 1819, a população permanente de Sorocaba era aproximadamente a mesma indicada, em 1817, pelo abade Manuel Aires de Casal, ou seja, 1.777 indivíduos. Em toda a paróquia, que media 14 léguas de comprimento e um pouco menos de largura e que, com toda a certeza, incluía então a paróquia de Campo Largo, havia entre 9 e 10.000 almas, o que dá aproximadamente 62 habitantes por légua quadrada[6].

Sorocaba fica situada numa região desigual, cortada de matas e de campos. Ergue-se na encosta de uma colina, ao pé da qual passa um rio que tem o mesmo nome da cidade, mas que os moradores do lugar chamam geralmente de Rio Grande por que nunca viram outro maior. Esse

---

[5] Daniel P. Müller faz remontar a fundação do pequeno mosteiro dos beneditinos de Sorocaba ao ano de 1667. Esse autor e Pizarro mencionam o ano de 1670 como sendo o da fundação da cidade propriamente dita, mas não nos informam qual a época em que ela recebeu esse título; Müller contenta-se em dizer que isso ocorreu posteriormente à sua fundação *(Ensaio estatíst.,* tab. 19; - Pizarro, *Mem. hist.,* VIII). Lê-se, no útil *Dicionário geográfico do Brasil* (II), que Sorocaba, fundada em 1670, começou a se desenvolver sensivelmente quando Afonso Sardinha descobriu as jazidas de ferro de Araçoiaba. É evidente que essa afirmativa é o resultado de um desses lapsos quase impossíveis de ser evitados numa obra da envergadura do Dicionário. Como o dizem bem os próprios autores desse trabalho (vol. I), foi em 1590 que Sardinha fez a sua descoberta. Devo ajuntar que não encontro em nenhuma das obras que pude consultar o nome de Itapebuçu; é evidente, porém, que se trata do pequeno povoado que se formou nos arredores de Araçoiaba pouco tempo depois da descoberta das jazidas de ferro desse morro, tendo o seus habitantes se mudado para Sorocaba antes do ano de 1626, (Varnhagen, *in* Eschwege, *Journ.,* II). Entretanto, forçoso é admitir que houve um erro em alguma das datas indicadas, pois o convento de Sorocaba não poderia ter sido fundado em 1667, se a própria cidade o foi em 1670, nem se poderiam ter transferido para ela, em 1626, os habitantes de Itapebuçu. Este último lugar é provavelmente o que foi indicado por Van Laet *(Orb. Nov.)* pelo nome de S. Filipe.

[6] Não tendo encontrado em nenhum lugar a data da criação da paróquia de Campo Largo, não posso afirmar com exatidão que essa paróquia já se tivesse desmembrado, em 1820, da de Sorocaba; mas isso é quase certo, pois se esta última contava com 10.000 habitantes após a separação, como se explica que o distrito todo, inclusive as duas paróquias, fosse habitado em 1838 por apenas 11.133 indivíduos, cifra essa indicada por Daniel P. Müller? Além do mais, Sorocaba dista 3 léguas dos limites do distrito de Porto Feliz e 2 e meia de Campo Largo, ao todo 5 e meia; em consequência, parece-me impossível encontrar aí a extensão de 14 léguas, em comprimento ou largura, que me foram indicadas para a paróquia de Sorocaba, tal como era à época em que por lá passei. Finalmente, é quase certo que, se a de Campo Largo existisse nesse tempo, eu teria ouvido falar nela, já que atravessei o seu território. No entanto, não encontro nada em minhas notas que se refira a esse lugar.

rio se lança no Tietê, não muito longe de Pirapora, e é na sua margem esquerda que foi construída a cidade.

Vista dos morros vizinhos, Sorocaba produz um efeito muito agradável na paisagem, mas observada de perto a cidade é muito feia. As ruas não são calçadas e, sendo em declive, apresentam sulcos profundos cavados pela água das chuvas (1820). De um modo geral, as casas são pequenas, havendo poucas com mais de um pavimento; são cobertas de telhas, feitas de taipa, e todas possuem um quintal plantado de bananeiras e laranjeiras.

Há na cidade duas praças públicas. Uma é bastante grande e de traçado muito irregular, achando-se situada na parte mais baixa da cidade, e a outra, quase quadrada, fica defronte da igreja paroquial. Essa igreja é dedicada à Nossa Senhora da Ponte e domina uma grande parte da cidade. É grande, mas em muito mau estado de conservação (1820). Quando lá estive, uma de suas duas torres acabava de ser reconstruída, tendo ela sido feita de uma largura e de uma altura desmesuradas em relação às dimensões da igreja propriamente dita. Além dessa, existe uma outra igreja, muito pequena, dedicada a Santo Antônio[7].

O mosteiro dos beneditinos, de que já falei, fica situado na parte mais alta da cidade e nada tem de notável, a não ser a vista que se descortina dali. À época de minha viagem, o mosteiro era habitado apenas por um padre, o que ainda acontecia em 1838[8]. O convento possui uma considerável extensão de terras, mas não é rico. Num país onde há tantas terras devolutas, ninguém possui realmente nada se só contar com campos abandonados, sem escravos e sem engenhos.

Existe em Sorocaba um convento de reclusas, que seguem os preceitos de Santa Clara e não fazem votos. O convento dispõe de poucos recursos, e as reclusas, que são em número de quatorze (1820)[9], vivem em grande parte da ajuda que lhes dão suas famílias. A igreja do convento é aberta a todos os fiéis, mas nenhuma das janelas do pavilhão das reclusas dá para o exterior. Num país onde os casamentos não são muito comuns

---

[7] Além dessa capela, Daniel P. Müller indica uma outra, com o nome de Santa Cruz *(Ensaio estat.)*. Segundo Casal, em trabalho escrito em 1817, os negros tinham começado a construção de uma outra, onde colocariam a imagem de Nossa S. do Rosário *(Corog. Bras.,* I); essa capela ainda não tinha sido terminada em 1838 (Müller, ob. cit.); mas Milliet e Lopes de Moura, que não fazem a menor referência à capela de Santa Cruz, mencionam a do Rosário como já estando terminada em 1845 *(Dicion.,* II).

[8] Müller, *Ensaio*, tab. 19.

[9] Segundo Müller, elas eram vinte em 1838.

e infelizmente a libertinagem campeia, não se pode negar que esse tipo de convento seja de grande utilidade. Eu acrescentaria ainda que, devido às nefastas influências que as reclusas forçosamente sofreram na sua infância, é de muto bom alvitre que não se exija delas o voto perpétuo.

Havia outrora em Sorocaba um hospital. Quando por lá passei o prédio ainda existia, mas não servia para nada. Já me referi em outro relato[10] aos obstáculos que encontram os estabelecimentos de utilidade pública, no Brasil, para se manterem por muito tempo. Não tenhamos dúvida, porém, de que com um pouco mais de empenho a caridade esses obstáculos seriam vencidos. Mas ainda que a ação benfazeja das Casas de Misericórdia prove suficientemente que os brasileiros não são alheios a essa virtude sublime, seria muito proveitoso – forçoso é convir – que ela fosse reavivada entre eles. É essa nobre tarefa que cumpre ao clero desempenhar. Que os padres despertem do seu torpor e compreendam finalmente a sua verdadeira missão. Que eles o semeiem de instituições de caridade, de boas obras, de bons exemplos. Só assim serão dignos da religião, da humanidade e do país.

A Câmara de Sorocaba fica num prédio pequeno e muito ruim, situado na esquina de uma rua suja e estreita.

Uma ponte estabelece comunicação com o outro lado do Rio Sorocaba, em cuja margem esquerda está localizada a cidade. É feita de madeira e deve medir cerca de 150 passos de comprimento.

As lojas são bastante numerosas e bem sortidas. Como ocorre em Itu, os mantimentos são vendidos nas *casinhas*, que pertencem à cidade. Vi também em São Paulo algumas casinhas desse tipo.

Uma parte das casas de Sorocaba pertence a agricultores, que só as ocupam aos domingos. Cultiva-se a cana-de-açúcar nos arredores do lugar, mas ela rende ali menos do que em Itu e menos ainda do que em Campinas. Os algodoeiros dão-se perfeitamente bem nos sopés dos morros que se erguem a leste da cidade. Na verdade, o algodão produzido ali é de qualidade comum. Já não se encontra ali o mesmo clima, nem provavelmente o mesmo solo de Goiás e de Minas Novas. Não obstante, os grossos tecidos fabricados na região encontram fácil mercado em Curitiba e nas províncias do Rio Grande do Sul, onde não há algodão.

De resto, não é a agricultura que faz a riqueza de Sorocaba, e sim o comércio de burros bravos, dos quais a cidade é um verdadeiro mercado.

---

[10] Ver *Viagem do Distrito dos Diamantes*, etc.

Esses animais vêm em tropas numerosas da província do Rio Grande, trazidas pelos negociantes do Sul. Essas tropas, ou *manadas de bestas bravas*, iniciam a viagem entre os meses de setembro e outubro, quando os pastos começam a reverdecer. Alguns mercadores forçam os seus animais a viajar sem interrupção, chegando ao seu destino entre os meses de janeiro, fevereiro e março. Outros deixam as tropas descasarem um ano inteiro nos arredores de Lajes, cidade da Província de Santa Catarina, e só depois desse prazo é que os animais atravessam o sertão[11]. Os negociantes de Minas vão comprar ali os seus burros e os levam para a sua terra, onde mandam domá-los. Há anos em que chegam a Sorocaba, vindos do Rio Grande, até 30.000 burros. Em 1818 só chegara 18.000, tendo o seu preço aumentado um terço.

Esse comércio rendia ao governo somas consideráveis, pois eram cobrados em Sorocaba 3.500 réis por cada burro que vinha do Sul (1820). Dessa soma, 1.000 réis, destinados à Província do Rio Grande, deveriam ser pagos ao registro de Santa Vitória, que pertence à mesma província e fica situada nas proximidades da fronteira com São Paulo. Entretanto, para facilitar o comércio, permitia-se que essa parcela do imposto fosse paga, como o resto, em Sorocaba. Em Santa Vitória era fornecida aos negociantes uma guia da qual constava o número de animais transportados, deixando eles no registro um título corresponde ao montante do imposto que teriam de pagar. Desse título eram tiradas três cópias. Uma era envida ao governo do Rio Grande, ao qual, como já disse, era devida essa parcela do imposto. A segunda era remetida ao coletor de Sorocaba e a terceira à junta da fazenda real, em São Paulo, precaução que era tomada a fim de que não houvesse fraude nem da parte dos negociantes, nem da parte do coletor. Este remetia as quantias recebias à junta de São Paulo, a qual, por sua vez, as enviava ao Rio Grande. Dos 2.500 réis que cabiam a Sorocaba depois de descontados os 1.000 a que já me referi, eram retirados 1.250 para os *direitos do contrato*, os quais eram leiloados de três

---

[11] O Sertão de que se trata aqui tem – segundo me asseguraram, - cerca de 60 léguas de comprimento, estendendo-se desde o pequeno povoado de Lapa até o de Lajes. Em 1806, Lapa recebeu oficialmente o nome de Vila Nova do Príncipe, mas à época de minha viagem o seu antigo nome ainda prevalecia na região. Pertence à Província de S. Paulo e é a sua cidade mais ocidental, formando o limite oriental do sertão. Lajes confina de certa maneira com ela do lado do oeste; depois de ter pertencido durante muito tempo, como Lapa, à Província de S. Paulo, Lajes foi anexada em 1820 à de Santa Catarina. Foi atacada frequentemente por índios selvagens, e entre 1832 1840 foi tomada várias vezes pelos rebeldes da Província do Rio Grande (Casal, *Corog. Bras.*, I; - Milliet e Lopes de Moura, *Dic.*, I), e em consequência não lhe foi possível adquirir grande importância.

em três anos e recebidos por conta do contratante[12]. Os 1.250 réis restantes referiam-se aos *direitos da casa doada*. Este último imposto tinha sido criado originariamente em proveito dos que haviam aberto o caminho desde São Paulo até o Sul; mais tardem, porém, reverteu em benefício do tesouro público e fazia parte das rendas da província por conta da qual era recebido[13]. A taxa de 3.500 réis cobrada sobre cada burro parecerá, sem dúvida, muito elevada, entretanto, não ficava só nisso. Além dessa, os animais ainda ficavam sujeitos a outras taxas quando entravam na Província de Minas Gerais. Os burros constituem, em quase todas as regiões do Brasil, o seu único meio de transporte, e taxá-los dessa forma é uma maneira certa de desencorajar o comércio e a agricultura, que no país têm tanta necessidade de estímulo.

De qualquer maneira, verificamos, pelo quadro das finanças da Província de São Paulo relativo a 1813, que nesse ano entraram na província 20.525 burros. Sabemos, também, que nos anos imediatamente anteriores a 1818 ali entraram 30.000, e, finalmente, que em 1838 o seu número se elevou a 32.747. Esses dados são bem poucos elevados, não há dúvida. Entretanto, se os números relativos a 1813 e 1838 não constituem uma exceção, eles tendem a provar que o comércio de burros aumentou gradativamente num espaço de vinte e cinco anos e, em consequência, houve um incremento sempre crescente da produção agrícola e que, a cada ano, maiores extensões de terra eram cultivadas.

---

[12] No quadro das finanças da Província de S. Paulo relativo ao ano de 1813 e enviado a Eschwege pelo Conde da Barca, ministro do Estado, os *direitos do contrato* são indicados pelo nome de *meios direitos de Curitiba* (*Journ. von Bras.*, II, tab. V). Esses impostos se elevaram, no ano em questão, a 25.656.532 réis, e como cada burro pagava 1.250 réis, é claro que nesse mesmo ano a renda foi de 20.525. Na verdade, só posso considerar essa cifra como aproximada, pois os cavalos e as éguas pagavam também um imposto, cuja soma devia estar compreendida, no total. Duvido, porém, que esses animais fossem importados em grande número, pois há uma vasta criação deles em S. Paulo sendo principalmente os burros os mais procurados, pois são eles que em Minas, Goiás e S. Paulo são utilizados no transporte dos produtos agrícolas. Quanto à designação de *meios direitos* dada aos impostos em questão, não se pode dizer que fosse mal aplicada, pois eles constituíram apenas a metade da soma total que se devia pagar.

[13] O quadro das receitas e despesas da Província de S. Paulo, relativo a 1838, designa pelo título de *direitos do Rio Negro* o conjunto de impostos que eram pagos sobre os burros, à entrada da Província. "Esses direitos", diz Daniel P. Müller *(Ensaio estat.,* tab. 9), "consistem em 2.500 réis para os burros, 2.000 réis para os cavalos e 960 para as éguas; renderam, no total, 81.869.950 réis" Essa soma, que representa o total dos antigos *direitos do contrato e diretos da casa doada*, deve ser dividida por 2.500 réis se quisermos saber o número de burros que entraram na Província. O resultado é 32.747. Não incluo aí os cavalos e as éguas, não somente devido às razões explicadas na nota precedente, mas também porque em 1838, época da guerra do Rio Grande, os habitantes dessa província guardavam os seus cavalos para seu próprio uso. Acrescentarei aqui o nome de *direitos do Rio Negro* foi tirado de uma paróquia subordinada a Lapa ou Vila Nova do Príncipe e situada na fronteira de S. Paulo.

Por tudo o que ficou dito acima, verificamos que os habitantes de Sorocaba e os de Itu têm, em geral, ocupações muito diferentes. Em consequência, é evidente que os seus costumes, os seus hábitos e o desenvolvimento de sua inteligência não podem ser exatamente os mesmos. Com efeito, tem-se a impressão de que os jovens de Sorocaba são menos instruídos que os de Itu. Faz bastante tempo que fixou residência nesta última cidade um professor de gramática latina; no entanto, como já disse, foi em época recente e pouco anterior à minha viagem de Sorocaba recebeu um mestre dessa disciplina. Mas não é essa a única razão da diferença que se nota entre os jovens das duas cidades. Os habitantes de Itu, agricultores e sedentários, estão em condições de dar aos filhos toda a educação disponível na região. Os negociantes de Sorocaba, pelo contrário, viajam muito e para lugares distantes, os filhos os acompanham nessa viagem e passam a sua adolescência nas estradas, lidando com *camaradas* e burros. Em consequência, seria muito difícil que adquirissem alguma instrução, e suas maneiras forçosamente se ressentem do contato com os homens rudes no meio dos quais são criados (1819-1822).

Pareceu-me que em Sorocaba os homens eram mais adeptos dos jogos de baralho do que em qualquer outro lugar. Havia também ali um jogo-de-bola muito bem montado. Itu contava igualmente com um, sendo esses dois os primeiros que eu havia visto desde que chegara ao Brasil. É bem verdade que ninguém se dedicava a esses jogos quando eu me achava presente, mas não é de supor que tenham sido montados sem uma finalidade prática. O simples fato de terem sido feitos provas que havia nessa região um pouco menos de indolência do que nas outras partes do Brasil que percorri. As pessoas muito preguiçosas só se mexem quando precisam trabalhar para a sua própria sobrevivência, e nunca se animam em fazer exercício apenas como diversão.

Cheguei a Sorocaba na época do Natal[14], quando havia então um feriado de uma semana. Nessa região e nos outros lugares do Brasil que eu já havia percorrido, trabalha-se pouco nos dias comuns, e nos feriados não se faz nada. A diferença entre uns e outros se resume praticamente nisso. Todos consideram cumpridos os seus deveres cristãos ao assistirem a uma missa comum. As missas cantadas só são celebradas quando custeadas por uma confraria ou um particular qualquer, e ninguém conhece os outros ofícios da Igreja.

---

[14] Spix e Martius referiram-se comovidamente às lembranças que lhes despertaram as festividades de Natal passadas no Brasil.

Como já disse em outro relato[15], o Natal é a época em que as famílias se reúnem, mais ali tudo se passa melancolicamente. As pessoas se aborrecem sozinhas e se aborrecem juntas. Não há festas públicas, não há passeios pelo campo – nada que desperte alegria e animação. As pessoas ficam estiradas preguiçosamente, conversam interminavelmente sobre assuntos banais, cochilam.

Outrora, quando um estrangeiro chegava a Sorocaba recebia a visita dos habitantes mais ilustres do lugar, como ainda se usava em Minas, em 1818[16]. Ocorria muitas vezes que essas visitas não eram retribuídas, e atualmente ninguém mais se faz. Os estrangeiros que percorrerem o Brasil parecem acreditar que nada devem aos brasileiros e que estes, sim, é que lhes devem tudo. Já vi alguns deles, principalmente os alemães, tratar o povo da terra com um desdém que nada justificava. As nações são como os indivíduos tomados isoladamente. Todas têm o seu lado bom e seu lado mau, e tanto as suas qualidades como os seus defeitos são o resultado de determinadas influências. A esse respeito posso citar um uma cidade da Alemanha onde, há quarenta anos, as ciências e as letras eram encaradas com um desprezo que jamais encontrei entre os brasileiros. Essa cidade é um porto de mar, e na época mantinha comércio com o mundo inteiro. O comércio absorvia todo o tempo e toda a atividade de seus habitantes, não lhes deixando folga para pensarem em mais nada. E que país já se viu algum dia em situação tão deplorável quanto a do Brasil? Desde o reinado de Felipe os brasileiros permaneceram de tal forma isolados dos outros povos, durantes dois séculos, que Commerson, aportando o Rio de Janeiro em 1767, foi obrigado a se disfarçar de marinheiro para poder colher algumas plantas. Os brasileiros não mantinham relações com os portugueses, que os oprimiam e lhes votavam um profundo desprezo. Dispunham de poucos meios de se intruir em sua terra, e nada despertava a sua emulação. Para subjugá-los mais facilmente, o governo os deixava vegetar na indolência e na apatia. Mais tarde, quando se tornaram independentes, uma corte corrupta veio contaminar com todos os seus vícios a capital brasileira. Bandos de aventureiros de todas as nacionalidades desabaram sobre o país, levando o povo da terra a acreditar que a Europa era mais corrompida do que a América e despertando nos brasileiros um deplorável tipo de emulação.

---

[15] Ver *Viagem ao Distrito dos Diamantes*, etc.
[16] Idem.

De resto, a convivência com o ouvidor de Itu, que morava então em Sorocaba, e com um dos mais ilustres moradores da cidade, Rafael Tobias de Aguiar, não me fez lamentar ter deixado de receber algumas visitas inconsequentes e puramente protocolares.

Eu havia conhecido Rafael Tobias no Rio de Janeiro, e quando me achava nas proximidades de Sorocaba mandei na frente uma pessoa, para preveni-lo da minha chegada. Ele teve a gentileza de me arranjar uma casa muito boa, e à noite mandou-me levar um excelente jantar, continuando a fazer isso até o dia de minha partida. Confesso que teria ficado encantado de jantar com ele; incomodava-me aproveitar de sua generosa hospitalidade sem que eu pudesse mostrar-lhe que era digno dela. Era como se estivesse comendo num albergue sem que me cobrassem nada. Todos os dias, entretanto, eu compensava isso conforme podia, indo visitar o meu amável fornecedor, não tardando a perceber a razão por que ele não me convidava para sentar-me à sua mesa. É que ele costumava jantar na companhia da mãe e das irmãs, e como essas senhoras não desejassem apresentar-se diante de estranhos, ele não podia receber-me. Rafael Tobias de Aguiar, que fiquei conhecendo através de um amigo comum, João Rodrigues Pereira de Almeida, Barão de Ubá, era então, apesar de muito moço, major da Guarda Nacional, tendo mais tarde ocupado na sua província um posto muito importante, pois foi seu presidente durante quatro anos, de novembro de 1831 a novembro de 1835.

Quanto ao ouvidor, eu já lhe tinha feito uma visita ao passar por Itu, como já disse. Encontrei-o de novo nas forjas de Ipanema, de que falarei em breve, e voltei a encontrá-lo em Sorocaba. Nesta cidade ele me convidava diariamente para almoçar em sua companhia, cercando-me de inúmeras gentilezas.

Foi no dia seguinte ao da minha chegada a Sorocaba (22 de dezembro) que fiz uma visita a Ipanema[17], situada a duas léguas e meia da cidade. As terras que atravessei para chegar a esse lugar são cortadas por matas e campos. A uma certa distância de Sorocaba a estrada se bifurca, e uma grande cruz de ferro, fundida em Ipanema, indica a que conduz às fundições.

Quando cheguei não puder deixar de admirar a sua extensão, o movimento que reina no lugar e a beleza da paisagem. Ainda não tinha visto nada que se lhe comparasse, desde que chegara no Brasil.

---

[17] Ipanema vem de *yg*, rio, água, e *panemo*, sem valor; O Pe. Ruiz de Montoya diz que *ipane* significa rio sem peixe *(Tes. guar.)*, o que no final quer dizer a mesma coisa.

As fundações de Ipanema ficam situadas no sopé do Morro de Araçoiaba[18], também chamado Morro do Ferro, de onde é tirado o minério e que é coberto por uma mata. As construções de que se compõe o estabelecimento formam uma espécie de anfiteatro, abaixo do qual passa o Rio Ipanema, afluente do Sorocaba.

Para se chegar às fundições atravessa-se o Ipanema por uma ponte bastante larga. Logo defronte fica uma casa grande, onde mora o diretor. À esquerda vê-se um belo lago artificial, que represa as águas do rio. É cercado de matas, e algumas ilhas aparecem no meio dele. A ponte se divide em duas partes ou, melhor dizendo, há duas pontes que se correspondem exatamente: uma sobre o rio e outra sobre o canal que fornece às novas fundições a água tirada da represa. Um dique de pedras, de 18,24 m de altura e 45,60 m de largura, construído abaixo da ponte, deixa escoar apenas a água supérflua do rio. A esquerda, entre as duas partes da ponte, há um prédio quadrado que serve de depósito e no qual fica a caixa do estabelecimento. É à direita, do lado oposto da represa, que se acham todas as construções de que se compõem as forjas. À beira do rio veem-se as antigas forjas feitas pela companhia sueca, sobre as quais falarei mais tarde. As novas estão situadas num plano mais elevado. São compostas de dois altos-fornos formando uma só peça, duas trituradoras de minério e duas peças onde ficam as refinarias. Esse conjunto forma um prédio regular, divido em três partes: os altos-fornos no meio, as refinarias nas duas extremidades e, num plano mais recuado, as trituradoras. Atrás desse prédio passa o canal, cujas águas, tiradas da represa, se destinam a fazer girar as rodas dos altos fornos, das trituradoras e das refinarias. Esse canal, feito de pedra de cantaria, tem 4 m e 56 cm de largura por 1.000 de comprimento. Acima do canal, num plano ainda mais elevado, há três prédios quadrados, que correspondem aos altos-fornos e às refinarias, e são usados como depósitos de carvão. Num ponto ainda mais elevado veem-se várias construções, que servem de oficinas e de alojamentos para os empregados, os escravos e, finalmente, para o destacamento militar acantonado ali[19].

---

[18] Araçoiaba não pode deixar de derivar das palavras *araçoeya*, aurora, *mbae*, coisa, fantasma (Ruiz de Mont., *Tes. guar., 5 bis*), do que resultaria *coisa, fantasma da aurora*. O nome de *Araçoiaba* ou *Araçoeyambae* tinha sido dado provavelmente a essa montanha por alguns povos indígenas que a viam do lado do leste, e o seu isolamento poderia ter feito com que a comparassem com um fantasma. Lê-se na *Corografia Brasília* (I) e no *Dicionário geográfico do Brasil* (I) que a palavra Araçoiaba significa *o que cobre o sol*. Nunca encontrei nada – devo confessá-lo – que confirmasse essa asserção.

[19] O quadrado VIII de *Pluto Brasiliense*, de Eschwege, reproduz perfeitamente as novas forjas de Ipanema. É possível ter uma ideia do conjunto de todos os prédios examinando-se o

Em resumo, as forjas de Ipanema se compõem (1820) de dois altos-fornos, cada um com o seu fole de madeira; de oito refinarias, também com os seus respectivos foles; de duas trituradoras com pilões, de dois martinetes, de quatro fornos catalães, de uma máquina de perfurar tubos, de uma roda com o seu rebolo, de um moinho de farinha, de uma serra de água e de um forno de cal, que em fins de 1819 ainda não se achava terminado. Existem ao todo, no estabelecimento, dezessete rodas movidas a água.

O minério é tirado, como já disse, do Araçoiaba, sendo encontrado à flor da terra. Esse morro tem vários cumes e fica inteiramente isolado. "Sua base", diz Friedrich Varnhagen. "tem forma oval, cujo diâmetro maior mede 3 léguas, na direção norte-sul, e o menor 1 légua e meia. Seus cumes são intercalados de vários platôs, num dos quais há um pequeno lago que tem o nome de Lagoa Dourada. No fundo dessa lagoa, diz a lenda, há um tesouro enterrado[20]. Vários riachos brotam do morro, sendo o mais volumoso deles o que nasce no vale das Furnas e é chamado de "riacho das forjas velhas". Matas fechadas, que praticamente ainda não viram o machado, cobrem as jazidas, sendo extraordinariamente ricas em madeiras para construção e carpintaria. Contei ali cento e oito espécies diferentes[21]. É do lado leste que corre o Rio Ipanema, cuja largura, ali, é de 7 metros aproximadamente. O lado oeste é banhado pelo Sarapuú, que é um pouco mais volumoso. Os dois rios desaguam no Sorocaba e são navegáveis até a sua foz. Em alguns locais próximos do Araçoiaba existem terrenos auríferos, que outrora foram explorados, mas agora se acham abandonados devido ao aumento do preço dos víveres. Além do mais, naqueles tempos um escravo ganhava apenas 6 vinténs por dia nesse tipo de serviço, ao passo que agora tem de trabalhar o equivalente a 8 vinténs por dia para que o seu amo obtenha algum lucro"[22].

---

quadro VII da mesma obra; mas a maneira extremamente falha com que foi reproduzida a ponte de Ipanema e a completa omissão da ponte sobre o canal prejudicam singularmente a compreensão do projeto.

[20] Existem no Brasil, várias lagoas em torno das quais se criaram lendas mais ou menos semelhantes, sendo todas igualmente chamdas de Lagoa Dourada ou Lagoa do Pau Dourado (ver o que escrevi a respeito em *Viagem pelas Províncias do Rio de Janeiro e de Minas Gerais*.

[21] Spix e Martius dizem que o Araçoiaba se eleva cerca de 1.000 pés acima de Ipanema; segundo Varnhagen, sua altua seria de 2.010 pés ingleses, e de 4.060 acima do nível do mar; finalmente, Eschwege registra 1.822 pés ingleses paa a altitude do planalto onde se acha situada a montanha, e 1.088 como sendo a altura desta a partir do planalto; em consequência, o topo da montanha estaria a 2.910 pés (844 metros) acima do nível do mar (Spix e Martius, *Reise*; – *Beobachtungen* in *Eschwege, Journ.; Plut. Bras*). Diferenças tão grandes como essas mostram a necessidade de uma nova mensuração.

[22] Fried. Varnhagen, *Beobachtungen* in Eschw., *Journ, von Brasilien*, II.

Já faz muitos anos que foi descoberta a existência de ferro no Morro de Araçoiaba, o qual teve outrora vários nomes, como *Biraçoiaba, Guaraçoiaba* e *Quiroçoiaba*, todos eles deturpações do seu nome verdadeiro[23]. Em 1590, Afonso Sardinha, um minerador ativo e empreendedor, construiu no próprio morro um forno catalão, do qual ainda restam vestígios, e o presenteou a D. Francisco de Sousa, administrador geral das minas[24]. Formou-se um pequeno povoado nos arredores, o qual foi honrado com o mastro da justiça que caracteriza as vilas. Entretanto, seus habitantes logo se mudaram para Sorocaba[25], e em 1629 a fundição foi totalmente abandonada. Por volta de 1776 ou 1770, instalaram-se novas forjas no mesmo local, e se essas duraram poucos anos isso se deveu ao fato de que o governo, desejoso de manter o sistema colonial em todo o seu rigor, proibiu que se continuasse a trabalhar ali[26].

Quando o Rei D. João VI chegou ao Brasil, houve naturalmente interesse por uma jazida situada e tão curta distância do mar e no meio de uma região agrícola, que podia ser explorada com tanta facilidade. No intuito de instalar às margens do Ipanema uma grande fundição foi proposta a criação de uma sociedade de sessenta ações no valor de 2.000 cruzados cada. Quarenta e sete ações foram subscritas por particulares e treze pelo rei, que as substituiu por uma contribuição bem mais elevada do que o seu valor intrínseco, doando à sociedade em formação oitenta e cinco escravos, a maioria mulatos, tirados das antigas colônias dos jesuítas e que eram mais civilizados do que o são geralmente os escravos. Veio da Suécia um grupo de operários, acompanhado de um diretor, e em 1811 foram lançados os fundamentos das novas forjas. A Companhia Sueca – nome que recebeu o grupo de estrangeiros encarregados de iniciar o trabalho – formou a represa, construiu os quatro fornos catalães, bem como a serra de água, e abriu várias estradas. O diretor sueco permaneceu à frente da empresa até 1815, e durante todo esse tempo os acionistas não receberam um centavo. O homem foi acusado de incapacidade, censurado por ter feito despesas inúteis e finalmente despedido.

Para substituí-lo, foi escolhido o tenente-coronel Friedrich Varnhagen, natural de Hesse, que servia há muito tempo em Portugal, no grupo de engenharia militar. Havia sido afirmado que naquela região seria

---

[23] Desnecessário é dizer que o nome do *Gorusuava*, indicado por Mawe, é inteiramente errado.
[24] Pedro Taques, *História da Capitania de S. Vicente, in Ver. Trim.* 2ª série, II.
[25] Trata-se, inegavelmente, da cidade de Itapebuçu, que já mencionei mais acima.
[26] Friedrich Varnhagen atribui a uma outra causa a destruição das forjas, ou seja, à ignorância dos seus dirigentes.

impossível construir altos-fornos, devido ao calor, à qualidade do ar atmosférico e sobretudo das pedras. Varnhagen assegurou que os altos-fornos eram tão viáveis em Ipanema quanto na Europa e que as pedras locais resistiriam perfeitamente bem ao calor do fogo. Fez o projeto das construções que já descrevi e que constituem as novas forjas, e supervisionou os trabalhos, que foram completados no prazo de dois anos. A primeira fundição foi feita no dia 1º de novembro de 1818, tendo o empreendimento sido coroado de sucesso. Só quem conhece as intrigas que reinam no país, a ignorância dos trabalhadores, a sua leviandade e a sua excessiva indolência pode ter uma ideia dos obstáculos quase insuperáveis que Varnhagen teve de vencer, e não se pode deixar de encarar como um prodígio a rapidez com que ele levou a cabo trabalhos tão importantes.

As novas forjas foram construídas por conta do governo, que seria reembolsado recebendo o décimo do produto líquido obtido pela empresa. Os salários do diretor e dos operários estrangeiros eram pagos pelo rei, que não faltou com o seu apoio à empresa desde a sua fundação.

Se o que me disse Varnhagen, o seu diretor, é exato, o ferro do Morro de Araçoiaba rende 80 por cento, quando aproveitado na íntegra. Entretanto, tronou-se necessário misturá-lo com um quarto de pedras verdes e um quarto de cal. Varnhagen garantiu-me, também, que cada um dos altos-fornos tinha capacidade para produzir, por dia, 1.180 kg.

Em lugar de carvão, empregavam-se lascas de peroba para alimentar os fornos. O processo de refinamento seguia os métodos belga e alemão.

A empresa possuía um terreno de cerca de 7 léguas de circunferência, quase totalmente coberto de matas, no qual se achava incluído o Morro de Araçoiaba. Havia sido feito um acordo com os moradores da região, segundo o qual estes se comprometiam a fornecer às forjas uma certa quantidade de minério, que era pago a 8 réis a arroba. Pelo carvão pagava-se 40 réis a arroba, e pela cal 25. Os que forneciam o carvão viam-se forçados a usar, para fabricá-lo, um dos dois métodos adotados na Europa, comprometendo-se também a cortar as árvores unicamente nos trechos da mata indicados pelo diretor. No trabalho interno eram empregados os oitenta escravos que já mencionei, bem como cerca de vinte e quatro operários livres qualificados.

O governo mandava fundir em Ipanema canhões e balas. Eram fundidos também ali cilindros para os moinhos de açúcar, machados, enxadões, cravos para ferrar os burros, etc. O preço desses artigos era cobrado a 6.400 réis o quintal (58 kg aproximadamente); o ferro em barra, muito procurado no país, era vendido ao mesmo preço. A acreditar no que disse o diretor, o ferro fundido custava à fábrica apenas 908 réis e em barra 3.200.

O diretor tinha autonomia para dirigir toda a empresa, mas era obrigado a prestar contas a um conselho do qual fazia parte e que se compunha de um capitão-geral, do ouvidor da comarca de Itu e de um procurador dos acionistas, nomeado pelo capitão-geral. Não se pode deixar de perceber que havia uma grande falha nessa administração, qual seja a de não permitir que os acionistas tomassem parte dela. O diretor, que era praticamente tudo na empresa, devia sua nomeação ao rei e dele recebia as encomendas. O capitão-geral e o ouvidor não tinham o menor interesse na empresa, e o representante dos acionistas era sempre um homem de confiança do capitão, já que era indicado por ele. E quando esse representante não compartilhava das ideias do conselho ele não dispunha de nenhum meio de fazer prevalecer as suas. Assim, embora pertencendo em grande parte a particulares, as forjas eram, na verdade, totalmente subordinadas ao governo.

Infelizmente, não era esse o único defeito de que o público acusava as forjas de Ipanema. Segundo a opinião de muitos, a empresa estava longe de produzir os bons resultados que o seu diretor garantia, e o seu custo era muito maior do que ele declarava. Varnhagen cometeu o erro de se indispor com os que trabalhavam sob suas ordens, fazendo deles seus inimigos. Todos asseguravam que o principal mestre de obras sueco, que continuara em Ipanema depois da partida do primeiro diretor, era pessoa dotada de grandes aptidões, principalmente para a mecânica, sendo a opinião geral que a era ele, acima de tudo, que se devia a construção das novas forjas. Um fundidor francês, despedido da empresa, havia apresentado ao capitão-geral – segundo diziam – as contas e outros dados relativos à situação das forjas, pelos quais pretendia demonstrar que estas, se continuassem a ser dirigidas daquela maneira, iriam causar aos acionistas prejuízos consideráveis. O que é certo, porém, é que desde a posse do novo diretor a fundição não havia rendido mais dinheiro do que anteriormente. Entretanto – forçoso é declarar – a localização das forjas era privilegiada e elas não podiam contar com melhores vantagens. A jazida é rica, quase à flor da terra, e jamais poderá esgotar-se. Não há escassez de água, ainda que ela não seja abundante. A empresa possui 7 léguas de matas, o calcário e as pedras verdes são facilmente encontradas nos arredores, havendo ali também pedras apropriadas à construção dos altos-fornos e capazes de resistir a elevadas temperaturas.

Depois da minha partida dali Varnhagen deixou Ipanema. Durante a guerra da independência nada, ou quase nada, foi feito em favor da empresa, e quando foi restaurada a paz, D. Pedro I deu-lhe tão pouca atenção quanto antes. Entretanto, sob a regência de Feijó, foram tomadas medidas para que as forjas voltassem à antiga atividade e até mesmo aumentassem a sua produção. O Major Bloem, que havia sido nomeado seu diretor, mandou vir para Ipanema um grande número de operários alemães, novos prédios substituíram os antigos, novas máquinas foram adquiridas, abriam-se novas estradas, o reservatório de água foi aumentado. Ipanema tornou-se sede de uma paróquia, com o nome de São João de Ipanema, e em 1836 a empresa produziu 754 peças de ferro fundido, 1.460 arrobas de ferro em barra e 850 de ferro gusa. Entretanto, apesar de todo esse sucesso, o governo central resolveu questionar, em 1843, num relatório oficial, a validade das despesas que vinham sendo feitas havia trinta anos com as fundições de Ipanema, indagando se não seria mais conveniente abandonar definitivamente esse empreendimento[27]. "Desde a época em que se iniciou a construção das forjas de Ipanema", diz Kidder, "cem estabelecimentos desse gênero foram fundados nos Estados Unidos, através da iniciativa privada, os quais, contando talvez com menos vantagens, apresentaram uma produção uma milhão de vezes maior que a da Província de São Paulo. Fica aí demonstrada a imensa superioridade dos empreendimentos privados em relação aos que têm a infelicidade de ser patrocinados pelos governos." Em todos os países, a experiência tem demonstrado suficientemente que as empresas industriais são infinitamente mais dispendiosas para os governos do que para os particulares. Deixando de lado, porém, essa verdade incontestável, Eschewege procura mostrar também, com argumentos bastante plausíveis, que ainda não chegou a época em que as grandes indústrias – e em particular a de altos-fornos – possam ser realmente lucrativas no Brasil. "Com a ajuda de operários berlinenses", diz esse autor para terminar, "Varnhagen acabou por conseguir um produto de alta qualidade, mas não encontrou mercado para esse produto que compensasse suficientemente as despesas, e os acionistas se queixavam amargamente. Ninguém procurava entender que os verdadeiros obstáculos para se alcançarem os objetivos desejados provinham principalmente da situação demográfica do Brasil, cuja população era excessivamente esparsa. A administração recebia a culpa de todo o insucesso. Foram feitas várias modificações, sempre com os mesmos resultados. Pelo que pude ver, é possível concluir, incontestavelmente, que enquanto a população do Brasil não

---

[27] Kidder, *Sketches*, I; - Müller, *Ensaio*, tab. 14; *Min. Bras.*

sofrer um aumento sensível, a instalação de altos-fornos no país será totalmente inviável e que unicamente pequenos fornos, distribuídos por todas as províncias e com uma produção anual de não mais que 2.000 arrobas de ferro, poderão trazer vantagens tanto aos compradores quanto aos vendedores. Achamos enfim, que por muito tempo ainda essa cifra deverá servir de base para todos os que pensem em instalar forjas no país"[28].

Enquanto estive em Ipanema fui tratado por Varnhagen com toda a consideração e gentileza. Eu não me achava em condições de opinar sobre os seus conhecimentos de metalurgia e mecânica, mas não havia dúvida de que se tratava de um homem inteligente.

Encontrei em Ipanema um zoologista, o Sr. Natterer, membro da comissão científica que o imperador da Áustria havia enviado ao Brasil para recolher amostras de espécimes diversos do país. Fazia um ano que se achava instalado nas proximidades das forjas, tendo já formado uma vasta coleção de pássaros. Era impossível não admirar a beleza dessa coleção. Não se via uma única ave cujas penas tivessem sido coladas ou que apresentasse a menos mancha de sangue. O Sr. Natterer era filho do taxidermista do Museu de Viena, mas tinha mais aptidões e conhecimentos do que um empalhador comum. Desenhava muito bem e, segundo me afirmaram, descrevia todos os espécimes que incluía na sua coleção. Era, porém, um homem frio e pouco comunicativo. Falava raramente e parecia dedicar-se exclusivamente ao seu trabalho.

Encontrei também em Ipanema um jovem prussiano, Sellow, o primeiro naturalista a chegar ao Brasil depois de firmada a paz. Tinha feito anteriormente um estágio no Jardim Botânico de Paris, a fim de aperfeiçoar os seus conhecimentos, e vivia agora de uma pensão que lhe dava o ilustre e generoso Humboldt, o qual fazia crer ao rapaz que ele estava sendo pago pela administração do Jardim. Sellow dedicava-se às suas pesquisas com um zelo e uma energia sem par. Tinha percorrido o litoral do Brasil, desde o Rio de Janeiro até a Bahia, em companhia do Príncipe de Neuwied; em seguida, junto com o Sr. d'Olfers, visitou a Província de Minas e dali dirigiu-se, finalmente, a São Paulo. A botânica era a parte

---

[28] Os interessados lerão com proveito as informações técnicas bastante minuciosas que Eschwege escreveu sobre as forjas de Ipanema dirigidas por Varnhagen. Esse trabalho, inserido inicialmente em *Brasilien die nue Welt*, II, foi mais tarde reproduzido em *Pluto Brasiliense*, com o acréscimo de um capítulo intitulado "Serão os altos fornos viáveis no Brasil?" Alguns trechos tomados a Varnhagen são encontrados também em *Pluto*, mas não podemos deixar de lamentar que o nome do autor não tenha sido citado. Desnecessário é dizer que o Conde de Palma não sucedeu, como ministro de Estado, ao Conde de Linhares, como acreditou Kidder; à época da fundação das forjas de Ipanema ele era simplesmente governador de S. Paulo.

da história natural que mais lhe despertava entusiasmo, e ele me pareceu possuir conhecimentos bastante vastos sobre a matéria, não tendo deixado de estudar a relação que há entre as plantas. Sabia manter uma conversa inteligente sobre outros assuntos, conhecia várias línguas e mostrava possuir senso crítico e vivacidade de espírito. De temperamento frio, e até ríspido, ele parecia dotado de excessivo amor-próprio. Enchi-o de ansiedade ao enumerar para ele as pessoas que, enquanto estávamos ali no Brasil, publicavam na Europa trabalhos sobre as coisas que havia no país, e usando de toda a polidez e de um mínimo de formalidade, forcei-o a assumir em relação a mim maneiras mais simples e cordiais, das quais, entretanto, ele se descartava quando se achava na presença de Varnhagen e Natterer. De volta de minha viagem ao Sul, enviei-lhe várias cartas de recomendação para os meus amigos do Rio Grande e de Montevidéu, os quais lhe deram boa acolhida. Ele me escreveu, no dia 24 de abril de 1824, para me agradecer, comunicando-me que havia tentado inutilmente obter um passaporte para ir ao Mato Grosso e tivera de se contentar em percorrer a Província do Rio Grande do Sul e a Banda Oriental. Disse-me ainda que se preparava para retornar a São Paulo, passando pelo sertão de Lajes. Terminou a carta dizendo que esperava voltar a ver-me um dia. Ele morreu afogado no Rio Doce, no ano de 1831. Em seus *Anais da Província do Rio Grande do Sul,* 2ª. ed., M.J.F. Fernandes Pinheiro faz grandes elogios a este homem notável. Diz ele que Sellow lhe fornecera dados preciosos, que lhe haviam sido de grande valia. Sellow tinha estabelecido várias posições geográficas na Província do Rio Grande, estudara os minerais da região e formara uma coleção de plantas de consideráveis proporções.

Em companhia de Sellow e do Ouvidor de Itu, fiz um pequeno passeio bastante agradável, apesar da chuva que desabou sobre nós. Fomos visitar, a uma légua acima de Sorocaba, uma cascata formada pelo rio do mesmo nome, mais bonita ainda que a de Itu. Após descrever uma curva fechada, o rio se despeja de repente de uma altura considerável, caindo sobre um amontoado de rochas. As águas espirram, espumantes, e logo em seguida escoam mansamente por entre as duas margens cobertas de matas virgens. Enormes árvores estendem seus ramos por sobre a cascata; abaixo dela há uma ilhota de vegetação onde se veem alguns arbustos, percebendo-se por entre os ramos, em um dos lados, um pequeno filete de água, que se desvia do rio e faz girar a roda de um moinho[29].

---

[29] "Existe a 1 légua da cidade de Sorocaba, no rio do mesmo nome", diz Varnhagen, "uma queda d'água de cerca de 300 pés ingleses, à qual é dado o nome de Salto de Vuturaty. O Rio Sorocaba tem 200 pés de largura e é interrompido por várias outras cascatas menores;

Desde que deixei Ipanema e voltei a Sorocaba até o dia 6 de janeiro a chuva não parou de cair, o que me impediu de continuar a viagem. Essas chuvas prolongadas eram bastante benvindas, uma vez que o milho do ano anterior já tinha sido praticamente consumido. Fazia muito tempo que os agricultores, mesmo os mais abastados, se viam privados de farinha. Eu próprio paguei 10 patacas por um alqueire de farinha, quando o seu preço geralmente não passa de 1 e meia ou 2 patacas, e ainda assim precisei me valer de pessoas influentes para conseguir isso. Os fazendeiros estavam dispostos a colher o milho novo, embora se achasse longe de estar maduro. Como, porém, a elevação dos preços já se viesse fazendo sentir havia muito tempo e o temor da fome tivesse levado os agricultores a plantar uma quantidade maior do que a habitual, era de se esperar que nesse ano a colheita superasse de muito as necessidades[30].

---

entretanto, ele apresenta longos trechos onde suas águas fluem suavemente e ele se torna perfeitamente navegável. Na sua margem direita formou-se uma imensa furna cuja abóbada é ornada de estalactites, a qual é chamada de *Palácio* pelos moradores do lugar" (*Beobachtungen*, etc., *in* Eschwege, *Journ.*, II). É possível que *Vuturaty* venha de *itu*, cascata, *ra*, coisa que parece, e *ty*, brancura (Ruiz de Montoya, *Tes. guar.*, 164 *bis*, 335 *bis*, 385, nome sem dúvida dado a essa queda d'água devido à altura de sua espuma.

[30] A colocação do acento agudo nas palavras portuguesas determina a sua pronúncia e também o seu sentido. Por exemplo, *amáras*, tinha amado, *amarás*, irás amar. Na maioria das palavras o acento tônico recai sobre a penúltima sílaba, mas na palavra escrita o acento é suprimido. Como, porém, na maioria das palavras de origem indígena a sílaba tônica é a última, seria conveniente, quando ocorresse o contrário, que não fosse omitido o acento; por essa razão, sempre o coloco na penúltima sílaba de *Sorocába*. Tendo em vista tudo isso, é claro que o Príncipe de Neuwied (*Brasilien*) tem toda razão de dar grande importância à colocação do acento, e é precisamente porque penso como ele que continuo acreditando que se deve escrever *Maricá* e não *Márica*, como queria ele. Tendo estado cinco vezes no Rio de Janeiro, eu me julgava tão seguro da grafia do nome da pequena vila de Maricá, vizinha da capital, quanto de qualquer nome da cidade francesa; não obstante, quis obter uma confirmação disso. Sete jovens brasileiros, recém-chegados de seu país, quando consultados sobre esse ponto garantiram que se deve escrever *Maricá*; encontra-se essa grafia em Casal (*Corog.*, II), no primeiro volume da I., II), no primeiro volume da *Revista trimestral* (p. 144) e no *Dicionário geográfico* (II); ela aparece no mapa intitulado *Carta topográfica da Província do Rio de Janeiro*, de Niemeyer; finalmente essa grafia que adotei, juntamente com todo mundo, é consagrada por um documento oficial, o *Relatório do ministro império para o ano de 1847.*

Capítulo XI
A CIDADE DE ITAPETININGA

Descrição geral das terras situadas entre Sorocaba e Itapetininga; seus habitantes. O Sítio de Pedro Antunes; brejos; invernadas. Esquisitices de José Mariano. Terras situadas entre Pedro Antunes e o Rio Sarapuú. Terras situadas entre esse rio e a venda de Lambari. Chegada do autor a Itapetininga. Descrição da cidade; comércio; pederneiras. Escassez. O distrito de Itapetininga; sua produção; sua população.

Depois de minha partida de São Paulo eu tinha dado algumas voltas e me desviado bastante da estrada real que faz a ligação direta com o Sul[1]. Voltei a ela ao chegar a Sorocaba e a segui até o Rio Jaguariaíba.

Primeiramente, visitei a pequena cidade de Itapetininga, distante 12 léguas de Sorocaba, para os lados do sudoeste. Ali não nos achamos numa região desértica, mas deixamos para trás os distritos prósperos e florescentes onde é cultivada a cana-de-açúcar e entramos numa região pobre e pouco civilizada (1820).

As terras que atravessei para chegar a Itapetininga são ora planas, ora onduladas e até mesmo montanhosas, apresentando alternadamente campos e pequenas matas. À exceção dos arredores de Sorocaba, onde são entremeados de árvores mirradas, os campos só apresentam geralmente gramíneas em moitas isoladas, entre as quais se vê um variado número de outras plantas. Entretanto, depois de Pedro Antunes, num trecho de 3 léguas entre o Rio Sarapuú e o Mato de Lambari, as moitas de

---

[1] [495] Itinerário aproximado de Sorocaba a Itapetininga:
De Sorocaba a Pedro Antunes, sítio..3 léguas
De Pedro Antunes ao Rio Sarapuú ....3 léguas
Desse rio a Lambari, venda..3 léguas
De Lambari a Itapetininga, cidade...3 léguas
                                                                                                12 léguas

gramíneas são entremeadas de palmeiras de folhas radicais. Essa espécie é conhecida na região pelo nome de Indaiá e produz um fruto cuja polpa é comestível[2].

Em parte alguma se veem grandes fazendas, mas se encontram muitas habitações espalhadas pelos campos, muito pequenas e mal conservadas, denunciando uma extrema miséria. Os moradores desses tristes casebres parecem pertencer à raça branca, sendo oficialmente tratados como tal, mas seus traços mostram, inegavelmente, que eles têm uma mistura de sangue indígena. Aos caracteres que indicam essa mistura, e que já assinalei, costumo acrescentar outros, que recomendo a atenção especial dos antropólogos e naturalistas em geral, quais sejam, os cabelos e a cor da tez. Ao passo que os portugueses de raça pura têm a pele morena e os olhos negros, e enquanto os índios possuem olhos e cabelos pretos e uma pele parda, os moradores da região a que me refiro, e que devem a sua origem às duas raças , caracterizam-se por sua tez esbranquiçada e seus cabelos louros – traços esses que eu já havia observado, com ligeiras diferenças, nos mestiços de Caratinga. Talvez estejamos aí diante de um tipo de albinismo[3], cuja causa seria complexa e não poderia ser atribuída unicamente à mistura das duas raças.

Esses mestiços estão longe de possuir a inteligência dos mulatos, e diferem muito dos fazendeiros brancos da região mais civilizada de Minas Gerais. Esses últimos são homens mais ou menos abastados, que possuem escravos e não cultivam a terra com as próprias mãos. Ocorre o contrário entre os colonos brancos, ou pretensamente brancos, da região da Província de São Paulo de que trato no momento, os quais não passam de genuínos camponeses. Não possuem escravos, são eles próprios que plantam e fazem a colheita, e geralmente vivem em extrema miséria. Têm o mesmo ar estúpido e as maneiras rudes de nossos camponeses, mas não são nem ativos nem joviais como eles. Se reunirmos

---

[2] Essa espécie é provavelmente diferente da *Andaia* de Minas e de Goiás (*Viagem pelas Províncias do Rio de Janeiro,* etc.; - *Viagem à Província de Goiás*). Parece que o nome de Indaia, Andaia e Endaia se aplica a várias palmeiras; é essa também a opinião do Príncipe de Neuwied (*Brasilien*).

[3] Sabe-se que o albinismo não é raro entre os indígenas. Roulis observou no México todas as nuanças dessa singular anomalia entre os mestiços de brancos e de índias. Eu vi nas margens do Jequitinhonha alguns botocudos quase brancos, e Firmiano, filho de um cacique que os portugueses chamavam de *capitão branco,* tinha a pele alvacenta, os cabelos castanhos-claros, e piscava os olhos constantemente. O Príncipe de Neuwied também teve oportunidade de ver índios quase brancos. Finalmente, Casal diz que os parecis tinham essa cor, e que se veem alguns indivíduos brancos entre os bugres que habitam a região vizinha da que descrevo no momento.

uma vintena de camponeses franceses num dia de domingo, veremos que eles cantam, riem, discutem entre si; já os campônios brasileiros mal conversam uns com os outros, não cantam, não riem, e se mostram tão melancólicos após beberem cachaça quanto o eram antes. No domingo passei por uma venda situada nas proximidades de Mato do Lambari, onde se achavam reunidos vários lavradores. Como os seus congêneres de Minas, eles também me rodearam, mas ao passo que aqueles sempre me tinham crivado de perguntas e feito mil conjecturas sobre o objetivo do meu trabalho, estes simplesmente se puseram a me contemplar no mais absoluto silêncio.

Esses camponeses têm quase todos os mesmos costumes. Andam descalços e de pernas nuas, e usam um chapéu de abas estreitas e copa muito alva; vestem calções de algodão e uma camisa do mesmo tecido, de fraldas soltas e esvoaçantes; ao pescoço trazem um rosário e à cintura um facão preso a um cinturão de couro. Os mais remediados usam um colete de tecido azul e o cobiçado poncho.

Desnecessário é dizer que as casas desses lavradores são tão pouco apresentáveis no seu interior quanto no seu exterior. Todas se parecem, havendo pouca diferença entre elas. Para dar uma ideia de como são, basta-me descrever aqui a habitação onde passei a noite, situada à beira do Rio Sarapuú, limite do distrito de Sorocaba.

A casa era feita de barro e paus trançados e se compunha de três peças pequenas sem janelas, o que as tornava muito escuras. O cômodo onde me receberam era um pouco mais claro do que os outros porque dava para o quintal, e a parede, desse lado, era composta apenas de paus fincados no chão, a pouca distância uns dos outros. Devido ao costume de se acender fogo no meio do quarto, sobre algumas pedras, as paredes estavam todas enegrecidas pela fumaça. O mobiliário consistia num jirau, num par de bancos e em alguns pilões, destinados a socar o milho para fazer fubá.

Não se deve imaginar que a população que acabo de descrever se ache limitada às 12 léguas que separam Sorocaba de Itapetininga, pois continuei a encontrar praticamente o mesmo tipo de gente, com sua apatia e uma miséria talvez ainda maior, num trecho de quase trinta léguas entre essa última cidade e os Campos Gerais.

Um único traço servirá para completar a descrição desses infelizes. De Sorocaba até *Morongava* não se contam menos do que 40 léguas, e eu só conseguia percorrer 2 ou 3 por dia. Para passar a noite escolhia sempre as melhores casas, e no entanto só encontrei duas onde não havia goteiras por todos os lados. Eles precisam de casas para morar e são forçados a construí-las, mas são preguiçosos demais para conservá-las. Quando surge uma goteira num canto, os objetos que se acham ali são retirados e levados para outro lugar, e assim as pessoas vão recuando de um canto para outro até que a casa inteira caia em ruínas.

O resto do meu itinerário dará uma descrição final da região.

Saí de Sorocaba pelo caminho que leva às forjas, e ainda pude usufruir da vista que a cidade oferecia. Ela se estende, como já foi explicado, pela encosta de um morro, sendo inteiramente dominada pela torre da igreja paroquial. Grupos de laranjeiras e bananeiras aparecem entre as casas, e o verde escuro de suas folhas contrasta com a alvura dos muros e o vermelho das telhas que cobrem as casas. As terras circunvizinhas, irregulares e cortadas de matas e pastagens, são limitadas a leste por algumas montanhas. Abaixo da cidade, um braço do rio serpeia graciosamente por entre duas fileiras de árvores.

Entre Sorocaba e o lugar onde parei sempre tive diante de mim, um pouco à direita, o Morro de Araçoiaba, que ajuda a quebrar a monotonia da paisagem.

Eu disse que perto de Sorocaba havia atravessado um pequeno pasto salpicado de árvores mirradas. Essas árvores pertencem às espécies que crescem nos campos bem mais setentrionais de Goiás e de Minas. Trata-se da Gutífera denominada pinhão (*Kielmeyera insignis*), A.S.H., Juss., Camb.[4], da mesma *Qualea* de flores grandes, etc.*

A palmeira indaiá, a que já me referi, é encontrada em certos trechos do campo onde o terreno é arenoso.

A 3 léguas de Sorocaba parei no sítio de Pedro Antunes, que possuía um engenho de açúcar. O proprietário tinha alguns escravos, mas a sua casa, como todas as outras da região, era extremamente pequena.

Durante a noite que passei no sítio os meus burros se dispersaram pelos pastos. Só muito tarde, no dia seguinte, foram encontrados de novo, e eu não pude partir nesse dia. Aproveitei minha permanência no lugar para fazer um demorado passeio à procura de plantas. Foram poucas, porém, as que encontrei, embora tivesse percorrido muitos brejos. De um

---

[4] Veremos mais adiante que um pouco mais ao sul, à distância de um dia de viagem de Itapeva, eu ainda encontrei alguns espécimes anões da mesma planta.

* O nome vulgar mais comum de *Kielmeyera* é pau-santo e o de *Qualea* pau-terra. (M.G.F.)

modo geral, nem nessa região, nem em outras partes do Brasil que eu tinha percorrido até então, as terras pantanosas apresentam uma variedade tão grande de plantas quanto as da Europa. Tornei a encontrar nos brejos vizinhos de Pedro Antunes os grupos de árvores que comumente crescem nas partes baixas dos pântanos e quase sempre se alinham formando uma longa fileira. Ali, como em Minas[5], os brejos apresentam uma espessa cobertura de arbustos e árvores de hastes finas e compridas, geralmente ramosas desde a base. Se nascem geralmente nas partes mais baixas dos pântanos, isso se deve, sem dúvida, ao fato de que aí se acumulam maiores porções de terra vegetal. Na região, as pequenas matas desse tipo são chamadas de *restinga*, denominação que no litoral, ao norte do Rio de Janeiro, é dada às línguas de terra arenosa cobertas de arbustos de hastes espinhosas[6]. Não creio que em Minas seja dado um nome especial às restingas análogas às da Província de São Paulo[7].

Quando andava à procura de plantas, encontrei, à beira de um riacho, algumas choupanas feitas com folhas de palmeira e tendo poucos pés de altura, cercadas por um tapume. Um rapaz convidou-me delicadamente a entrar numa delas. Estendeu um couro no chão, colocou sobre ele o seu poncho e me fez sentar. Pusemo-nos a conversar e ele me contou que era um dos camaradas de uma tropa de burros bravos que vinha do vilarejo de Faxina. Quando as tropas chegam, são deixadas nos arredores de Sorocaba. Os camaradas armam tendas perto do lugar onde estão os burros e ali ficam até que a tropa seja entregue. É o que chamam de *invernada*. Em geral, esse nome é dado a qualquer lugar onde as tropas permanecem durante o certo tempo.

Enquanto eu me encontrava no sítio de Pedro Antunes, José Mariano deu-me uma nova prova de suas esquisitices. Ele nada tinha comido antes de deixar Sorocaba, e ao chegar ao sítio saiu para caçar, só voltando à noite. Firmiano e o negro Manuel jantaram sem ele, mas guardaram o seu prato junto ao fogo. Ele chegou, estendeu a sua cama e se deitou. De repente, porém, começou a esbravejar, reclamando que não o tinham esperado e declarando que iria embora se os outros continuassem a ter tão pouca consideração para com ele. Às três horas da tarde o termômetro de Réaumur não tinha marcado menos de 24 graus (30° C); era impossível que aquele homem, que havia enfrentado todo esse calor a

---

[5] Ver *Viagem pelo Distrito dos Diamantes e Litoral do Brasil*.
[6] Ver *Viagem pelo Distrito dos Diamantes e Litoral do Brasil*.
[7] Na linguagem comum, *restinga* é um termo de marinha que significa escolho, banco de areia.

cavalo e passara uma boa parte do dia caçando, sempre de estômago vazio, não estivesse com os nervos à flor da pele. Preparei-me para enfrentar novas cenas na manhã seguinte. Quando se levantou, tinha um ar carrancudo e andava de um lado para o outro sem dizer uma palavra. Somente ao cabo de trinta e seis horas é que ele comeu alguma coisa. A partir desse momento tornou-se mais tolerável, e à noite mostrou-se de uma alegria inteiramente despropositada.

Entre Sorocaba e Pedro Antunes as terras são cortadas por capões e pastos, mostrando-se apenas irregulares. Depois de Pedro Antunes a região se torna montanhosa, continuando assim num trecho de 3 léguas, até o Rio Sarapuú[8]. São as matas que predominam então, raramente entrecortadas de campos. Durante a última légua, até a margem do rio, o caminho, bastante ruim, passa ininterruptamente por dentro de uma mata. No final dessa pequena floresta atravessa-se o Rio Sarapuú, de pouca largura, por uma ponte de madeira estreita e sem proteção lateral. É esse rio que separa o termo de Sorocaba do de Itapetininga.

Parei numa casinha situada na sua margem esquerda e em muito mau estado de conservação, a qual já foi descrita por mim.

Num trecho de 3 léguas depois do rio, até a entrada da pequena Mata de Lambari, as terras se mostram sempre onduladas. veem-se aqui e ali alguns capões, mas o caminho atravessa ininterruptamente um imenso descampado, onde as moitas de gramíneas se mostram entremeadas, como já disse, de numerosas palmeiras de folhas radicais. Em algumas baixadas veem-se árvores de pequeno porte, entre as quais identifiquei muitas Mirsináceas. Encontrei na região algumas plantas que me eram desconhecidas, mas o restante já tinha sido visto por mim em todos os outros campos. Nas proximidades da Mata do Lambari a região se torna mais coberta de árvores.

Durante toda a viagem encontrei casinhas espalhadas pelos campos, e perto da Mata do Lambari elas se tornam ainda mais frequentes. Parei na última, situada na orla da mata. Era uma venda que tinha o mesmo nome da mata, que por sua vez o havia tirado de um córrego vizinho.

---

[8] A grafia que uso aqui está de acordo com a pronúncia usada na região, mas é provável que estejamos mais próximos da etimologia da palavra se escrevermos *Sarapuhy*, como fez Müller (*Ensaio*), pois esse nome parece derivar das palavras guaranis *carapua*, curto e largo, e *Yg*, água (rio curto e largo). Além de *Sarapuhy*, encontra-se também no *Ensaio* a grafia *Sarapiú*.

A Mata do Lambari[9], com cerca de uma légua de extensão, apresenta uma vegetação muito bonita. Saindo-se dela, encontram-se apenas campos cobertos de Gramíneas, de algumas outras ervas e de poucos subarbustos. O terreno é muito plano dentro da mata, o mesmo acontecendo no campo que vem logo a seguir.

Querendo passar a noite na cidade de Itapetininga, mandei José Mariano na minha frente a fim de que entregasse ao capitão-mor a carta de recomendação que o capitão-geral da província me tinha fornecido. Minha tropa me deixei para trás e eu entrei sozinho na cidade, onde encontrei todas as casas fechadas, o que me dificultou descobrir o local onde o meu pessoal estava instalado. Finalmente localizei-os num modesto alojamento, e me admirei de que as boas recomendações de que eu era portador não me tivessem valido uma melhor acomodação. José Mariano disse-me que o capitão-mor encontrava-se na sua fazenda e que um capitão da Guarda Nacional, a quem ele apresentara a carta do governador da província, se havia recusado a abri-la. A única pessoa que se dispusera a quebrar o lacre fora um sargento, que lhe havia indicado aquele alojamento. Nessa noite o sargento veio visitar-me e me pediu muitas desculpas por não me ter hospedado em sua casa. Disse-me que tinha enviado a carta do governador ao capitão-mor, mas que este provavelmente não viria ver-me, já que se encontrava ausente de sua fazenda. Por volta das nove horas, entretanto, eu recebi sua visita.

Os capitães-mores eram sempre escolhidos entre os homens mais abastados do lugar, e até um certo ponto podia-se julgar, por eles, a região que tinham a seu cargo administrar. Os trajes do de Itapetininga apenas serviram para confirmar a triste ideia que eu já fazia de seu distrito, pois ele se apresentou diante de mim com o paletó roto nos cotovelos. De resto, pude deixar de ficar satisfeito com as inúmeras demonstrações de apreço e consideração com que ele me cumulou.

Ao mesmo tempo sede de um distrito e de um termo, a cidade de Itapetininga, que em Minas seria considerada apenas um modesto arraial à época em que por lá passei, fica situada a 30 léguas de São Paulo, a 12 de Sorocaba, e outro tanto de Porto Feliz e a 18 de Itapeva, à altura do 23°30' de lat. austral e do 329°53'18" de long. a partir do meridiano da

---

[9] O nome de Lambari foi tirado de um peixe muito pequeno (ver *Viagem pelas Províncias do Rio de Janeiro e Minas Gerais,* VII).

Ilha do Ferro[10]. A cidade deve o seu nome às palavras indígenas *itapéti ny*, pedra que faz som. Foi fundada em 1770 pelo Governador da Província de São Paulo, D. Luís Antônio de Sousa[11], sendo administrada, no antigo governo, por uma câmara municipal e dois juízes ordinários. A estrada do Sul passa por essa cidade, que fica na extremidade de uma bela planície coberta de capim. Abaixo dela passa um rio que tem o nome de Ribeirão de Itapetininga e em cuja margem oposta se vê uma pequena mata que enfeita a paisagem. O formato da cidade é quase quadrado. O número de casas que a compunham, à época de minha viagem, não ia além de sessenta. As casas eram pequenas, feitas de barro e muito mal conservadas. A igreja, dedicada a Nossa Senhora das Mercês[12], foi construída numa pequena praça e não possui nem torres nem campanário. Os sinos estão colocados num pequeno telheiro ao lado do prédio.

Sendo quase todos agricultores, os habitantes de Itapetininga só vão à cidade aos domingos. Isso explica por que, ao chegar, encontrei suas ruas quase desertas. Não obstante, há nela várias vendas e algumas lojas, sendo que as primeiras, principalmente, são muito mal sortidas. Pelos artigos que comprei ali paguei cem por cento a mais em relação aos preços de São Paulo. É bem verdade que esta cidade não fica distante dali mais do que 30 léguas; mas os caminhos são difíceis, o transporte, feito em lombo de burro, extremamente vagaroso e a concorrência quase nula.

À época de minha viagem Itapetininga contava com um pequeno mas florescente comércio, que mais tarde deve ter entrado em declínio. Vendiam-se ali pedras-de-fogo, talhadas nas vizinhanças, principalmente em Sambas. "Essas pedras", escreveu Friedrich Varnhagen por volta de 1814, "são muito boas e de uma cor mais escura que as que vêm da França e da Suíça. São talhadas por pessoas pobres com a ajuda de pequenos martelos chatos de 6 polegadas de comprimento, 1 de largura e 1/4 de espessura, com cabos curtos de madeira. Um trabalhador chega a fazer duzentas por dia, sendo pago o cento a 8 vinténs. As pederneiras de Itapetininga são vendidas em grande quantidade, sendo levadas até

---

[10] Essas indicações são devidas a Pizarro *(Mem. hist.,* VIII); verificaremos, porém, no capítulo seguinte, onde falarei sobre a cidade de Itapeva, que elas poderão dar margem a algumas dúvidas.
[11] Pizarro, *Mem. hist.,* VIII.
[12] Casal e Müller escrevem *Nossa Senhora das Mercês (Corog. Bras.,* I; - *Ensaio estat.);* mas, segundo Pizarro, o nome seria Nossa S. dos Prazeres (obra cit.).

mesmo aos portos de mar, onde são mais apreciadas do que as que vêm do estrangeiro[13]".

Pela primeira vez, desde que deixara Sorocaba, encontrei milho para os meus burros em Itapetininga. Procurei inutilmente em todas as vendas o toucinho, única substância que substitui, no Brasil, a manteiga ou o óleo. Eu teria sido obrigado a me privar dele se o capitão-mor não tivesse mandado buscar em sua fazenda uma provisão de algumas libras. Esses fatos bastam para mostrar como era grande a escassez, nesse ano, já que se tratava de uma região essencialmente agrícola, onde aparentemente havia sempre abundância de gêneros alimentícios.

À época em que passei por Itapetininga, seu distrito e sua paróquia, cujo limites são os mesmos, estendiam-se de leste a oeste por cerca de 14 léguas, desde o Rio Sarapuú, que os separava de Sorocaba, até o Rio Paranapanema, onde tinha início o território de Itapeva. No norte e no sul as fronteiras eram imprecisas. Na direção do mar, que não dista mais de 20 léguas da cidade, logo se encontravam vastas matas despovoadas, e do lado oposto, onde há descampados, também não se podia ir muito longe, por causa da presença nas proximidades de índios ainda selvagens, que causavam grande terror. Em 1839 os limites do distrito ainda eram os mesmos, mas a paróquia, outrora única, tinha sido dividida, e além da que pertencia à igreja da cidade havia ainda duas outras, a de Tatuí e a Paranapanema[14], ambas situadas ao sul de Itapetininga, entre esta cidade e o mar, ou, melhor dizendo, o pequeno porto de Iguape. Finalmente, pelos decretos provinciais de 1842 e 1844, Tatuí, que já era paróquia fazia doze anos, foi desanexada do território de Itapetininga e elevada a cidade[15].

Em 1820 quase todos os habitantes do distrito eram agricultores. Cultivaram o milho, o arroz e o feijão, enviando esses produtos para Sorocaba, onde a presença das tropas de burros vindas do sul e de Minas representava um consumo que as colheitas da região não eram suficientes para atender. Nas partes do distrito onde as geadas não se faziam sentir, tais como os vales, plantavam-se algodoeiros e se fabricavam com o seu produto tecidos grosseiros, que eram enviados, assim como os dos arredores de Sorocaba, ao Rio Grande do Sul e a Curitiba. Tendo em visa a existência, nas vizinhanças de Itapetininga, de uma grande extensão de pastos

---

[13] *Beobachtungen über eines Theil der Capitanie S. Paulo; vorzüglieh in geognostischer Hensicht, in* Eschwege, *Journ.,* II.
[14] Danial P. Müller, *Ensaio estatíst.*
[15] *Relatório apresentado,* etc., pelo *presidente Manuel da Fonseca Lima e Silva, janeiro de 1845.*

de excelente qualidade, muitos colonos se dedicaram exclusivamente à criação de gado, o qual era vendido em São Paulo e até mesmo no Rio de Janeiro. Havia também no distrito de Itapetininga alguns engenhos de açúcar, mas um pouco mais adiantes eles já não eram encontrados. Assim, o Rio Paranapanema poderia representar, no planalto, o limite da região açucareira. As vinhas e principalmente os pessegueiros dão-se muito bem nesse distrito, segundo dizem[16]. Existem terrenos auríferos entre Itapetininga e o mar, dentro das matas, mas o ouro não é abundante e sua extração fica entregue a alguns poucos e miseráveis faiscadores[17].

A partir de 1820 a população de Itapetininga aumentou bastante. As matas situadas ao sul da cidade se tornaram menos despovoadas e as culturas, principalmente da cana, foram incrementadas. Em 1837 ou 1838 foram colhidos no distrito de Itapetininga 5.500 arrobas de açúcar, 1.280 alqueires de feijão, uma certa quantidade de arroz e de milho, tendo sido criados 800 bois e 120 burros[18].

Por ocasião da minha viagem, o distrito de Itapetininga contava com 5 ou 6 mil habitantes; em 1838, quando a atual cidade de Tatuí ainda pertencia a esse distrito, sua população já se eleva a 11.510 indivíduos. O quadro abaixo mostrará com detalhes os aumentos que a população experimentou entre 1815 e 1838. Comparando os dados, poderemos tirar algumas conclusões que contribuirão para nos dar um conhecimento mais perfeito dessa região.

1815

Brancos de ambos os sexos 2.172

Mulatos livres de ambos os sexos 2.755

Negros livres de ambos os sexos 23

Total de indivíduos livres 4.950

Mulatos escravos de ambos os sexos 94

Negros escravos de ambos os sexos 346

    Total de escravos 440

    Total de indivíduos. 5.390

---

[16] Casal, *Corog.*, I.
[17] Os *faiscadores* são catadores de ouro que não têm meios de se dedicar a um trabalho mais produtivo e se limitam a lavar a areia dos córregos e das terras que os margeiam (*Viagem pelas Províncias do Rio de Janeiro e de Minas Gerais*).
[18] Müller, *Ensaio estatíst.*, tab. 3.

1838

Brancos de ambos os sexos 7.422
Mulatos livres de ambos os sexos 1.097
Negros livres de ambos os sexos 291
Total de indivíduos livres 8.810

Mulatos escravos de ambos os sexos 511
Negros escravos de ambos os sexos 2.189
Total de escravos 2.700
Total de indivíduos .... 11.510[19]

1º) É evidente que a população branca não pode ter triplicado em vinte e três anos. Em consequência, deve ter havido consideráveis imigrações, estimuladas pela fertilidade e a grande extensão das terras ainda despovoadas. 2º) É impossível que o número de mulatos se tenha reduzido à metade em vinte e três anos, de onde podemos concluir que foram incluídos entre eles, primitivamente, os mestiços de brancos e de índias. Os filhos desses mestiços, de características indígenas menos acentuadas que as de seus pais, teriam sido incluídos, por uma geração mais indulgente, entre os homens da raça branca, contribuindo assim para aumentar o número destes últimos. 3º) O número de escravos aumentou extraordinariamente, tornando claro que muitos imigrantes os possuíam e os tinham trazido em sua companhia, não sendo portanto homens pobres em sua totalidade. 4º) Não teria sido necessário um número tão grande de escravos se os colonos se tivessem limitado a criar gado; o aumento indica de maneira clara que eles se dedicaram principalmente à agricultura, sobretudo ao cultivo da cana-de-açúcar. Com efeito, essa cultura, que em 1820 tinha um papel secundário na região, adquiriu em 1838 uma grande importância, já existindo ali pelo menos dez engenhos de açúcar. Com efeito, essa cultura, que em 1820 tinha um papel secundário na região, adquiriu em 1838 uma grande importância, já existindo ali pelo menos dez engenhos de açúcar.

É evidente que a localização do distrito de Itapetininga não é tão favorável quanto a dos de Itu, Campinas e Jundiaí, mais próximos da

---

[19] Spix e Martius, *Reise*, I; - Müller, *Ensaio estatís. contin. do apend. tab. 5.*

capital da província e do porto de maior movimento. Não obstante, o distrito conta com algumas vantagens consideráveis. A proximidade de Sorocaba garante-lhe, como já foi mostrado, o escoamento de uma parte de seus produtos. Por outro lado, a cidade de Itapetininga não se acha, na realidade, muito distante do mar. Com efeito, em 1838 não eram necessários mais do que quatro dias de viagem por terra e cinco pela Ribeira de Iguape para ir de Itapetininga ao pequeno porto de Iguape[20]. É de supor, porém, que essa viagem venha a ser consideravelmente encurtada quando as estradas, já iniciadas, que irão ligar Paranapanema a Xiririca, e a própria cidade de Itapetininga ao Rio de Jaquiá[21], afluente do Iguape, se tornem totalmente transitáveis. Então os produtos de Itapetininga irão encontrar fácil escoamento no porto de Iguape, que mantém um comercio de cabotagem não apenas com o litoral do Brasil, mas igualmente com o Rio da Prata.[22]

---

[20] Cito esses dados com base em Müller *(Ensaio estatís.)*; mas as informações contidas no mapa de Villiers, publicado em 1847, fazem crer que eles são exagerados.
[21] Ver os relatórios dos presidentes da Província de São Paulo à Assembleia Legislativa.
[22] Mais ou menos à altura da cidade de Cananeia começa uma ilha estreita e comprida, medindo aproximadamente 6 léguas de comprimento, a qual estendendo-se no sentido sudoeste-nordeste, forma entre ela própria e a terra firme um casal denominado Mar Morto ou Mar Pequeno. É exatamente na extremidade setentrional desse canal que foi construída, no continente, a Vila de Iguape, limitada no sul pelo canal e ao norte pela Ribeira de Iguape. Seu porto é pouco fundo, só comportando pequenas embarcações *(sumacas* e lanchas). A vila exporta uma grande quantidade de arroz, produzido nas suas redondezas. Afora isso, porém, não perece que até 1838 ela tinha feito outras exportações de vulto. Fabricam-se ali barcos de vários tamanhos. Em sua igreja, dedicada à Nossa S. das Neves, há uma imagem do Salvador que atrai muitos peregrinos. Seu distrito, cuja população se elevava em 1822 a 6.700 habitantes, e em 1838 a 9.300 parece ser bem menos insalubre do que outras partes do litoral; suas terras são férteis e banhadas por um grande número de riachos e pela Ribeira de Iguape, denominada, na sua nascente, Rio Assungui, o mais importante dos cursos d'água que, na Província de S. Paulo, nascem na cadeia marítima. Segundo dizer, foi iniciada a abertura de um canal que deverá estabelecer uma ligação entre a foz do Iguape e a vila; se esse canal chegar a ser terminado, ele dará à vila uma grande importância, principalmente porque os produtos dos distritos de Itapetininga e Tatuí poderão chegar mais facilmente ao Rio Jaquiá e a Xiririca (Casal, *Corog.*, II; - Pizarro, *Mem. hist.*, VIII; - Müller, *Ensaio*; - Milliet e Lopes de Moura, *Dic.*, I). Num trabalho bastante valioso, mas um pouco prejudicado por algumas dessas considerações filosóficas tão em moda no século passado, o ilustre Martin Francisco Ribeiro de Andrada faz uma triste descrição dos costumes devassos dos habitantes de Iguape (*Diário da viagem*, etc., in *Revista trim.*, II, 2ª. série).

Capítulo XII

VIAGEM DE ITAPETININGA AOS CAMPOS GERAIS. A CIDADE DE ITAPEVA. INDÍGENAS

> *Quadro geral da região situada entre Itapetininga e os Campos Gerais. Os arredores de Itapetininga. Registro Velho; os trajes do proprietário desse sítio. O sítio de Capivari; chuvas abundantes; tédio, tristeza; fome. História dos Campos de Guarapuava; o missionário José das Chagas Lima. O lugar chamado Pescaria; seus habitantes. Belas campinas, caminhos horríveis. O caminhado que atravessa o sertão de Lajes; reflexões sobre a incúria da administração. O Rio Paranapanema. A fazenda de Paranapitanga; miséria. O Rio Apiaí. Sítio da Fazendinha; uma anciã. Escassez de víveres. Sítio do Capão do Inferno.*

A região que percorri durante um trecho de cerca de 28 léguas, entre Itapetininga e Itararé, até os limites dos Campos Gerais, compreende a parte mais ocidental do termo de Itapetininga e todo o termo de Itapeva. Como esse trecho esteja próximo da cadeia marítima, e os afluentes do Paraná ainda se achem ali pouco distantes de suas nascentes, desnecessário é dizer que as terras são bastante elevadas. O terreno é permanentemente ondulado, alternando-se de modo agradável capões e pastos onde só crescem capim e subarbustos.

O caminho que segui é sempre o mesmo que vai de São Paulo a Curitiba e Rio Grande, e embora tivesse o pomposo nome de *estrada real* o seu estado era em geral péssimo, sendo em alguns trecho aberto praticamente pelos pés dos burros, que se viam obrigados a se esgueirar por entre as árvores.

Eu continuava a me afastar paulatinamente dos trópicos, seguindo na direção sudoeste. Contudo, se os campos ali se mostram menos apropriados à cultura de plantas coloniais, não só devido à sua posição geográfica como também à sua altitude, nem por isso eles deixam de ser férteis, tendo os pastos que os cobrem capacidade para alimentar inumeráveis rebanhos.

Existem na região algumas propriedades de considerável importância, onde é feita a criação de gado. Mas ao passo que em Minas os grandes proprietários residem geralmente nas suas fazendas, os dali as deixam entregues a administradores e até mesmo a escravos. Preferem morar em São Paulo e pouca atenção dão às suas modestas residências rurais, que eles se recusam a ocupar.

Veem-se casinhas espalhadas por todo o campo, mas elas não são ainda mais miseráveis do que as encontradas entre Itu e Itapetininga. Os moradores desses desolados casebres, em sua maioria, devem a sua origem a uma mistura de raças indígena, africana e europeia, sendo que em alguns ressaltam particularmente as características da raça branca, ao passo que em outros predominam os traços africanos e indígenas. Esses homens, geralmente simplórios, estúpidos e sujos, são talvez ainda menos civilizados do que os habitantes dos campos situados entre Sorocaba e Itapetininga. Não possuem escravos e cultivam a terra às próprias mãos. Parece, entretanto, que sua indolência não permite que plantem mais do que o estritamente necessário para que não morram de fome. Os mestiços são em geral superiores a uma das raças às quais devem a sua origem[1]. Assim, os camponeses a que me refiro se acham colocados acima dos índios mas são infinitamente inferiores aos mulatos e até mesmo aos habitantes da parte mais ocidental de Minas Gerais, tão pouco inteligentes e tão apáticos. Estes devem sua estupidez ao isolamento e à ignorância em que vivem, ao passo que os primeiros a devem ao sangue mestiço que corre em suas veias. Não existem na região brancos de raça verdadeiramente pura, salvo uns poucos indivíduos que se estabeleceram ali recentemente. Estes se recusam a aceitar seus iguais os antigos colonos, o que fez nascer o ódio e constantes desavenças entre eles. Depois de 1820 novas imigrações terão certamente ocorrido, e outras ainda irão ocorrer. Novas misturas irão retemperar a população, e a instrução que o governo provincial procura difundir acabará por tirar o povo da região do estado de semibarbaria em que se acha mergulhado.

---

[1] Ver *Viagem à Província de Goiás*.

Meu itinerário confirmará o quadro que acabo de traçar[2].

Ao sair de Itapetininga passei por uma ponte de madeira sobre o ribeirão do mesmo nome e entrei num trecho desacampado e tão plano quanto as nossas campinas de Beauce. Mas essa regularidade do terreno constituía uma exceção, pois o solo não tardou a se tornar ondulado, apresentando sempre pastos entremeados de capões. O aspecto da campina era encantador, com o capim, que provavelmente havia sido queimado no mês de setembro, formando um tapete verde claro que contrastava com o os tons escuros das matas.

A cerca de uma légua de Itapetininga encontra-se o córrego do mesmo nome, que não deve ser confundido com o ribeirão que já mencionei acima. Há uma ponte de madeira sobre o córrego, onde se paga pedágio, mas, como sempre, fui isento da taxa ao apresentar minha *portaria*.

Depois de ter feito uma légua e meia parei num pequeno sítio, bastante aprazível, pertencente a um capitão da Guarda Nacional. O sítio tinha o nome de Registro Velho porque outrora existia ali um posto encarregado de impedir o contrabando do ouro extraído dos rios Parapanema e Apiaí. No princípio só recebi permissão para ficar na varanda[3]. A porta da frente permanecia hermeticamente fechada, e todas as vezes que o seu proprietário desejava entrar em casa dava uma longa volta, passando pelo quintal. Entretanto, quando a chuva começou a cair ao entardecer, tive permissão para levar minhas coisas para a sala[4] e dormir ali.

Não deve causar admiração o fato de se apresentar o capitão-mor do distrito com o paletó roto nos cotovelos, pois o capitão do Registro Velho vestia apenas um calção de algodão e uma camisa do mesmo tecido. A extrema simplicidade desse traje bastaria para mostrar como é pobre a

---

[2] Itinerário aproximado de Itapetininga e Tararé:
Itapetininga ao Registro Velho, sítio	1½ léguas
Do Registro Velho a Capivari, sítio	3 léguas
De Capivari a Pescaria, sítio	2 léguas
De Pescaria a Paranapitanga, fazenda	2½ léguas
De Paranapitanga a Fazendinha, sítio	3½ léguas
De Fazendinha a Capão do Inferno, sítio	2½ léguas
De Capão do Inferno a Itapeva, cidade	2½ léguas
De Itapeva a Fazendinha, fazenda	1½ léguas
De Fazendinha a Perituva, fazenda	3½ léguas
De Perituva a Tararé, lugarejo	5 léguas
	27½ léguas

[3] Ver *Viagem pelas Províncias do Rio de Janeiro e de Minas Gerais*.
[4] Dá-se o nome de *sala* à peça onde são recebidos os estranhos (ver *Viagem pelas Províncias do Rio de Janeiro*, etc.

região, pois são sempre as pessoas mais ilustres e mais abastadas do lugar que são escolhidos para oficias da Guarda Nacional. Qual não seria, então, a situação de um simples guarda da milícia?

Os casebres espalhados pelo campo indicavam, aliás, por sua pequenez, a extrema miséria que havia ali.

Depois de Registro Velho, num trecho de 3 léguas até Capivari[5], onde parei, percorri ainda terras ondulosas, entremeadas de capões e de descampados. Os capões são encontrados comumente nas encostas dos morros e nas baixadas, mas às vezes são vistos nas partes altas, uma exceção provavelmente devida a certas nuanças do solo ou uma queda fortuita de sementes.

A casinha de Capivari, onde parei, ficava situada à beira de um córrego. O seu proprietário, um simples camponês, permitiu que eu me alojasse em sua sala, a qual, segundo o costume, era extremamente exígua. Assim, as cangalhas dos burros e o resto da bagagem ficaram guardados no rancho pertencente ao sítio. Não quero esquecer-me de dizer, com efeito, que em todos os lugares onde parei desde que comecei a minha viagem, e que são os mesmos onde comumente param as tropas de burros, havia um rancho sustentado por mourões. Mas esses miseráveis abrigos eram, sem exceção, cobertos apenas pela metade e se mostravam em tão mau estado quanto os que encontrei na estrada de Goiás.

Choveu torrencialmente na primeira noite que passei em Capivari, e nos dias que se seguiram a chuva continuou a cair quase que com a mesma intensidade. Só cinco dias depois é que pude reiniciar a minha viagem. Dificilmente eu poderia me achar mais mal instalado do que ali para enfrentar aquele dilúvio. Desde a primeira noite o rancho foi inundado, e na salinha escura onde os meus objetos estavam amontoados a água caía por todos os lados, tornando difícil para mim mantê-los protegidos. Privado de meus habituais meios de trabalho, impedido de sair, não dispondo de ninguém à minha volta com quem pudesse conversar, eu morria de tédio, de tristeza e de ociosidade. Assaltavam-me os mais sombrios pensamentos; a lembrança de meus pais não me saía da cabeça; receava não me ser dada a felicidade de voltar a vê-los, enchia-me

---

[5] Não se deve confundir esse lugar com a pequena cidade de Capivari, que também faz parte da Província de S. Paulo e é vizinha de Sorocaba. Como já tive ocasião de dizer em outro relato *(Viagem à Província de Goiás*, II), o nome de Capivari, que significa *rio das capivaras*, é encontrado em inúmeros lugares diferentes no interior do Brasil, o que prova como eram comuns, outrora, as capivaras no país.

de aflição e não encontrava consolo junto de ninguém. Nunca senti de maneira tão intensa como nessa ocasião que eu me achava numa terra estrangeira.

Ao invés de me proporcionarem alguma distração, os meus acompanhantes só serviam para aumentar os meus aborrecimentos. É bem verdade que o prestimoso Laruotte era o mesmo de sempre, mostrando-se diligente e fazendo o possível para se mostrar agradável. Mas José Mariano mantinha um mau humor intolerável e não fazia mais nada; Manuel não parava de exigir coisas e de se queixar; e Firmiano, o Botocudo, tão jovial em outros tempos, imitava exatamente o comportamento de José Mariano, tornando-se tão maçante quanto ele.

Em meio a todos esses aborrecimentos, havia uma coisa a me preocupar. Minhas provisões se acabavam, e eu não sabia onde me seria possível renová-las. A escassez se fazia sentir de maneira terrível em toda a região. Os agricultores não tinham mais fubá. Colhiam o milho antes que amadurecesse e o socavam, e isso, misturado ao leite, constituía toda a sua alimentação.

Não fui eu o único viajante que ficou retido em Capivari por causa do mau tempo. Um homem muito interessante também ali encontrou abrigo. Tratava-se do Coronel Diogo Pinto de Azevedo Portugal, que tinha contribuído recentemente para a abertura de uma nova estrada para o Sul, através dos campos de Guarapuava. Ele podia ter-me dado informações sobre a região, sobre os índios que a habitavam e sobre o seu vigário, o abade Francisco das Chagas Lima, cujo nome era pronunciado ali com toda veneração, mas poucas vezes nos encontramos. O coronel se achava acompanhado de todos os seus familiares e se conservava sempre junto deles, no interior da casa; e de acordo com os antigos costumes da região, ele provavelmente não julgava conveniente apresentar um estrangeiro à sua família. Achei, entretanto, que devia fazer-lhe uma visita. Conversamos sobre a viagem que eu pretendia fazer ao Sul, e ele me espantou ao me dizer que, na sua opinião, seria impossível para mim embarcar de volta à Europa antes de 1822. Jamais eu havia sentido um desejo tão grande de deixar o Brasil; embora não acreditasse que me fosse sentir mais feliz na França e temesse mesmo a vida sedentária que iria levar lá, a minha presença – era o que eu dizia a mim próprio – iria consolar minha mãe da perda que havíamos sofrido. Eu poderia acostumar-me à ideia de não voltar a ver minha mãe, mas não suportava imaginar que não tornaria a dar ela a alegria de rever-me.

O coronel mandou perguntar-me um dia se eu queria tomar um pouco de mate. Aceitei o seu oferecimento, imaginando que nos iríamos reunir, como quando se toma o chá na Alemanha ou na França. Mas não foi assim. Ele mandou-me o seu filho, um menino de dez ou doze anos, que chegou trazendo dois guardanapos muito alvos e bem dobrados, num dos quais vinham pedacinhos de queijo e no outro a cuia com o líquido e a bombilha para chupá-lo. Ainda inexperiente, não retirei da boca a tempo a bombilha e me queimei de uma maneira que iria ensinar-me a ser mais cuidadoso na próxima vez.

Os campos de Guarapuava, que o Coronel Diogo havia em parte colonizado, constituíam então o assunto de todas as conversas. Eu gostaria muito de tê-los visitado, mas as dificuldades da viagem me assustaram. Contudo, para tornar esse relato menos incompleto, recolhi em fontes fidedignas alguns dados sobre essa parte da Província de São Paulo[6].

Os campos de Guarapuava[7] ficam situados perto da fronteira ocidental da província, quase à mesma latitude da parte mais setentrional do distrito de Curitiba, a 30 ou 40 léguas desta cidade e da de Castro, da qual falarei em breve. Devem medir uma vintena de léguas de comprimento por 12 a 14 de largura e se acham quase que totalmente rodeados por altas montanhas e matas sombrias. O viajante, depois de atravessar penosamente estas últimas, sente um genuíno prazer quando se vê de repente diante de belos campos suavemente ondulados, banhados por um grande número de rios e riachos. Os campos de Garapuava, que segundo Sellow se situam a 990 metros[8] acima do nível do mar e distam cerca de 2 graus do Trópico de Capricórnio, são favoráveis ao cultivo de produtos da Europa, às nossas árvores frutíferas e especialmente à criação de gado, cavalos e ovelhas.

---

[6] Francisco das Chagas Lima, *Memória sobre o descobrimento e colônia de Guarapuava*, in *Revist. trim.*, IV. – José Joaquim Machado de Oliveira, *Notícia sobre as aldeias*, etc., in *Revist. trims.*, 2ª. série, I.

[7] Francisco das Chagas acredita que Guarapuava significa *pássaro que voa velozmente* (*Revist. trim.*, 1ª. série); mas ele prova suficientemente em seu trabalho, aliás valioso, que não possuía nenhum conhecimento do guarani. Estou mais inclinado a acreditar que esse nome derive de *guará*, espécie de pássaro, e *puahava*, que parece significar golpe, pancada (Ruiz de Montoya, *Tes. guar,*). Francisco dos Prazeres Maranhão diz, em seu interessante trabalho (*Revist. trim.*, 2ª. série), que Guarapuava significa *guará em pé;* confesso que não encontro nenhuma justificativa para essa etimologia. O autor hispano-americano que já citei várias vezes acha que Guarapuava deriva de *yharapuava*, rio arredondado.

[8] É o abade Chagas que, em seu trabalho, cita Sellow. Este último tinha, por conseguinte, passado por Campos de Guarapuava, e só podemos lamentar profundamente que suas observações sobre a região não tenham sido publicadas.

O Marquês de Pombal, homem de gênio, cujos olhos estavam sempre voltados para o Brasil, acreditou que seria útil ao país a instalação de colônias nas partes mais afastadas da Província de São Paulo para facilitar as comunicações entre a província e o Paraguai e impedir a usurpação das terras pelos espanhóis. Por ordem desse ministro, três grupos de paulistas foram enviados sucessivamente às regiões desertas situadas entre o Iguaçu e o Paraná. As duas primeiras dessas expedições não obtiveram nenhum resultado prático, mas em setembro de 1770 Cândido Xavier de Almeida e Sousa, que chefiava a terceira, chegou aos campos de Guarapuava e tomou posse deles em nome do rei de Portugal.

Durante muito tempo esse fato ficou esquecido, mas com a chegada do Rei D. João VI o ministro de Estado D. Rodrigo, Conde de Linhares, homem dotado de algumas ideias grandiosas, retomou os planos do Marquês de Pombal. Uma expedição composta de duzentos homens partiu sob o comando do Tenente-coronel Diogo Pinto de Azevedo Portugal e chegou, ao cabo de quase um ano, a 17 de junho de 1810, aos campos de Guarapuava, onde foi celebrada uma missa debaixo de uma tenda pelo missionário Francisco das Chagas Lima.

Durante dez dias foi feito o reconhecimento do terreno, num raio de 10 léguas ao redor e, não tendo sido encontrado nenhum habitante na região, lançaram-se os fundamentos de um povoado, que recebeu o nome de Atalaia. Mal tinham acabado de ser construídas as primeiras casas quando ressoaram pelos campos os mais fortes gritos que a garganta humana é capaz de soltar. Tratava-se de um bando de trinta ou quarenta índios, os quais deram a entender, por meio de sinais, aos soldados paulistas que foram ao seu encontro, que eram pacíficos, tendo eles entrado no povoado sem causarem nenhum mal. Ali foram presenteados com tecidos de algodão, ferramentas e bugigangas, e em seguida se retiraram cheios de contentamento. É bem verdade que surgiam desentendimentos de vez em quando entre eles e os paulistas; entretanto, parece que ao cabo de dois anos os indígenas se habituaram com os invasores, tendo mesmo alguns deles chegado a se fixar no povoado. Foi então (1812) que o vigário Chagas começou a se dedicar seriamente à sua instrução.

Os indígenas que se apresentaram diante dos paulistas pertenciam a duas tribos diferentes, a dos *canes* e a dos *votorons*. Os primeiros eram dóceis e cordatos, os segundos altaneiros e ferozes. Entretanto, as duas tribos conviviam em grande harmonia, unidas provavelmente pelo ódio implacável que ambas dedicavam a uma terceira, a dos *dorins*.

As encarniçadas lutas que havia entre esses infelizes retardaram extraordinariamente o progresso da nova colônia, mas a sua má organização talvez lhe tenha sido ainda mais prejudicial. Seria de toda justiça que o governo arcasse com as despesas da colônia de Guarapuava e confiasse a sua guarda a soldados da tropa regular. Não foi o que aconteceu, porém. Essa penosa tarefa foi entregue aos guardas da milícia de três cidades do termo de Curitiba, por se acharem mais próximos dali. A esperança de encontrar riquezas nas montanhas vizinhas de Guarapuava e de aproveitar a fertilidade da planície sustentou-lhes o ânimo, a princípio, mas eles acabaram por se aborrecer e foram substituídos por membros de uma milícia inferior, composta pelo que a sociedade tinha de menos respeitável (ordenança). Estes deviam ser substituídos de três em três meses, mas todos desertavam sucessivamente. Refugiavam-se no Rio Grande, e com isso o termo de Curitiba ia-se despovoando sem nenhum proveito para a nova colônia. Esse termo ainda sofreu novas perdas quando o Coronel Diogo teve a ideia de abrir uma estrada até Guarapuava e em seguida até a província de Missões. Para não serem forçados a trabalhar na construção dessa estrada, aliás bastante útil, dezenas de homens abandonaram suas famílias e se refugiaram nas partes mais remotas da Província do Rio Grande, onde se entregaram a uma vida de libertinagem em companhia de índias. Como veremos a seguir, havia à época de minha viagem certas regiões onde só se viam mulheres maldizendo o nome do coronel.

Até 1818 a situação dos campos de Guarapuava tinha melhorado pouco. Procurou-se tornar pelo menos mais regulares a relações civis e eclesiásticas da colônia, que foi então elevada a paróquia com o nome de Nossa Senhora de Belém. E por uma lei de 4 de setembro de 1818 o governo teve a generosidade de fazer aos índios – os verdadeiros donos da terra – a concessão de um território de 4 léguas (sesmaria), ao qual uns poucos proprietários acrescentaram, por caridade, alguns pedaços de terra. Ao ser criada, a paróquia de Belém foi anexada ao distrito de Castro. Como, porém, ela se ache separada desta cidade por extensas matas despovoadas e forme como que um oásis no meio de um deserto, é muito difícil manter ali a ordem e o policiamento. Em 1839 um bando de vagabundos e de bandidos tomou de assalto a região, causando ali grandes males. O bando voltou em 1842 e 1844, fazendo nascer novos temores. Os presidentes da província viram-se obrigados a exigir da assembleia legislativa que protegesse com forças adequadas uma colônia ainda incipiente mas que possui tudo o que é necessário para se tornar importante[9].

---

[9] Ver os relatórios dos presidentes da Província de S. Paulo relativos aos anos de 1840, 1843 e 1844.

Como já disse, foi 1812 que o vigário Chagas começou a instruir os índios que se tinham estabelecido no povoado de Atalaia. Para ele, porém, constituíram grandes obstáculos a ignorância que tinha da língua indígena[10], o temperamento inconstante dos selvagens, a dificuldade em fazê-los compreender as altas verdades do cristianismo, a paixão dos índios pela vingança e o seu pendor para a mais grosseira libertinagem. Chagas era cheio de zelo e de caridade, e procurava usar, tanto quanto lhe permitiam as circunstâncias, o método dos antigos missionários, no que foi auxiliado durante algum tempo por um índio chamado Antônio José Paí, notável por suas virtudes e pelo ardor com que se empenhava na conversão dos seus irmãos. Paí veio a morrer e sua perda foi grandemente lamentada por Chagas, tanto mais quanto lhe seria impossível substituí-lo. Os incansáveis esforços do digno missionário acabaram sendo coroados de algum sucesso, mas os resultados teriam sido melhores se ele se encontrasse sozinho no meio dos indígenas. Os soldados paulistas, em sua maioria cheios de vícios, misturavam-se com os selvagens e tornavam inúteis com suas palavras e principalmente com os seus exemplos os sábios ensinamentos de Chagas. Isso não era tudo. Tinha sido permitido o estabelecimento de tavernas no povoado, e os índios adquiriam ali o condenável gosto pela cachaça. Misturados com brancos corruptos e escravos mais corruptos ainda, eles podiam fortalecer o seu pendor por todos os tipos de devassidão. "Ao fim de oito anos", diz Chagas, "tentou-se remediar o mal separando as casas dos índios das dos brancos. Mas era tarde demais. A maldade, como disse Job, tinha penetrado até a medula de seus ossos. Isso deve servir de lição aos que vierem depois de nós; saibam eles que os índios jamais perderão os seus hábitos se se tiver o cuidado de mantê-los afastados do contágio dos maus exemplos". Ainda que tudo o que se passou no Brasil de oitenta anos pra cá, bem como os fatos de que várias vezes fui triste testemunha, não justifique o sistema de confinamento dos índios, adotado pelos antigos missionários, o trecho de Chagas citado mais acima e todo o seu relato provam suficientemente que esse sistema, tantas vezes combatido, talvez

---

[10] O abade Chagas diz que os índios de Guarapuava falam o guarani; entretanto, basta um ligeiro conhecimento dessa língua para provar que essa afirmação é inteiramente falsa. De resto, eu não me contentei com um julgamento superficial; procurei no excelente dicionário do Pe. Ruiz de Montoya todas as palavras citadas por Chagas, e só encontrei três que fossem guaranis, *be, co* e *ia,* mas as duas primeiras têm, nessa língua, um significado totalmente diferente do que lhes é atribuído pelos índios de Guarapuava. Quanto à terceira, o mais que se pode dizer é que há uma ligeira analogia em seu sentido, nos dois idiomas. Além do mais, o idioma de Guarapuava inclui a letra *f* (ex. *feve,* flor), que é completamente estranha ao guarani.

seja o único capaz de preservar os indígenas da misérias e da destruição. Quando os índios vieram estabelecer-se, em 1812, no vilarejo da Atalaia, o seu número somava 326; mais tarde 36 vieram juntar-se aos primeiros, e num espaço de tempo de quatorze anos nasceram ali 151 crianças. Em 1827 já não havia em Atalaia mais do que 171 índios. Chagas contava então sessenta e nove anos, e fazia dezessete que se achava em Guarapuava. Ele sentia que precisava descansar. Provavelmente não tardou a ir receber a recompensa de seus serviços apostólicos, e os índios de Guarapuava devem ter ficado sem o seu protetor. Eis aqui como se exprimiu o Presidente Manuel da Fonseca Lima e Silva em seu discurso de 7 de janeiro de 1847 à Assembleia Legislativa da Província de São Paulo[11]: "A cada ano aumenta a decadência da aldeia de Guarapuava. No final de 1845 não havia na colônia mais do que 60 índios de ambos os sexos, vivendo dispersos e sem nenhuma regra. As terras que originalmente lhes haviam sido concedidas nos arredores de Belém, e cujos limites tinham sido rigorosamente estabelecidos, foram invadidas por intrusos e, por meio de vendas fraudulentas, passara, às mãos de novos usurpadores, fracionadas em pequenas glebas. Estou em condições de lhes dizer que a administração geral dos índios irá tomar, em tempo oportuno, medidas capazes de remediar todos esses males". Não duvido de que as intenções de todos sejam as melhores possíveis; mas que se poderá fazer pelos índios quando deles já não existem mais ou, se assim se preferir, quando existe apenas um punhado deles, despojados de tudo, reduzidos à extrema degradação pelas humilhações, a miséria e o convívio com soldados, donos de cabarés, escravos e prostitutas de ínfima classe? Os antigos missionários pertenciam a corporações, e o bem que faziam era continuado pelos seus sucessores. Chagas lutou contra os maiores obstáculos; ele fez todo o bem que lhe era possível fazer, mas estava sozinho. Sua morte provocou a decadência da aldeia da qual ele fora fundador e que não chegou a durar meio século[12].

    Julguei que os fatos que acabo de mencionar contribuíram para um melhor conhecimento da Província de São Paulo, não sendo, pois, considerados alheios ao assunto deste relato. Volto agora á narrativa da minha viagem.

---

[11] *Discurso recitado,* etc.
[12] Não esperei tanto para prestar uma justa homenagem às virtudes do abade Chagas. Tinha ouvido falar muito nele em minha viagem a Curitiba, e tão logo voltei à França escrevi o que se segue: "Eu não poderia deixar de mencionar dois homens cujo fervor benfazejo foi de grande valia para os índios: o abade Chagas, encarregado da catequese dos índios de Guarapuava, e um francês, Marlière, fundador de Manuelburgo, onde ele reuniu vários milhares de puris" (*Aperçu d'um Voyage dans l'intérieur du Brésil,* 37, ou em *Mémoires du muséum,* vol. IX).

No dia 2 de janeiro o vento mudou, passando a soprar na direção do leste. O proprietário de Capivari disse-me que com esse vento jamais choveria, e embora o céu ainda estivesse muito encoberto eu me pus a caminho. Meu hospedeiro não me havia enganado; as nuvens logo se dissiparam e a jornada daquele dia foi muito agradável. Depois das chuvas as matas e os campos se tinham tornado mais verdes e viçosos, e sua vista dissipou pouco a pouco as ideias sombrias que me vinham perseguindo havia longo tempo. Desfrutei deliciado os encantos da tarde.

O caminho que eu seguia era muito frequentado. Nesse dia, como nos precedentes, encontrei várias pessoas a cavalo e grandes tropas de burros bravos.

De vez em quando eu avistava uma casa. Eram, porém, sempre muito pequenas e em péssimo estado de conservação.

Foi numa dessas casinhas que parei. Ficava situada a pouca distância do Rio da Pescaria, que atravessa a estrada, e tinha o mesmo nome do rio.

Ao cair da tarde saí a passeio pelos arredores, tendo encontrado várias outras habitações espalhadas pelo meio do campo. Todas eram semi-descobertas, praticamente expostas ao tempo, e não se viam nelas outro mobiliário senão alguns banquinhos e jiraus. Os moradores desses casebres, provavelmente o resultado de uma mistura das raças africana, americana e europeia, eram, tanto homens quanto mulheres, extremamente feios e sujos. Sua tez lívida e sua magreza mostravam de maneira clara que sua alimentação devia ser insuficiente. Vários deles estavam desfigurados por um enorme bócio. As mulheres tinham os cabelos desgrenhados, o rosto e o peito cobertos de sujeira; as crianças pareciam doentias, tristes e desanimadas; os homens tinham um ar bronco e estúpido. Parece que esses infelizes eram indolentes demais para que plantassem mais do que o estritamente necessário à sua subsistência, e a seca do ano anterior havia levado ao extremo a sua miséria. Praticamente em todos os lugares as pessoas me pediam esmolas. Desde que chegara ao Brasil eu ainda não havia visto em nenhuma outra parte uma pobreza tamanha.

No dia seguinte deixei Pescaria, atravessando inicialmente o rio do mesmo nome. Passei por um campo aberto e logo entrei numa mata virgem, de bela vegetação. O terreno ali é bastante regular, mas o caminho, quase impraticável, é constantemente obstruído pelas raízes e ramos das árvores; os burros, vendo dificultados os seus passos, iam-se esgueirando entre uma árvore e outra, e se metiam em atoleiros. Ali como no caminho que liga Ubá a Forquilha, a marcha regular dos animais tinha formado[13] uma sucessão de buracos, que tornava muito penosa a caminhada para os burros carregados. Eles pisavam na beira dos buracos e escorregavam para o fundo, e era com grande esforço que conseguiam safar-se deles[14]. Eu já havia passado por caminhos muito parecidos na véspera, entre Capivari e Pescaria, e alguns dias antes entre Registro Velho e Capivari. Esses caminhos me faziam lembrar o do sertão do sul, também chamado Lajes ou Viamão[15], por onde as tropas de burros era obrigadas a passar depois de Curitiba e que era descrito por todas as pessoas que eu encontrava com as mais terríveis cores. Antes de entrar nessa estrada – diziam-me – eu devia munir-me de provisões suficientes para uma viagem de 60 léguas, desde a Lapa até Lajes. Nessa longa viagem eu não encontraria nenhuma habitação; teria de romper através de brejos e atravessar vários rios. O caminho era horrível, e às vezes tão estreito que os burros carregados de canastras não conseguiam passar. Não existiam pastagens ao longo do caminho. Finalmente, eu ficaria exposto naqueles sertões a tempestade tão violentas que frequentemente causavam a morte de vários burros. Era impossível que essas terríveis histórias não me inspirassem algumas reflexões sobre a incúria do governo da época. Não é inconcebível – eu me perguntava – que ainda não se tenha feito nada para tornar mais transitável uma estrada tão necessária? Por que não são cortadas as árvores que impedem a passagem dos burros? Por que não são instalados, de distância em distância, alguns postos militares, e as terras ao seu redor cultivadas por condenados da justiça? Por que não construir ranchos com uma venda anexa, dos quais seriam encarregadas pessoas que para isso receberiam alguns privilégios? Quando um governo – eu dizia a mim mesmo – não quer se ocupar, por dever, de uma estrada que lhe proporciona tantos lucros, poderia pelo menos fazê-lo por interesse; pois morre todos os anos nesse trecho do sertão um grande número de burros, não recebendo o fisco sobre eles senão os impostos cobrados em Santa Vitória.

Ao sair da mata onde o caminho era tão ruim encontrei o Rio de Paranapanema, que atravessei sobre uma ponte de madeira pouco larga mas provida de uma balaustrada e bem conservada, o que nessa época

---

[13] Ver *Viagem às Nascentes do Rio S. Francisco*.
[14] Essas mesmas dificuldades são encontradas nos trechos não pavimentados do caminho que liga Orléans a Paris, por onde passa muito gado.
[15] Sertão de Lajes, porque começa depois da cidade do mesmo nome; *Sertão de Viamão*, porque conduz à cidade de Viamão, onde os mineiros iam outrora buscar burros, por ser a única cidade que conheciam na Província do Rio Grande do Sul.

era uma raridade no Brasil. O rio, um dos mais importantes da Província de São Paulo, deve o seu nome a duas palavras indígenas, *paraná*, mar e *panemo*, sem valor[16], e sua nascente fica na cadeia marítima. Tem um curso muito longo, mas pouco conhecido, e numerosos afluentes, acabando por desaguar no caudaloso Rio Paraná. Se fosse possível acabar com as pedras que, segundo dizem[17], obstruem o seu leito, o rio seria um excelente meio de comunicação para os habitantes dos distritos de Itapeva, Castro, Itapetininga e para qualquer colono que se estabelecesse em suas margens.

Pouco depois de ter atravessado esse importante rio, onde é exigido pedágio, cheguei a um campo aberto e avistei ao longe a Fazenda de Paranapitanga, situada numa encosta, do outro lado de uma fileira de árvores que orlam o Rio Paranapitanga, do qual foi tirado o nome da propriedade. Esse rio, depois de servir de limite entre os distritos de Itapetininga e de Itapeva[18], vai desaguar no Paranapanema. O nome de Paranapitanga é composto de duas palavras da *língua geral* – *paraná*, mar, e *pitanga*, criança, filho.

As últimas chuvas tinham feito transbordar o rio, e suas águas se espalhavam consideravelmente do outro lado da ponte de madeira. Imaginando que elas cobrissem um terreno plano, eu ia continuar a atravessá-las depois da ponte quando o meu arrieiro me viu de longe e me gritou que fosse margeando o lugar. Fiquei sabendo, mais tarde, que as águas tinham uma grande profundidade no ponto onde eu tinha pretendido atravessá-las.

A fazenda de Paranapitanga foi a primeira que encontrei à beira dessa estrada. Enquanto que em Guarapuava haviam sido doadas a 500 índios apenas 4 léguas de terra que não tardaram a lhes ser usurpadas de novo, somente a fazenda de Paranapitanga contava com nada menos de 6 léguas de comprimento por outro tanto de largura. A casa do fazendeiro era feita de adobe e tinha dois pavimentos, mas fazia algum tempo que vinha sendo negligenciada, uma vez que a propriedade inteira fazia parte de uma herança indivisa.

As terras de Paranapitanga e as situadas nos arredores de Itapeva, ainda que de boa qualidade, apresentam um grande inconveniente.

---

[16] Francisco dos Prazeres Maranhão, *Colet. Etim. Bras., in Revista trim.*, I, 2ª. série.
[17] Casal, *Corog. bras.*, I.
[18] Indicou-se também o Paranapanema como limite dos dois distritos. A diferença seria, por assim dizer, nula, já que os dois rios estão muito próximos um do outro.

É que, devido ao errôneo sistema agricultural adotado pelos brasileiros, elas se esgotam rapidamente. Ao fim de dois anos as capoeiras já estão suficientemente altas para serem cortadas[19], mas não se pode plantar mais de seis vezes consecutivas na mesma terra; os grandes fetos (*Pteris caudata*) não tardam a aparecer, e os poucos arbustos que nascem no seu meio se mostram muito afastados uns dos outros. Quanto aos pastos, são excelentes, do que resulta haver uma grande criação de gado na região. A fazenda de Paranapitanga estava sendo muito mal cuidada, e o fornecimento de sal ao gado, tão necessário aos animais, havia sido interrompido fazia muito tempo. Não obstante, ainda se contavam ali cerca de mil cabeças de gado.

Fiquei sabendo, em Paranapitanga, que pertenciam a essa propriedade os miseráveis casebres que eu já tinha visto espalhados nos campos vizinhos de Pescaria. Os moradores desses casebres, já descritos por mim mais acima[20], não possuíam o mínimo pedaço de terra, mas tinham obtido dos proprietários de Paranapitanga permissão para construir suas casas e plantar nos seus domínios. Pertenciam à classe dos que em Minas são chamados de *agregados*, e provavelmente em São Paulo também[21].

Na própria fazenda de Paranapitanga encontrei tanta miséria quanto nos seus arredores. O feitor e a sua família só se alimentavam de leite e feijão, sem farinha e sem gordura. Como não havia milho, não se podia engordar porcos. Fazia um ano que não davam milho às galinhas, e quando encontrei algumas para comprar, elas estavam tão magras e sua carne tinha um gosto tão ruim que não pude comê-las. Muitas pessoas alimentavam-se apenas de palmito e de frutas silvestres.

Depois de Paranapitanga, num trecho de 3 léguas e meia, andei sempre através de campos, e o caminho era muito aprazível, como sempre ocorre nas regiões descampadas. A campina se mostrava encantadora, e o verde das matas e dos pastos era de um frescor extraordinário, mas não vi nenhuma planta em flor.

A uma légua do lugar onde passei a noite encontrei o Rio Apiaí, sobre o qual há uma ponte de madeira de 60 passos de comprimento aproximadamente, sendo cobrado pedágio para a sua travessia. Esse rio é um dos afluentes da margem esquerda do Paranapanema.

---

[19] Ver meu trabalho *Mémoire sur le système d'agriculture adopté par les Brásiliens* e *Viagem pelas Províncias do Rio de Janeiro de Minas Gerais*.
[20] Ver p.
[21] Ver *Viagem pelas Províncias do Rio de Janeiro de Minas Gerais*.

Como nos dias precedentes, encontrei durante essa jornada algumas casinhas miseráveis. Uma delas, onde parei, e que tinha o nome de Sítio da Fazendinha, era talvez um pouco melhor do que as outras. Ainda assim, apresentava goteiras por todos os lados. Era habitada por uma mulher branca e idosa, que tinha por única companhia uma índia. A mulher falava demais, mas mostrava uma alegria e uma animação muito raras naqueles lugares. Na ocasião ela se alimentava exclusivamente de feijão, e já não dispunha nem de farinha nem de toucinho. "Não acho isso uma infelicidade muito grande", dizia-me ela, rindo, "é preciso aceitar o que Deus quer. Passaremos melhor no ano que vem".

Quanto a mim, ainda me restava um pouco de farinha, mas fazia vários dias que vinha procurando inutilmente o toucinho em todos os lugares por onde passava. Como a velha, eu e meus acompanhantes comíamos nosso feijão cozido simplesmente na água, com um pouco de sal.

Depois do Sítio da Fazendinha comecei a encontrar no meio dos capões a majestosa *Araucaria angustifólia* (o pinheiro-do-paraná), que produz na paisagem um efeito muito pitoresco. Passei por várias casinhas que me pareceram um pouco menos miseráveis que as dos dias anteriores, e encontrei com frequência grandes tropas de burros bravos.

Parei numa pequena habitação onde fui acolhido por um bondoso velhinho com uma delicadeza e uma alegria às quais eu já não estava mais habituado. Sua casa ficava situada a poucos passos da estrada, abaixo de uma pequena mata denominada Capão do Inferno, porque antes de se chegar até ali o caminho se tornava muito difícil. Era dessa mata que a própria casa tinha tirado o seu nome de Sítio do Capão do Inferno.

Depois desse lugar só parei na cidade de Itapeva, distante dali 2 léguas.

Capítulo XIII
A CIDADE DE ITAPEVA – OS ÍNDIOS BUGRES E OS GUANHANÃS

A cidade de Itapeva; sua história; sua localização; suas casas; sua igreja; seus meios de comunicação. O distrito de Itapeva; seus limites; sua população; sua produção; sua pobreza; progressos notáveis. Novos pormenores sobre a escassez de víveres. O capitão-mor de Itapeva. O Rio Tacuari. A propriedade de Fazendinha. As terras vizinhas. O lugarejo de Itararé. O Rio da Barra; sua queda. O Rio Itararé; seu desaparecimento; uma cascata. Terras nos arredores de Itararé; suas produções. Os índios bugres. Os guanhañas; sua língua; um rapaz dessa tribo. Os índios de Itapeva; sua história; O Barão de Antonina.

Itapeva, cujo nome, tirado à língua geral, significa *pedra chata*[1], fica situada numa região muito desigual, cortada por capões e campos[2]. A cidade não era inicialmente a sede do distrito do mesmo nome. O pelourinho, que, como se sabe, é um apanágio das cidades, havia sido inicialmente colocado numa aldeia denominada Faxina, distante 2 ou 3 léguas da estrada[3]; mais tarde foi transportado para Itapeva. À época de minha

---
[1] *Ita*, pedra, *apeba*, chata. Itapeva significa também *lâmina de ferro* (*Dic. port. bras.*), e é essa a etimologia aceita por Francisco dos Prazeres Maranhão; mas a primeira me parece mais plausível.
[2] Pizarro, que como já vimos situa Itapetininga a 23°30' de latitude austral, diz que Itapeva está situada a 23°19'30" de lat.; mas como a posição dessa última cidade é evidentemente mais meridional do que a da primeira, é claro que há erro em uma das duas indicações. Esse fato, bem como inúmeros outros, vem provar quão necessário seria que as antigas marcações fossem verificadas por um especialista habituado à precisão com que hoje se fazem trabalhos desse gênero.
[3] Contam que o nome de Itapeva e o de Faxina sempre se referiram a um mesmo lugar (*Dic. Bras.*, I). Eu não estive propriamente em Faxina, mas acho difícil acreditar que os habitantes

viagem, entretanto, era comum dar-se ao lugar o nome da antiga sede, ou seja Faxina[4] ou Itapeva da Faxina. A cidade é, inegavelmente, a menor de todas que visitei depois que cheguei ao Brasil[5]. Em 1820 não contava com mais de trinta casas, a maioria das quais em muito mau estado. As casas formavam três grupos principais, sendo que o mais numeroso ficava situado, juntamente com a igreja paroquial dedicada a Santa Ana, no topo de uma colina, no sopé da qual passa o Riacho Fundo, que vai desaguar no Rio Tacuari, afluente do Paraná. O segundo grupo de casas se erguia na encosta da colina, e o terceiro à beira do riacho. Pedras chatas e unidas, no meio das quais crescem algumas plantas, guarnecem o flanco das colinas que margeiam o Riacho Fundo.

Itapeva contava com uma vantagem da qual ainda estavam privados, em 1820, todos os povoados situados ao longo da estrada. Essa vantagem era a possibilidade de comunicação com o mar, o que poderia transformar o modesto lugarejo num centro bastante importante. A cerca de 15 léguas a leste dali fica situada a cidadezinha de Apiaí[6]. Existe uma estrada que vai de Itapeva a essa cidade, e dali é possível descer de canoa, ainda que com certa dificuldade, até o pequeno porto de Igape, situado no ribeirão do mesmo nome. Em 1820 já era usada essa via para o transporte do sal, tão necessário aos animais, e o seu custo resultava muito mais baixo do que quando era trazido de Sorocaba[7].

O distrito de Itapeva se estende desde o Rio Paranapitanga até Itararé, onde começa o de Castro. Em 1820 ainda não havia ali 2.000 habitantes, e sua administração ficava a cargo de dois juízes ordinários. Nesse distrito o número de escravos é pouco considerável, não somente porque os seus habitantes são muito pobres, mas também porque a criação de

---

da região se tenham enganado quanto à existência de um lugar situado – segundo eles – a 2 ou 3 léguas de seu próprio povoado.

[4] Faxina ou Fachina significa ao mesmo tempo *feixe* e *destruição*. Sou levado a acreditar que ali é dada à palavra essa última acepção, pois os índios das redondezas eram considerados como terríveis destruidores.

[5] Considerando-se que unicamente a vaidade ditou a criação de tantas vilas nas províncias de Minas, Goiás e S. Paulo, é bem possível que existam outras ainda menores do que Itapeva.

[6] Apiaí, situada nas montanhas da cadeia marítima, deve sua origem ao ouro encontrado outrora em suas terras. Parece que se desenvolveu bastante a extração ali, mas um grande número de escravos morreu devido a um desmoronamento, sem dúvida causado pela imperícia dos mineradores e atualmente só existem faiscadores em Apiaí. Esse nome se origina das palavras guaranis *apia* e *yg*, significando a primeira, entre várias outras coisas, mancha e membro viril.

[7] Manoel Felizardo de Sousa Melo, presidente da província em 1844, diz em seu discurso à assembleia legislativa que, de acordo com as informações fornecidas pela câmara municipal de Apiaí, havia sido iniciada a construção de uma estrada entre essa cidade e Itapeva, que deveria servir para o trânsito de carroças e seria 6 ou 8 léguas mais curta do que a antiga.

gado, sua principal ocupação, exige pouco trabalho. Itapeva fornece uma grande quantidade de bois à cidade do Rio de Janeiro. Parece, entretanto, que a maioria das fazendas da região – de resto em pequeno número – pertencem a homens abastados que não moram nelas e que, ao contrário dos fazendeiros de Minas, gastam seus lucros em outras partes (1820). Disso resulta que a região, como já foi mostrado, permanece na miséria, e o pouco de dinheiro que aí circula se deve principalmente às tropas que vêm do Sul[8]. Nas terras de boa qualidade o milho rende à razão de 150 a 200 por 1, mas a cana-de-açúcar não pode ser cultivada, por causa das geadas de junho e julho.

Como já tive ocasião de dizer, não existem brancos sem mistura no distrito de Itapeva, a não ser uns poucos forasteiros. Todos os antigos habitantes do lugar são mestiços. Entretanto, como se encontrem entre estes alguns indivíduos de pele tão clara quanto a dos europeus, eles procuram passar por brancos. Os brancos genuínos não os aceitam, e uns e outros se detestam.

Tal era, em 1820, a situação da região. Todavia, depois dessa época ocorreram ali, a se dar crédito a Daniel Pedro Müller, sensíveis progressos. Em 1838 a população já somava 4.000 indivíduos, havendo, em consequência, mais do que duplicado em 10 anos[9]. O número de escravos – lamentável indício de prosperidade – que em 1815 não ultrapassava 240[10], elevava-se em 1838 a 657. Possivelmente por meio da escolha de locais particularmente favoráveis, o distrito conseguiu fabricar um pouco de açúcar, assim como colher uma enorme quantidade de milho (230.000 alqueires) e criar 2.094 cabeças de gado[11].

Pelo que ficou dito mais acima, já se viu como era grande a escassez de víveres em todo o termo de Itapeva, à época de minha viagem. Mas essa escassez não datava de 1820, fazia já dois anos que havia começado. Em 1818 os bambus floresceram, tendo ocorrido ali a mesma coisa que sucedera em Minas, em idênticas circunstâncias: centenas de ratos, atraídos pelas sementes de bambu, devoraram enormes quantidades de

---

[8] Todos sabem que a ausência dos ricos proprietários das terras, na Irlanda, é uma das causas da pobreza de seus camponeses.
[9] O útil *Dicionário geográfico do Brasil* indica a cifra de 2.000 para a população do distrito de Itapeva. É claro, pelo que diz Pizarro, que esses dados se referem a 1822 e são provavelmente um pouco exagerados; talvez acontecesse o mesmo com a de 1838.
[10] Spix e Martius, *Reise*, I.
[11] Müller, *Ensaio estat.*, tab. 3.

milho, primeiramente nas roças e depois nos paióis[12]. Quanto à colheita de 1819, ela havia sido quase nula, como já expliquei, devido a uma prolongada seca. Em vista disso, o preço do fubá, que normalmente era 480 réis o alqueire, chegara a alcançar 4.000 réis. Eu próprio paguei por esse produto 2.800 réis. Os habitantes da região, depois de se alimentarem durante muito tempo de brotos de palmeira, de gabirobas[13] e outras frutas silvestres, decidiram colher o milho, mal os grãos começaram a se formar. A maioria deles era de uma magreza extrema e tinha a pele lívida e luzidia – doloroso indício dos sofrimentos causados pela fome. A disenteria já começava a fazer algumas vítimas, sendo de temer que esse mal se generalizasse.

Quando me aproximava de Itapeva mandei José Mariano à minha frente, com uma carta de recomendação do capitão geral da província para o capitão-mor. Este achava-se na sua fazenda, mas um sargento da milícia providenciou para mim uma casa muito confortável. Logo após ter recebido a carta, o capitão-mor partiu para a cidade, mas infelizmente eu já estava dormindo quando ele chegou. Na manhã seguinte ele veio visitar-me e providenciou para que me fossem servidas todas as refeições na minha própria casa, vindo ele próprio comer em minha companhia. O seu genro servia os pratos, trazendo, segundo o costume da região, um guardanapo sobre o ombro. O capitão-mor, que provavelmente era o mais abastado dos fazendeiros do lugar, tinha mais ou menos a aparência dos nossos prósperos agricultores de Beauce. Ele me pediu muitas desculpas por não se ter apresentado de uniforme; usava uma sobrecasaca de casemira azul, um colete de veludo preto e um chapéu redondo, cuja copa era contornada na base por um galão de ouro.

As pessoas mais ilustres do lugar também vieram ver-me, mas foram poucas as perguntas que me fizeram. Esses homens não tinham nem o espírito nem a curiosidade dos mineiros, mostravam-se alheios a tudo o que se passava no mundo e apenas conseguiam falar das coisas que os cercavam. E muitos dos agricultores do lugar não sabiam nem mesmo a que eu me referia quando lhes perguntava quanto rendia o milho por ano.

---

[12] Esse fato, atestado por pessoas que moravam centenas de léguas distantes umas das outras, não pode ser posto em dúvida.
[13] Como já disse em outro relato (*Viagem à Província de Goiás*, II), é dado o nome de gabiroba a todas as pequenas espécies de *Psidium* de bagas arrendondadas. Os *Psidium guazumoefolium corymbosum multiflorum*, Aug. S. Hil., Juss., Camb., são gabirobas, bem como o *Myrtus mucronata*, A.S.H., J., C.

Ao chegar a Itapeva mandei pesquisar os arredores em busca de víveres. Não me foi possível encontrar nem galinhas, nem toucinho, nem carne. Sem a ajuda do capitão-mor, que me cumulou de favores e atenções, não sei o que teria sido de mim. Ele forneceu-me provisões, só concordando em receber dinheiro quando se tratava de mantimentos que ele próprio tinha comprado. Antes de minha partida de Itapeva, ele ofereceu-me um jantar realmente abundante demais para uma época de escassez, e depois fez questão de me acompanhar por uma meia légua, até o Rio Tacuari, que já mencionei mais acima[14].

O rio é vadeável nesse ponto, durante a seca. Durante o período das chuvas as pessoas podem atravessá-lo por uma pequena ponte de madeira, que tinha acabado de ser construída quando o Ouvidor de Itu, que até então tinha sido Juiz de Fora em Curitiba, passara por ali para tomar posse do seu novo cargo. De um modo geral, sempre que ocorriam melhoramentos nas estradas, isso se devia quase que exclusivamente à passagem, pelo local, de generais e de ouvidores. O rancho de Guardamor, na estrada de Goiás-Mato Grosso, tinha sido feito para uso de João Carlos d'Oeynhausen, a estrada de Caldas para Fernando Delgado, etc.[15].

O capitão-mor de Itapeva tinha requisitado dois homens para que me ajudassem a atravessar o rio. Os homens levaram minha bagagem nos ombros, passando pela ponte, e os burros atravessaram a corrente a nado.

Pouco tempo depois de termos reiniciado a jornada, a chuva começou a cair e nós chegamos inteiramente molhados ao lugar denominado Fazendinha, onde íamos passar a noite[16]. Geralmente, na estação das águas, quando não chove durante o dia inteiro chove pelo menos à tarde; mas é muito raro haver chuva pela manhã e à tarde fazer bom tempo. Foi isso o que observei durante duas estações de chuva na Província de Minas Gerais.

A propriedade de Fazendinha, onde parei (23 de janeiro), estava entre as que eram chamadas de *fazendas de criar*, por ser dedicada à criação de gado. Pertencia a uma senhora de Sorocaba, que mantinha ali um feitor e alguns escravos, mas nunca vinha à propriedade. Com efeito, não sei onde ela poderia alojar-se, se viesse, pois só havia na Fazendinha uma

---

[14] Convém lembrar que o quadro geral apresentado no começo do capítulo anterior refere-se não somente à região que se estende de Itapetininga a Itapeva, mas também à que vai Itapeva a Itararé.
[15] Ver *Viagem à Província de Goiás,* II.
[16] Desnecessário é dizer que não devemos confundir essa propriedade com o sítio de Fazendinha, de que já falei mais atrás.

miserável choupana quase em ruínas, infestada de baratas, e tão exígua que a pessoa mal se podia mexer dentro dela.

Adiante dessa propriedade, num trecho de 3 léguas e meia, a região se apresenta quase sempre plana; os capões e os pastos formam uma mistura encantadora, e o verdor da vegetação é admirável. Nos dias precedentes eu já havia visto algumas Araucárias no meio dos capões; nesse dia vi um pequeno bosque composto exclusivamente delas, formando como que uma arquibancada na encosta da colina. Como os galhos da Araucária terminam todos à mesma altura, as árvores dispostas num mesmo plano compunham uma espécie de plataforma comprida, de um tom verde escuro. As fileiras se sucediam, formando várias plataformas, até o topo da colina.

Nesse mesmo dia atravessei vários riachos que passam por entre dois morros, sobre um leito de pedras chatas, sendo eles próprios orlados de lajedos. Fiz uma bela coleta de plantas no meio destes últimos. Capões totalmente compostos de Araucárias e pedras muito chatas à beira dos rios anunciavam os Campo Gerais, onde eu logo iria chegar.

Antes de chegar à Fazenda de Perituva, onde parei (24 de janeiro), atravessei por uma ponte de madeira muito estreita o rio do mesmo nome, que, segundo me disseram, se lança no Tacuari.

A fazenda de Perituva[17] pertencia a um homem muito rico de São Paulo, que jamais aparecia ali e deixava os seus rebanhos a cargo dos seus escravos. Não é de admirar, pois, que não existisse nesse lugar senão uns miseráveis casebres, em péssimo estado de conservação. Foi num deles que me alojei.

Antes de começar a trabalhar examinei as minhas malas, para ver se nelas não tinham entrado baratas, na noite anterior. A casa onde eu havia dormido achava-se, como já expliquei, infestada desses repugnantes insetos, que tudo devoram e tudo contaminam. Um grande número deles havia-se enfiado entre a madeira e o couro das malas, e para exterminá-los era preciso estar sempre revisitando tudo cuidadosamente.

Enquanto eu prosseguia com a minha viagem, as provisões que me haviam sido fornecidas pelo capitão-mor de Itapeva foram-me restituindo pouco a pouco as forças que eu havia perdido. Durante alguns dias eu me tinha alimentado muito mal; ao chegar a Itapeva sentia-me indisposto, com os nervos irritados, e teria provavelmente adoecido se

---

[17] O nome de Perituva vem das palavras da língua geral *pery*, junco, e *tyba*, abundância (lugar onde existe muito junco).

tivesse continuado a me alimentar exclusivamente de feijões cozidos em água e sal.

Adiante da fazenda Perituva os campos continuavam explêndidos. Depois de ter feito cerca de uma légua e meia, passei pela propriedade de Rio Verde, pertencente ao mesmo dono da anterior, onde também se fazia criação de cavalos e gado. Em Rio Verde existiam apenas dois ou três casebres ainda mais miseráveis que os de Perituva. Foram os únicos que encontrei durante toda a jornada desse dia, que foi muito longa.

Eu tinha tido a intenção de parar na fazenda de S. Pedro, que ficava situada a pouca distância da estrada e pertencia ao mesmo dono das duas precedentes. Fui, porém, aconselhado a desistir dessa ideia, tendo sido eu informado de que eram de tal forma numerosas as baratas nessa propriedade que as minhas malas e as cangalhas dos meus burros logo ficariam crivadas delas.

As fazendas de Perituva, Rio Verde e S. Pedro formavam, juntas, um território mais extenso do que o de muitos principados. Mais de duzentas pessoas tinham obtido permissão do proprietário para morar em suas terras; ali eles plantavam e criavam animais sem nada pagar ao dono. É bom dizer, porém, que a qualidade do solo tornava esse ato de bondade menos meritório do que poderia parecer a um europeu que desconhecesse as condições da região. Seja como for, os homens que se aproveitaram da complacência do dono de Perituva levavam uma existência bastante precária; um novo proprietário poderia expulsá-los das terras ou impor-lhes duras condições. Se eles caminhassem algumas léguas na direção do mar poderiam encontrar terras ainda sem dono e onde jamais apareciam selvagens; eram, porém, demasiadamente desprovidos de energia para que fizessem qualquer esforço, por menor que fosse.

O clima da Província de São Paulo não mudou; as outras influências às quais a nossa raça é submetida nessa província, pelo menos na parte ocidental, também não mudaram. Como se explica, pois, que os mestiços que habitam a região situada entre Sorocaba e os Campos Gerais, oriundos sem dúvida dos antigos Mamelucos, sejam tão diferentes de seus antepassados? Não podemos admitir que eles se tenham degenerado por força dos vários cruzamentos que os fizeram aproximar-se de nossa raça. Não seria mais plausível que os antigos mamelucos se tivessem modificado temporariamente? Esses homens não eram menos apáticos do que os seus descendentes, sendo mesmo provável que o fossem até muito mais, contudo, sentiam-se estimulados pelo exemplo dos brancos, queriam mostrar-se iguais a eles, e através de suas crueldades para com os índios procuravam escapar à vergonha de descender dessa raça proscrita e desprezada.

Não desejando, como já expliquei, parar na fazenda de S. Pedro, por causa das baratas, decidi continuar o caminho, tendo percorrido nesse dia 5 léguas, o percurso mais longo que fizera de uma vez, desde que deixara São Paulo.

A pouca distância da fazenda Rio Verde, atravessei a vau o rio do mesmo nome, que corre sobre um leito de pedras chatas. Nas proximidades desse local veem-se, à direita do caminho, imensas matas.

Pouco a pouco eu ia avançando, ainda que obliquamente, na direção do Sul; em consequência, a vegetação deveria apresentar algumas modificações. Com efeito, encontrei nos trechos descampados muitas plantas que ainda não conhecia, mas vi também uma grande variedade que é também encontrada nos campos de Minas, de Goiás e ao norte da Província de São Paulo. Cito, por exemplo, alguns espécimes anões do pequi (*Caryocar Brasiliense*, A.S. Hil., Camb., Juss.), cujo fruto tem ali o nome, bastante singular, de *fruto inglês*. Desde que deixara Sorocaba eu havia encontrado, mas em pequena quantidade, o *borulé* (*Brosimum*). Um dia, antes de chegar a Itapeva, vi também alguns espécimes anões de uma Gutífera de grandes folhas glaucas e flores cor-de-rosa (*Kielmeyera speciosa*, A. S. H., Camb., Juss), tão comuns nos campos de Minas. Finalmente, a planta vulgarmente chamada *Mangabeira falsa* é bastante comum na região. A flora dessa parte da Província de São Paulo constitui o começo da transição entre a das províncias tropicais e a vegetação do Rio Grande.

O capitão-mor de Itapeva me havia dado uma carta de recomendação para um cabo da Guarda Nacional que comandava o povoado de Itararé[18], onde parei a 25 de janeiro. Despachei José Mariano na frente, para levar a carta, tendo sido preparada para mim a melhor casa do lugar, o que na verdade não significa grande coisa. Fui recebido pelo cabo, um homem branco e prestimoso, sobrinho do capitão-mor.

O lugarejo de Itararé tem o mesmo nome de um pequeno rio que passa nos arredores. É composto de um punhado de casebres miseráveis, muito pequenos, baixos e escuros, feitos de barro e de paus cruzados, em cuja estrutura não entravam nem encaixes, nem cavilhas, nem pregos.

---

[18] Itararé origina-se das palavras guaranis *ita* e *rare*, pedra que o rio escavou (Ruiz de Montoya, *Tes. guar.*). Tinham-me dito que o nome significava *pedra que gira, mó*; mas então seria de supor que ela derivasse de *itaire*, que é bastante diferente de *itararé*. De resto, como veremos em breve, o nome de *pedra que o rio escavou* convém perfeitamente à região. Em nenhum caso, porém, devemos escrever, como os diligentes autores do *Dicionário do Brasil*, *Itereré*.

As vigas eram sustentadas por mourões terminados em forquilhas, sendo todas as peças de madeira amarradas com cipó.

Passei um dia nesse lugarejo a fim de poder examinar um grande número de plantas que havia recolhido na véspera e de visitar o Rio Itararé.

Parti a cavalo por volta do meio-dia, acompanhado pelo cabo a quem fora recomendado, e depois de ter atravessado extensos pastos avistamos o vale por onde passa o Itararé ou, como dizem os habitantes do lugar, o Tareré. Dirigimo-nos a um local que é chamado de Barra porque é ali que um pequeno rio do mesmo nome e o Itararé juntam suas águas. Nesse local as terras que margeiam este último são bastante pantanosas; elas se estendem inicialmente por uma encosta suave, coberta de capim, e nas proximidades do rio apresentam alguns arbustos, principalmente a Mimosácea 1.397 *bis*; depois descem de repente a pique, até o fundo do estreito vale. O Rio da Barra corre sobre um leito de pedras chatas e, após dar alguns saltos, precipita-se no Itararé de uma altura considerável, formando uma cortina de água. Abaixo da cascata o Itararé escoa por uma profunda ravina, desaparecendo das vistas do observador. Nesse local, as pedras que o margeiam se aproximam e se juntam acima dele, deixando apenas uma fenda de pouca largura. Todavia, no meio dos pastos, as sinuosidades do rio ressaltam claramente, delineadas pelo verde sombrio de uma espessa cobertura de arbustos e arvorezinhas que rompem por entre as rochas talhadas a pique nas bordas da ravina. No meio desse compacto grupo de plantas não se pode deixar de notar as esbeltas palmeiras e a *Clusia criuva*, A.S.H., Juss., Camb., de folhas luzidias e flores brancas em corimbo. Somente a uma légua dali é que o Itararé se torna de novo visível, incialmente com uma largura de 60 a 70 centímetros, mas depois alargando-se de repente para 6 ou 7 metros. Suas águas correm celeremente, ainda orladas de rochas abruptas e de um grande número de arbustos. No ponto onde o Itararé reaparece vem reunir-se a ele um riacho, cujas águas são usadas no povoado. Forma-se então uma encantadora cascata, que se precipita do alto das pedras e se perde no meio das árvores e do mato rasteiro. Depois de percorrer uma certa distância, o Itararé alarga-se uma segunda vez – disse-me o meu guia – chegando a medir então cerca de 34 metros. Ele é muito profundo até chegar a esse local, e suas águas não têm um sabor agradável.

Segundo me informou o cabo, as terras que margeiam o Itararé são excelentes e geralmente apropriadas à cultura do milho, do arroz, do feijão e da mandioca. O milho chega a render até 400 por 1. Os grandes fetos se apossam rapidamente dos terrenos ruins, mas não aparecem nos de boa qualidade. Estes, contudo, esgotam-se facilmente, e ao cabo de um número de colheitas torna-se necessário capinar as ervas daninhas, o que não ocorre quando o solo ainda é novo. O algodão ainda é produzido ali. É bem verdade que a geada se faz sentir todos os anos, mas somente depois da colheita dos últimos frutos.

Desde que havíamos deixado São Paulo, todas as pessoas procedentes do Sul que encontrávamos pelo caminho nos falavam dos índios de Itapeva, assustando o meu pessoal com mil histórias trágicas. É bem verdade que nessa época bandos de selvagens habitavam as matas vizinhas da estrada e que adiante de Itapeva eles viviam quase à beira dela, sendo vistos principalmente entre os rios Itararé e Jaguariaíba. É igualmente verdade que eles várias vezes tinham depredado as propriedades situadas perto da mata. Raramente, porém, aventuravam-se até a estrada. Em geral, os índios só atacam quando se sentem seguros, e os que habitavam as matas da região deviam saber que os viajantes nunca passavam por ali sozinhos ou desarmados. Todos os anos os milicianos de Itapeva se reuniam e se embrenhavam nas matas à caça dos índios. Eram bastante hábeis nisso, e raramente voltavam sem que aprisionassem mulheres e crianças. Seu entusiasmo era despertado não apenas pelo desejo de afastar dali os seus perigosos vizinhos como também pelo interesse em fazer prisioneiros, pois era-lhes permitido escravizar os cativos durante quinze anos ou vendê-los por esse prazo de tempo.

Logo depois de São Paulo até a fronteira ocidental da província, e mesmo em Santa Catarina, é dado aos índios, de um modo geral, o nome de bugres[19], que deriva evidentemente do francês mas cujo significado foi deturpado. Quando aos índios de Itapeva, eram designados especialmente por guanhanãs, nome que parecia tão desconhecido dos homens aos quais dizia respeito quanto o de coiapós o era dos índios de Goiás[20]. Acredito que os nomes da maioria dos povos indígenas não passam de palavras que teriam chamado a atenção dos portugueses quando ouviam os índios conversando entre si, palavras essas com que eles passaram a designar, depois de deturpá-las, a tribo inteira. É bem possível que o nome de guanhanãs não seja outro senão o de guaianases ou guaianás,

---

[19] Como foi dito em meu relato *Viagem pelo Litoral*, etc., dá-se também o nome de bugres aos índios selvagens da Província do Espírito Santo. Desnecessário é dizer que não se deve escrever nem *bugros* nem *boogres*.

[20] Ver *Viagem à Província de Goiás*.

que como sabemos era dado aos habitantes da planície de Piratininga[21] e que teria sido levado, por alguma lembrança histórica, até os indígenas de Itapeva.

Quando eu me achava nesse lugarejo, foi-me mostrado um jovem guanhanã que havia sido aprisionado fazia dois anos e tinha sido comprado por um fazendeiro das vizinhanças. Observei que havia nele todos os traços da raça americana; tinha a pele terrosa, mas fora disso não notei nele nada que o distinguisse particularmente. Eu desejava que ele me fornecesse um pequeno vocabulário de sua língua; precisei primeiramente vencer a sua timidez, para em seguida verificar que ele havia esquecido a maioria das palavras que eu lhe perguntava. Os nomes dos animais selvagens eram os que melhor conservara na memória, o que não é de espantar, pois esses animais constituem a principal alimentação dos índios. Vivendo no meio deles na mata e lhes fazendo caça permanente, os índios podiam observar os seus hábitos e os seus ardis. Aprendiam a imitar a sua voz, a espreitá-los, a apanhá-los de surpresa, atribuindo muitas vezes aos bichos uma inteligência e uma argúcia que eles estavam longe de possuir. O botocudo Firmiano dava frequentes provas do que digo aqui.

Reproduzo a seguir as palavras que o jovem guanhanã me ditou:

Deus   Tupé[22]

---

[21] Não se deve esquecer que, na língua portuguesa, as letras *nh* são pronunciadas como o *gn* dos franceses, o que faz com que tenham um som singularmente semelhante as palavras *guaianás* e *guanhanans*. João da Silva Machado, Barão de Antonina e proprietário, em 1843, da fazenda de Perituva, confirma inteiramente o que digo aqui, pois ele não dá senão o nome de guaianases aos índios selvagens que infestaram as vizinhanças de Itapeva (*Revist. trim.*, 2ª. série). Convém notar também que o velho paulista Fernando Dias Pais tinha percorrido, antes de descobrir Minas, os sertões vizinhos do Rio Tibagi e havia capturado ali um grande número de índios, aos quais dava o nome de guaianases (Baltazar da Silva Lisboa, *Anais do Rio de Janeiro*, II).

[22] É extraordinário que seja encontrado esse nome, com ligeiras modificações, em quase todas as partes da América, entre povos que jamais se comunicaram entre si e que falam linguas inteiramente distintas. Suponho que o nome tenha sido levado de uma nação a outra por missionários, os quais sem dúvida o julgavam mais fácil de ser compreendido pelos índios do que a palavra equivalente nas línguas de origem grega e latina. Juntamente com vários autores, e de acordo com o Pe. Vasconcelos, eu dei à palavra *tupã* o significado de *excelência terrificantes;* mas Ferdinand Denis chamou atenção para um trecho do Pe. Antônio Ruiz de Montoya, que apresenta uma etimologia mais satisfatória, expressa da seguinte maneira: "*Tu,* partícula de admiração, e *pa,* interrogação; *quem é ele?* – nome que eles aplicam a Deus" (*Tesoro de la lengua guarani*). Malte-Brun, em sua *Geografia universal*, já tinha dado uma tradução semelhante da palavra *tupã*, mas não explica de onde a tirou, nem decompõe a palavra.

Sol	Leve
Lua	Cãssime
Estrelas	Clingué
Homem	Dofuve
Mãe	Ningtave
Menino	Confuve
Menina	Jacrove
Olhos	Caneve
Pé	Opeve
Pedaço de pau	Cave
Jabuticaba	Meve
Cavalo	Mingbagare
Anta	Cojuru
Água	Goió
Veado	Kinbeve
Macaco	Cajere
Grande	Crangue
Pequeno	Carove
Onça	Mingue
Fogo	Finfinve
Papagaio	Iongiove
Jacu	Penhe
Lambari	Clingloforce
Milho	Nheré
Fubá	Manefu
Feijão	Ingró
Abóbora	Pacove
Flecha	Dove
Perdiz	Curupepé
Cachorro	Fogfogve

Devo prevenir ao leitor que nas palavras acima o *e* sem acento é pronunciado fechado e o *é* acentuado se pronuncia muito aberto, como em português. A repetição da sílaba *ve* no final de inúmeras palavras parece indicar que se trata de um artigo. Comparei esse pequeno vocabulário com os das línguas dos coroados do Rio Bonito, dos malalis, dos monoxós, dos macunis, dos botocudos, dos maxacalis, dos coiapós e dos xicriabás[23], não tendo encontrado a menor semelhança. Fiz mais: comparei as palavras que me ditou o jovem guanhanã de Itapeva com três dialetos da *língua geral* e estou convencido de que não existe a mínima analogia entre eles. As línguas não escritas, como já demonstrei em outro relato[24], modificam-se com muita facilidade. Mas em dois séculos elas não podem mudar completamente e assumir um caráter inteiramente diverso. Os antigos guaianases falavam a *língua geral*, pois foi com eles que Anchieta a aprendeu; deduz-se disso que os guanhanãs de Itapeva nada têm em comum com aquela tribo, a não ser o seu nome, o qual, como já disse mais acima, deve ter sido dado a eles pelos primeiros brancos ou mestiços que se estabeleceram na região, sem dúvida porque os guaianases eram os únicos índios que eles conheciam ou dos quais tinham conservado alguma lembrança.

Seja como for, parece que guanhanãs se acham colocados, na escala da civilização, um pouco mais alto do que muitas tribos selvagens. Eles creem na existência de um poder soberano; fazem plantações de feijão e de milho, e embora os homens andem inteiramente nus, as mulheres cobrem as partes genitais.

Esses índios, que à época de minha viagem inspiravam um terror tão grande, ainda não foram exterminados. Deixaram, porém, de aparecer nos arredores de Itapeva.

Aproximadamente duzentos indígenas pertencentes a uma outra nação vieram estabelecer-se, há já bastante anos, na margem esquerda do Rio Tacuari, a pouca distância da sede do distrito. Estavam em guerra com os guanhanãs, e estes, julgando-se em situação de inferioridade diante do inimigo, ao qual se tinham juntado os paulistas, embrenharam-se ainda

---

[23] *Viagem pelas Províncias do Rio de Janeiro e de Minas Gerais, - Viagem aos Distrito dos Diamantes e Litoral do Brasil. Viagem à Província de Goiás.*
[24] *Viagem às Nascentes do Rio S. Francisco.*

mais nas matas, deixando de causar inquietação aos homens brancos da região[25].

Os recém-chegados tinham um temperamento dócil e pacífico, fizeram-se estimar pelos brancos, seus vizinhos, e muitas vezes iam ao povoado trocar por ferro e roupas a cera e o mel que recolhiam, com grande dificuldade, no meio da mata. Todavia, o serviço que haviam prestado aos brancos não tardou a lhes ser fatal. Não tendo mais nada a temer dos guanhanãs, os brancos se puseram a cultivar as excelentes terras das quais em outros tempos não tinham tido coragem de se aproximar. Os índios não tardaram a se ver confinados num estreito território, e a caça que constituía a sua alimentação acabou por lhes faltar. Nessa contingência, nove indivíduos da tribo apresentaram-se, no dia 1º de setembro de 1843, à fazenda de Perituva, que já mencionei mais acima, e que então pertencia a João da Silva Machado, Barão de Antonina. Eles deram ciência ao barão de sua penosa situação e do seu propósito de se retirarem para bem longe da mata. O barão apressou-se a reclamar para essa pobre gente a ajuda do governo provincial, mas no primeiro momento não foi ouvido. Ele tomou então, generosamente, os índios sob sua proteção, instalando-os em suas terras às margens do Rio Verde e do Itararé, fazendo por eles tudo o que estava ao seu alcance[26]. Parece, entretanto, que em 1844 o presidente da província se lembrou dos índios de Perituva, tendo enviado ao barão vários objetos para que fossem distribuídos aos seus protegidos. Para instruí-los na fé cristã foi-lhes enviado um dos missionários capuchinhos que o Papa tinha mandado ao Brasil, a pedido do

---

[25] Não é inteiramente improvável que os guaianás de que fala Azara (*Voyage dans l'Amérique Méridionale,* II) e que, segundo ele, habitam as terras a leste do Uruguai e do Paraná, sejam os mesmos que em S. Paulo são chamados de guanhanans; os primeiros são tão pouco alheios à agricultura quanto os segundos, e tanto numa tribo quanto noutra as mulheres demonstram um certo pudor, ao passo que os homens andam completamente nus. Vê-se, na *Viagem pitoresca,* de Debret, um quadro representando os *selvagens goianas do Mar Pequeno,* sendo esta a explicação que dá o autor: "O local onde se passa esta cena tem duplo interesse, não só porque mostra uma vista da floresta virgem, no ponto onde se encontra a nascente da famosa Lagoa dos Patos... como também porque dá uma ideia do engenho dos Goianás que mantém com suas canoas um útil serviço de transporte marítimo para os viajantes que desejam percorrer o litoral da Província do Rio Grande." Isso é quase o mesmo que se disséssemos que os camponeses de Berry têm barquinhos na Mancha, fonte do Reno; que neles transportam viajantes e os levam a visitar as costas do reino de Algarves. É de lamentar que o Sr. Debret, que tão bem soube observar as cenas da vida doméstica dos habitantes do Rio de Janeiro, não tenha registrado algumas outras mais, e que tenha desperdiçado o seu pincel desenhando tantas plantas sobre as quais sabia muito pouco e tantos índios sobre os quais não sabia absolutamente nada.

[26] J. J. Machado de Oliveira, *Not. racioc. In Revist. trim.,* I, 2ª. série.

governo central. Atraídos, sem dúvida, pela boa acolhida que o Barão de Antonina dava aos indígenas, outros índios se juntaram aos primeiros, e em 1847 a pequena colônia se compunha de quase 400 indivíduos. O missionário capuchinho pediu que fosse doado a esses infelizes um terreno que pudesse assegurar-lhes a subsistência, bem como que se desse à sua aldeia um título oficial. Mas o presidente da Província no ano de 1847 declarou, em seu discurso à Assembleia Legislativa, que esse pedido só seria atendido depois da nomeação do diretor que se pretendia colocar à frente dos indígenas[27]. Tantos foram os chefes que se mostraram terríveis tiranos para os índios, que não podemos deixar de sentir algum receio pela sorte dos índios de Perituva, fadados a se submeterem a um regime que na maioria das vezes se mostrou destruidor e sempre foi despótico.

Quanto ao missionário, talvez tenha encontrado muita resistência da parte dos índios adultos, provavelmente já corrompidos por seu contato com os brancos e os escravos; ele se terá consolado chamando a si as crianças e lançando em suas almas as sementes da virtude. De acordo com os sábios conselhos de um dos que o precederam em sua nobre missão, "é preciso endireitar a árvore enquanto é nova, e enxertá-la no começo. Enquanto a cera ainda está mole, imprime-se nela o que se quiser, e enquanto a argila está úmida molda-se com ela o que dita a fantasia. Não posso aqui esquecer as palavras de Horácio: o vaso guarda por longo tempo o cheiro e o gosto da primeira coisa que conteve, e o papel a primeira escrita, e tinta"[28].

---

[27] *Discirso recit.pelo pres. Manoel da Fonseca Lima e Silva, no dia 7 de janeiro de 1847.*
[28] Pe. Maurille de S. Michel, *Voyage des isles Camarcandes em l'Amérique.*

Este livro foi composto com a tipografia Times New Roman
e impresso pela Meta Brasil.